D1237649

ПЕТРОВЫ В ГРИППЕ И ВОКРУГ НЕГО

Алексей Сальников

Роман

Издательство АСТ
Москва

УДК 821.161.1-31
ББК 84(2Рос=Рус)6-44
С16

Художественное оформление *Анны Латуховой*

Фото автора на переплете — *Андрей Черкасов*

Издательство благодарит компанию «Bookmate» за любезно предоставленный эскиз переплета.

Сальников, Алексей Борисович.

С16 Петровы в гриппе и вокруг него : роман / Алексей Сальников. — Москва : Издательство АСТ : Редакция Елены Шубиной, 2020. — 411, [5] с. — (Классное чтение).

ISBN 978-5-17-106570-6

Алексей Сальников родился в 1978 году в Тарту. Публиковался в альманахе «Вавилон», журналах «Воздух», «Урал», «Волга». Автор трех поэтических сборников. Лауреат премий «ЛитератуРРентген» (2005) и «Национальный бестселлер» (2018), финалист «Большой книги». Живет в Екатеринбурге.

«Пишет Сальников как, пожалуй, никто другой сегодня — а именно свежо, как первый день творения. На каждом шагу он выбивает у читателя почву из-под ног, расшатывает натренированный многолетним чтением "нормальных" книг вестибулярный аппарат.

Все случайные знаки, встреченные гриппующими Петровыми в их болезненном полубреду, собираются в стройную конструкцию без единой лишней детали. Из всех щелей начинает сочиться такая развеселая хтонь и инфернальная жуть, что Мамлеев с Горчевым дружно пускаются в пляс, а Гоголь с Булгаковым аплодируют…

Галина Юзефович

УДК 821.161.1-31
ББК 84(2Рос=Рус)6-44

ISBN 978-5-17-106570-6

Посвящается моей жене

Оглавление

ГЛАВА I
Артюхин Игорь Дмитриевич

Стоило только Петрову поехать на троллейбусе, и почти сразу же возникали безумцы и начинали приставать к Петрову. Был только один, который не приставал, — тихий пухленький выбритый старичок, похожий на обиженного ребенка. Но когда Петров видел этого старичка, ему самому хотелось подняться со своего места и обидеть старичка еще больше. Вот такое вот его обуревало дикое, ничем не объяснимое чувство, тесная совокупность мохнатых каких-то дарвиновых сил с достоевщиной. Старичок, замечая на себе внимательный взгляд Петрова, робко отворачивался.

Но сей дедуля являлся, так сказать, постоянным сумасшедшим, его Петров встречал то и дело едва ли не с детства, даже вне общественного транспорта. Другие сумасшедшие вторгались в жизнь Петрова только по разу, будто единожды за тридцать лет вырвавшись с восьмого километра Сибирского тракта, спешили на третий троллейбус, чтобы сказать Петрову пару ласковых — и пропасть навсегда.

Была старушка, уступавшая Петрову место на том основании, что он, Петров, инвалид и у него деревянные ноги и руки и рак (рак не деревянный, просто рак). Был дядька, похожий на кузнеца из советских кинофильмов, т. е. здоровенный дядька с таким голосом, от которого вся жесть троллейбуса, казалось, начинала вибрировать. Похожим образом вибрирует полупустая открытая бутылка, если мимо проезжает грузовик. Дядька, одним своим боком прижав Петрова к стенке, читал пожилой кондукторше стихи, поскольку оказалось, что под ватником, пахнущим металлической стружкой, бензином и солярой, таится нежное сердце поэта.

— А годы летят, наши годы как птицы летят, — интонируя нежностью «годы» и «птицы», читал дядька.

Кондуктор, улыбаясь кроткой улыбкой, слушала.

Много раз к Петрову подсаживались люди не сказать что совсем уж пожилые, чтобы можно было заподозрить каждого из них по крайней мере в маразме, знакомились и принимались нести ахинею про золото партии, про бесплатные путевки в санаторий, которые давали когда-то каждый год, и про то, что всех, кто сейчас находится у власти, надо ставить к стенке. Как только кто-нибудь из безумцев упоминал эту пресловутую стенку, Петрову почему-то представлялись стоящие в ожидании расстрела Путин и Россель. Воображение рисовало их такими же, как они появлялись на телеэкране: Россель весело улыбался, Путин был серьезен, но с этакой иронией в глазах.

Однажды на виду у Петрова едва ли не врукопашную сошлись два пенсионера. Спорили они за одно и то же, даже политические платформы каждого из них не сильно разнились, но тем не менее они ссорились, Петров уже заподозрил дурное, поскольку пенсионеры сходились и в том, что Ельцина убрал Березовский, и что таджиков много, и что раньше была настоящая дружба народов, а теперь одни евреи, и что на Нобелевскую премию Евтушенко выдвигают лишь за то, что он осуждает холокост. Такой взгляд на происходящее несколько ломал представление Петрова о всякой логике, и он почувствовал, что сам сходит с ума, как двое этих стариков, пытаясь понять, почему они кричат друг на друга. Все это как будто бы могло нехорошо кончиться, но тут наступила конечная, старички вышли и медленно разошлись в разные стороны, спокойные и отстраненные от всего, как до спора, так и не выяснив, при ком был самый сахар: при Брежневе или при Брежневе.

И в этот раз, гриппуя и сам чувствуя некоторую измененность сознания, Петров стоя колыхался на задней площадке троллейбуса, держась за верхний поручень. Народу было немного, но сидячих мест не было, а водитель на каждой остановке одинаково шутил:

— Осторожно, двери не закрываются.

На остановке «Архитектурная академия» в салон зашел аккуратненький дедуля в чистом сером пальтишке, в отутюженных серых брючках, с чемоданчиком на застежке. У дедули была ленинская, или же дзержинская, или же лимоновская бородка. Очки дедули побелели с мороза, и он принялся вытирать их концом красно-черного клетчатого своего шарфика, когда место ему уступила девочка лет восьми.

Старичок поблагодарил и сел.

— А вот сколько тебе лет? — потерпев какое-то время, поинтересовался старичок у девочки.

— Девять, — сказала девочка и нервно громыхнула ранцем за плечами.

— А ты знаешь, что в Индии и в Афганистане девочки с семи лет могут замуж выходить?

Петров решил, что бредит или же ослышался, — он посмотрел на старичка, тот продолжал шевелить губами и издавать звуки.

— Вот представляешь, ты бы уже два года замужем была, — старичок лукаво сощурился, — два года бы уже с мужем трахалась вовсю, а может быть, даже изменяла бы ему. Все вы, сучки, одинаковые, — закончил он, с той же доброй улыбкой и лукавым прищуром гладя ее по ранцу.

— Горького, — объявил водитель и открыл двери. Старичок хотел продолжить, но тут бледный худенький паренек лет, может быть, семнадцати, сидевший со старичком по соседству, на одном с ним сиденье, как бы очнулся от разглядывания окрестностей сквозь процарапанный оконный иней, повернулся к старичку, снял с него очки и дал ему по физиономии, внезапно, но так как-то даже обыденно, не слишком даже сильно. К ногам Петрова, как шайба, выкатилась старикова вставная челюсть.

— Ах ты... — возмутился старичок, — да я за тебя пятнадцать лет в Анголе...

— Осторожно, двери не закрываются, — предупредил водитель.

Паренек ухватил старичка за шарфик и, как упирающуюся собаку, торопливо выволок его наружу. Петров нагнулся, поднял вставную челюсть с прорезиненного рифленого мокрого пола и выбросил ее на улицу, где продолжалась экзекуция. Двери закрылись, и троллейбус двинулся дальше. Девочка как ни в чем не бывало заняла освободившееся у окна место. Петров отчего-то заробел садиться с ней рядом, он отошел к заднему стеклу, почти чистому, почти безо льда. Сквозь стекло была видна реклама «Росгосстраха», приклеенная по ту сторону окна и потому перевернутая зеркально, так что, понятно, читалось: «хартссогсоР», на рекламе этой был еще изображен почему-то бульдог, снаружи видимый отчетливо, а из троллейбуса смотревшийся эдак бледновато, словно подернутая туманом собака Баскервилей. Кроме того, через заднее окно Петров увидел, как милиция забирала и паренька, и дедушку, причем дедушка защищался, ловко бия милиционеров портфелем, а те, в свою очередь, дрались с ним кулаками и дубинками. «Может быть, правда Ангола», — равнодушно подумал Петров той частью мозга, которая была особенно охвачена у него жаром инфлюэнцы.

Когда перспектива постепенно скрыла от Петрова побоище, он опять стал смотреть на рекламу «Росгосстраха», задумавшись, есть ли, например, у китайцев аббревиатуры, или же им хватает иероглифов. При каждом выдохе он чувствовал, как жарко, пусто и просторно у него в носоглотке. Хотелось холодной газированной воды, и закурить, и аспирина, и еще раз холодной газированной воды, и уснуть.

— Раньше таких людей за блаженных считали, — назидательно сказал за спиною Петрова старушечий голос, — уважали, ходили к ним специально, а сейчас вот оно как.

«...........», — равнодушно подумалось Петрову.

— Пенсионное, — продолжал голос, — а сейчас вон что по телевизору показывают, а слово человеку сказать не дают.

Петров не без веселья подумал, что забавно было бы обернуться и увидеть за спиной совершенно пустой салон, да так, чтобы голоса продолжали звучать, — но оборачиваться не стал. Петров стал смотреть на дорогу, и от того, как она выкатывалась изпод троллейбусного хвоста, Петрова замутило. Он поднял глаза на идущие вслед за троллейбусом машины и увидел, что прямо за ними катится катафалк — малиновая «газель» с двумя вертикальными черными полосами через все лицо. Человек на пассажирском месте «газели» радостно махал руками. Не сами глаза Петрова, а его горячая голова медленно навела фокус на человека, машущего руками, чтобы Петров понял наконец: перед ним его старый знакомец, знакомец показывает ему, дескать, иди сюда. Зря Петров не сел рядом с девочкой, потому как последний раз, когда он виделся с этим знакомцем, а звали знакомца Игорь, все чуть не закончилось тем, что оба они, Игорь и Петров, по пьяной лавочке едва зачем-то не уехали в Ирбит. Благо Игорь еще по дороге до железнодорожного вокзала стал грубить прохожим, а поскольку день отъезда совпал с днем ВДВ, путешествие, так и не начавшись, завершилось побоями, пьянкой на островке возле УрГСХА и песнями про голубые береты в компании каких-то загорелых, покрытых татуировками, мускулистых мужиков, словно разом вышагнувших на улицы города из бара «Голубая устрица».

Петров стал махать Игорю, отпуская его за приключениями одного. При этом Петров всем своим видом давал понять, что нет, нет, ему некогда, ему плохо, тем более Петрову и на самом деле было плохо, а когда он увидел Игоря, стало и того хуже, но тот словно не совсем понимал Петрова, а может, принимал все отчаянные жесты Петрова за своеобразное кокетство, потому что считал Петрова почему-то душой компании. Петров, впрочем, отмахивался и знал, что это бесполезно, не придумал еще никто способа отмахаться от Игоря, когда тот желал понимания и общества, это были просто какие-то чары. Что говорить, если этот волшебный человек прямо на лету исхитрился в хлам напоить наряд ППС, который их с Петровым остановил, а после Игорева тоста: «Ну, чтобы вам все с рук сходило, как фээсбэшникам», — один из особо чувствительных милиционеров едва не подарил Игорю табельное оружие. Понятно, что через минуту Петров и его троллейбус были остановлены, что упиравшийся, улыбающийся смущенно и что-то смущенно и протестующе мекающий Петров был пересажен в катафалк, что минут через семь они уже чокались с Игорем пластиковыми стаканчиками над крышкой гроба и проливали водку на гроб, когда «газель» притормаживала или взбрыкивала, и водитель спрашивал обеспокоенно: «Вы там ничего не пролили? Вы аккуратнее там. Еще не хватало», — водитель уже явно жалел, что кроме Игоря в машине сидит еще и Петров, без которого Игорь пил не так развязно, а Петров не жалел уже ни о чем, он как-то сразу прошел через собственное условие «одну, и всё, а потом вы меня высадите, раз по пути». Игорь стал уговаривать шофера выпить с ними полстаканчика, и водитель продолжал ломаться, прикидываясь серьезным и ответственным.

— Вот определим жмура, и тогда — с радостью.

А Игорь отвечал:

— Да че он, убежит, что ли? Да и кто тебя остановит, гробовозку?

В итоге водитель все-таки принял на грудь, не в силах переносить одновременно пробку и заклинания Игоря. Затем водитель принял еще, но уже по собственной инициативе, и стал рассказывать, как еще в советское время учился в мореходке и был серебряным призером ЭССР по боксу. Описание извилистого пути от будущего моряка и будущего чемпиона до нынешнего водителя катафалка ударило по нетрезвому и болящему мозгу Петрова, как большая мягкая кувалда, так что мысль Петрова потекла сразу в две стороны — в сторону тихой грусти за шофера, восхищения перед его рассказом и спокойствия за самого себя, потому что сам Петров никаких особых амбиций не имел даже в прошлом, от чего не мог испытать разочарования в жизни никаким образом. То есть были у него, конечно, мелкие неурядицы, но они не могли целиком поставить крест на его жизни, как получилось, например, в юности у его друга Сергея. Могли случиться какие-нибудь тяжелые потери, с сыном могло что-то произойти: пропал же вот мальчик из сыновьей параллели, ушел куда-то с коньками — и не вернулся. Жена могла найти себе кого-нибудь, что было бы логично, потому что Петровы находились в разводе. Что еще могло случиться? Разглядывая окрестности своей жизни, Петров отчего-то не замечал очевидного, что он как бы соучаствует в похищении человеческих останков и, может быть, даже совершает некоторое глумление над трупом и за это его могут прицепом, вместе с Игорем и шофером, привлечь.

Шофер в свою очередь не умолкал. Он рассказывал, что в их похоронной конторе таких, как он, почти все. Был, например, бывший певец, с шести лет занимавшийся музыкой, но умудрившийся скатиться, что называется, к земле посредством своей глупости, и не столько даже глупости, сколько чередования везения и невезения, посредством того, что многие близкие вкладывали в него какие-то надежды, но кроме надежд вложили в него, видимо, какую-то нездоровую наследственность. Певец был из простой рабочей семьи, учитель музыки еще в детском саду заметил в нем талант, в подростковом возрасте певец не потерял голос, педагоги носились с ним в школе, но в консерватории певец не продержался и полугода. В музыкальной роте, куда певец загромыхал, он тоже не просидел слишком долго, попался на пьянке и угодил в стройбат. Затем были череда работ и кружки художественной самодеятельности, несколько брошенных жен, алименты — и не прошло и двадцати лет, как певец уже ковырялся в уральской глине.

— Ну, это вообще эпос, — Игорь откликнулся на рассказ водителя таким равнодушным голосом, что Петрову захотелось дать Игорю по морде. — А какие у вас там еще кадры есть? Писатели там, художники…

Петров внутренне содрогнулся вопросу и внимательно посмотрел на Игоря, но тот даже не поднял взгляда от дна своего стаканчика. Действительно, оказались в похоронной конторе и писатель, и художник. Писатель, а точнее, поэт уже бесконечно долго посещал литературную студию «Строка» где-то в библиотеке на Уралмаше.

— Это, по ходу, где у меня жена работает, — сказал Петров. — Она говорит, что так жалко всех этих людей, что там раз в неделю собираются, что хочется заколотить их в конференц-зале и сжечь библиотеку, чтобы они не мучились.

— А художник что? — спросил Игорь.

Художник, по словам водителя, был не так уж плох, но не мог рисовать ничего, кроме уральского леса, и ладно бы любого леса, нет, художник рисовал только осенние уральские лесные пейзажи, изредка изменяя им с натюрмортами на тему «Дары природы». Стоит ли говорить, что дары природы тоже были уральские и лесные: грибы, рябина. Художник говорил, что тема уральской осени неисчерпаема. По основной своей специальности художник был плотник, сколачивал гробы. Когда водитель упомянул об этом, в Петрова вкралось подозрение, не оформлял ли этот плотник в свое время районную столовую, куда Петров, тогда еще школьник, ходил обедать на заводские талоны матери. В этой столовой стены были покрыты узкими рейками, лакированными под дуб, а на стенах висели осенние пейзажи и портреты корзин с грибами и кисточкой рябины сверху. Несколько выделялась из этого только огромная копия картины «Три богатыря», присобаченная возле входа, и транспарант, который Петров не смог бы процитировать дословно, однако помнил, что там что-то говорилось про трезвость. В детстве и транспарант, и три богатыря как-то складывались у Петрова в одну общую картинку, ему казалось, что три богатыря иллюстрируют транспарант, что Алеша Попович, слегка оползающий в седле, пьян, а «Три богатыря» — этакая сатира, призывающая не походить на Алешу Поповича. Сам того не замечая, Петров уже походил на Алешу Поповича своей позой, которая становилась все более неустойчивой с каждой выпитой рюмкой.

Игорь попросил притормозить, потому что у него кончилось спиртное. Водитель, как показалось Петрову, облегченно выдохнул и принялся выбирать, где бы ему поудачнее припарковаться.

— А мы уже бутылку выглушили? — громким от опьянения и удивления голосом осведомился Петров.

— Нет, — сказал Игорь, — я бóльшую часть выпил, ты уже напоследок попался, но предлагаю продолжить.

Когда Игорь распахнул боковую дверцу «газели» и на Петрова дохнуло свежим воздухом, Петров почувствовал, насколько в машине душно и насколько в машине приторно пахнет отдушкой от трупа; оказалось, что Петров незаметно для себя расстегнул дубленку, потому что горячий пот тек по всему его телу, как будто это был не пот, а просто Петров только что выключил душ и тянулся за полотенцем, а вода стекала по нему.

— Я с тобой пойду, — сказал Петров Игорю.

— Конечно, ребята, прогуляйтесь, — поспешно поддержал водитель.

— Ну пошли, — охотно согласился Игорь.

Петров знал, что Игорь не переносит одиночества, даже если бы он ушел один, то все равно вернулся бы с какой-то компанией или не вернулся бы вовсе, если бы нашел компанию поинтереснее, а компанию Игоря Петров предпочитал больше, нежели компанию водителя, хотя и знал его уже во всех подробностях, а про Игоря до сих пор не знал почти ничего. Кроме имени Игоря, Петров вообще ничего про него не знал.

Петров выкарабкался из «газели» и с наслаждением вздохнул.

Игорь с одобрением оценил внешний вид Петрова.

— Ты прямо румяный, как Дедушка Мороз, — сказал он.

— Так скоро Новый год, — Петрову показалось, что этими словами он как-то объяснил свое состояние, — плюс я еще гриппую. А мне еще и сына в пятницу на елку вести или везти на машине, надо будет посмотреть, как я буду выглядеть к тому времени.

Они мирно захрупали снежком тротуара, направляясь к магазинчику через дорогу, Игорь задумчиво нес пустую бутылку, зацепив ее двумя пальцами за горлышко, так что бутылка ненадежно болталась в воздухе. «Да поставь ты ее уже куда-нибудь», — хотелось сказать Петрову, но Игорь честно дошел до ближайшей урны, совершенно пустой, хотя рядом с урной было столько окурков, будто урна ждала кого-то на свидание и много курила. Игорь бросил туда бутылку, и бутылка громыхала внутри урны очень долго, словно попала в мусоропровод девятиэтажного дома.

— Так ты в похоронной конторе работаешь? — спросил Петров.

— Да нет, это просто знакомый попался по дороге, — беспечно сказал Игорь и даже как будто набрал воздуху, чтобы сказать, где он работает на самом деле, и промолчал.

На светофоре делать было все равно нечего, поэтому Петров набрался решимости и спросил:

— А там точно труп у вас в машине, или вы сговорились, чтобы меня попугать?

— Когда вернешься, сам посмотри, — усмехнулся Игорь, — там реально труп в костюмчике. Мужик какой-то. Но я бы на его месте хотел, чтобы меня немного на этом свете вот так вот задержали. Ты бы разве отказался?

— Не знаю, — засомневался Петров. — Мне-то уже все равно будет, там родственникам больше переживать по поводу его исчезновения. Им, наверно, не очень хорошо, все ведь распланировано.

— Будь моя воля, — признался Игорь, — я бы его останки до тридцать первого где-нибудь попридержал и посмотрел, как они его тридцать первого закапывать будут, а потом на праздник спешить.

Тут они заметили, что женщина за руку с мальчиком лет шести, вставшая, как и они, на красный свет, смотрит на них, приоткрыв рот, и вслушивается в их беседу.

— Женщина, ну что вы вот встали тут, — слегка возмутился Игорь. — Проходите, не задерживайтесь. Видите, зеленый уже загорелся.

На середине пешеходного перехода Игорь, а с ним и Петров догнали женщину с ребенком, которая спешила от них ускакать.

— Нет, — сразу же как бы с середины начал Игорь, отчего создалось впечатление, что они с женщиной уже вели хотя бы какую-то беседу и прервали ее, а теперь возвращаются к начатому, — если вам не с кем встречать, то это совсем другой разговор, это совершенно шутка, конечно.

Женщина потащила ребенка в магазин, видимо, поближе к толпам народа и охранникам, но туда же направлялись и Петров с Игорем, только возле овощного отдела они отстали от женщины, скользнув в отдел с алкоголем, где приглашающе блестели непочатые бутылки, а взгляд скучающего чоповца в черной форме был особенно подозрителен и цепок.

— Не надо на меня так смотреть, — предложил охраннику Игорь.

«Началось», — подумал Петров с невыразимой тоской, еще большей даже, чем когда его вытаскивали из троллейбуса и пересаживали в катафалк.

— Это почему это? — спросил охранник.

— Ну просто по статистике, — пояснил Игорь, — больше всего из магазина прут именно сотрудники магазина, а вы тут изображаете Цербера, хотя, может быть, целый день стоите тут и думаете, как бы что списать на усушку и утруску.

Охранник скептически хмыкнул вместо ответа, но все же отвернулся.

Это был удивительный магазин, тут играла музыка — один и тот же Фрэнк Синатра пел одну и ту же «Let It Snow», — на каждом углу висели маленькие хвойные веночки, как будто в память о многочисленных усопших гномиках, а елочные игрушки висели под потолком и лежали между бутылками с водкой и на полках с другим алкоголем, еще стоял большой ящик, куда грудой были свалены бутылки с «Советским шампанским» за восемьдесят рублей, мигали гирлянды, точнее, не мигали, а словно светящиеся муравьи непрерывно бежали вдоль гирлянд, и все было бы совсем по-предновогоднему, если бы повсюду, даже в алкогольном отделе, не пахло луком.

— Чиполлино у них тут сдох, что ли, — выразил неудовольствие Игорь.

Вообще, вся веселость Игоря куда-то делась в магазине: и в алкогольном отделе, и в отделе мясной гастрономии он, прежде чем что-то выбрать, смотрел на товары, не притрагиваясь к ним и даже чуть откинувшись назад, и еще с таким прищуром, словно был тренером некоей продуктовой команды, которая вот-вот должна была встретиться с противником, а на самом Игоре была ответственность за вдохновляющую речь, и речь эта копилась в нем, пока они ползали с корзинкой вдоль стеллажей, так что Петрову снова стало жарко и он снова почувствовал себя только что выключившим душ, только теперь это было чувство, что он выключил воду уже после того, как намылился, но до того, как согнать с себя образовавшуюся на коже пену. Игорь разродился словами только возле кассы, пред очами кассирши в форменном магазинном фартуке цвета запекшейся крови.

Вообще Игорь распылял свое внимание на женщину с ребенком, ту самую, с перехода, которая встала за ними только потому, что больше ни одна из четырех касс не работала, и, собственно, на кассиршу. Кажется, он пытался склеить их обеих.

— С наступающим, — сказал Игорь кассирше, пока их корзинка с алкоголем и колбасами ехала по ленте транспортера.

— Вас также, — дежурно ответила кассирша.

— У вас в магазине, можно подумать, не год Желтой крысы наступает, а год не знаю чего, — сказал Игорь. — У вас голова не болит от этого запаха?

— У меня голова от покупателей болит, — сказала продавщица. — От таких, как вы. Не отвлекайте, пожалуйста.

Этого ответа хватило Игорю, чтобы отвлечься на короткое время от работницы прилавка и начать выбирать киндер-сюрприз со стеллажа возле кассы. Игорь осведомлялся у ребенка, яйцо из какого набора ему нужно, при этом женщина, чей был ребенок, направляла на Игоря очень тягостный взгляд, от которого тяжелее становилось лишь Петрову.

— А какие больше берут? — спрашивал Игорь у продавщицы.

— Сейчас все берут, — отвечала продавщица, пикая определителем штрихкода.

— А ты какой хочешь? — спрашивал Игорь у ребенка.

— Он никакой не хочет, — говорила женщина-мать (или сестра, или тетя — неизвестно).

— Нет, мне машинки, — охотно отвечал ребенок, и женщина дергала его за руку.

Это повторилось несколько раз, причем с каждым разом продавщица нисколько не меняла интонации, которая должна была, по замыслу Петрова, становиться все раздраженнее с каждым новым повторением.

— Он просто выделывается, дайте ему сделать, что он хочет, — и он отстанет, — тоже раз за разом утверждал Петров, хотя и не совсем был в этом уверен.

Петров не ошибся: закупившись своими продуктами, Игорь приобрел ребенку упаковку киндер-сюрпризов, пару шоколадных монеток в желтой фольге и растаял в загадочном тумане, то есть сразу же потерял всякий интерес и к продавщице-женщине, и к женщине с ребенком; женщина с ребенком стала складывать продукты в пакет рядом с ними и пыталась заставить мальчика сказать «спасибо», а мальчик молчал или из упрямства, или от того, что ему от радости сперло дыхание в зобу. Петров отворачивался от них всех, боясь надышать на кого-нибудь гриппозным дыханием, а значит, заразить и подрубить чей-то праздник на корню, как елочку.

Словно соревнуясь с женщиной, Игорь быстрее нее скидал все продукты в свой пакет, белый, но с надписью цвета запекшейся крови, и молча вышел в сумрак улицы, проглядывающий уже через стеклянные двери. Петров догнал его, стремительно шедшего обратно к переходу, и с некоторым раздражением спросил:

— И что это было?

Игорь посмотрел на Петрова сверху вниз, как небожитель, непонятно было, пьян он в дым или совершенно трезв (сам-то Петров был уже слегка под хмельком), алый отсвет светофора лежал на густых, темных, коротко постриженных волосах Игоря и на плечах его темного пальто, лицо у него было такое, как будто он собирался спросить: «А ты кто вообще такой?» Но вместо этого Игорь сказал:

— Я тут подумал, что, пока мы по магазину шарились, Василий мог куда-нибудь уехать.

— Не то что мог, — уверил его Петров, — я бы на его месте, как только мы вышли, дал бы по газам и скрылся.

Они перешли дорогу в обратном направлении; Игоря, кажется, заняла мысль, высказанная Петровым, и он не мог сразу ее переварить и найти на нее какие-то обратные аргументы, тем более что траурной «газели» не оказалось на том самом месте, где Игорь и Петров ее оставили.

— Вот балбес, — понурился Игорь, — ну куда он теперь? Он же без меня не выкрутится.

Покосившись на Петрова, Игорь добавил:

— Обратно застегнись, это уже ни в какие ворота. Что ты так потеешь-то?

— Так грипп, — напомнил Петров, застегивая толстые пуговицы на дубленке, — может, мне тоже уже домой как бы пора. Можно ко мне пойти, тут недалеко.

Игорь скривился. Можно было подумать, что он хотя бы раз был у Петрова дома, а сам дом Петрова представлял собой что-то жуткое.

— Да ну тебя, — сказал Петров, — я пойду.

— Бросаешь, — сказал Игорь, и в голосе его прозвучали невыносимые нотки товарища с перебитым хребтом в снежной тайге.

— Ну а что теперь-то? — спросил Петров уже менее уверенно.

— Можно на Эльмаш поехать, — ответил Игорь, — машину, например, поймать и поехать.

— Ну прекрасно, — сказал Петров. — Я за этим столько с Эльмаша еду, чтобы туда вернуться? Что там делать-то?

— А дома тебе чего? — спросил Игорь. — В одиночестве помирать?

— Может, сын придет, может, жена, — сказал Петров и нашелся: — Болеть буду, мне после праздников еще впахивать и впахивать, знаешь.

— Всем, знаешь, после праздников впахивать и впахивать, — заметил Игорь. — А там у меня знакомый живет, кандидатскую по философии пишет, если он еще в состоянии разговаривать, то есть если он еще с местными не напился, то, когда его напоишь, от его разговоров приходы мощнее, чем от травы. А потом его где-нибудь еще можно повспоминать во всяких разговорах. А то что ты там видишь у себя под машинами, в яме своей?

«Ну не скажи», — хотел возразить ему Петров, а Игорь уже стоял на обочине и протягивал, голосуя, руку с пакетом.

— Вот что у тебя там, в яме, интересного? — спросил Игорь Петрова уже внутри теплой «Волги», где Петров стал уже заранее расстегивать пуговицы, чтобы снова его не накрыло волной жара. Игорь обнимал пакет, поставленный на колени, обеими руками, и пакет одновременно мягко шуршал, а бутылки в нем постукивали, словно поленья с мороза, и нежно позвякивали, будто фужеры. В машине пахло только что занесенным ими с улицы морозом и тающим на ботинках снегом, но этот запах постепенно сменялся запахами автомобильной обивки, елочки над лобовым стеклом и сигарет. Петров вспомнил, что давно не курил, а закурить хотел еще в троллейбусе, сразу же, как выйдет на конечной.

Шофер, покачивающийся от дорожного движения, внимательно следил за Петровым в зеркало заднего вида. Сбоку Петрову было видно, что водитель гладко выбрит или просто очень молод, но глаза у отражения были как у старого усатого водителя фуры. В машине было темно, однако света уличной иллюминации и огней передних автомобилей хватало, чтобы разглядеть водительское недовольство. «Лучше бы ты на дорогу смотрел», — подумал Петров и спросил:

— Я закурю? У вас тут можно?

Водитель не стал удостаивать Петрова хоть какими-то звуками собственного голоса, вместо этого он отрицательно покачал головой и включил радио, где сразу же, как будто того и ждали, начали песню про новогодние игрушки, свечи и хлопушки.

— Ну так что ты видишь в своей яме? — не отставал Игорь.

— А на том конце нас ждет вообще кто-нибудь? — спросил в ответ Петров, потому что ему лень было рассказывать про гараж и с ходу он не мог вспомнить ни одной подходящей истории, чтобы и правда было интересно. — Или мы так и продолжим шарахаться по морозу?

— Так тебя это беспокоит? — спросил Игорь, зашевелившись, и, придерживая пакет только одной рукой, начал копаться в своем черном пальто, будто выискивал блох, пока не вытянул наружу обмылок мобильного телефона. — У тебя, кстати, есть мобильник? — между делом поинтересовался Игорь, пока тыкал в кнопки телефона ногтем большого пальца.

— Нету, — соврал Петров.

— Так-то есть, — совершенно не обидевшись, угадал Игорь, — но ты не хочешь, чтобы я тебя и по мобильнику доставал.

— Типа того, да, — признался Петров. — Одно дело — на тебя случайно натыкаться, и совсем другое — постоянно с тобой на связи быть.

— Да я ненавязчивый на самом-то деле, — рассеянно отвечал Игорь, потому что слушал уже гудки, приложив телефон к уху. — Алло, Витя, ты? — спросил Игорь, сразу же отстранившись от внутреннего пространства машины, как только услышал ответный голос в трубке, и словно переместился в другое, недоступное для Петрова место, где обитали души всех телефонных говорильщиков. — Это Игорь, — сказал Игорь с такой интонацией, будто был единственным Игорем во Вселенной. — Да вот, хотим с товарищем к тебе в гости зайти по поводу твоей кандидатской, — сказал Игорь и зачем-то ненадолго отпустил пакет и показал Петрову большой палец. — Уже докторская? — неудивленным голосом спросил Игорь. — Как колбаса? Тем более надо зайти и свежим взглядом ее обозреть. Пролить на нее, так сказать, свет. Ага, именно горний. — А чем ты, собственно, занят? — хамски вопросил Игорь после некоторого выслушивания противной стороны. — Работой ты занят? Витя, ну это просто смешно. Ну какая у тебя там работа? Человек к тебе больной едет поговорить, а у тебя работа. Симпатичная работа-то хоть? Не отвалю, пока не скажешь. Не отвалю. Сам туда иди. Нет, ты. Нет, сам иди. Не, ну правда симпатичная? Правда симпатичная? Мы приедем, посмотрим, оценим, можно? Ну, мы, короче, приедем.

От таких разговоров Петров стал потеть даже в расстегнутой дубленке, ему было страшно представить себя на месте человека, которого обхаживал Игорь, потому что Игорь никого не обхаживал, а просто медленно констатировал факт своего появления и объявлял факт открытия ночных посиделок с большими дозами спиртного, что не всех могло радовать.

— Я думаю, Витя, что ты свистишь, — с беспощадной нежностью говорил Игорь, — никого у тебя нет. Обычных женщин ты отпугиваешь, когда открываешь рот, а студенток — тем, что к тебе нужно переться на Эльмаш. Дай бог, чтобы в своем философском самобичевании, или стоицизме, или не знаю, какой у тебя сейчас период, если не алкогольный, ты не припал, так сказать, к самой что ни на есть онтологии греческой философии и не стал никого заманивать в гимнасий. Местный пролетариат не будет это терпеть.

После слов про докторскую и про студенток Петров вдруг увидел, что Игорь старше него лет на десять, как не на пятнадцать, и почувствовал себя чужим. И до этого было непонятно, почему Игорь с ним возится, а теперь было непонятно втройне. Еще непонятно было, почему после всяческих оскорблений, прямых и завуалированных, Витя сразу не бросил трубку, а продолжил разговор, но непонятно было только до тех пор, пока Игорь не произнес:

— Да я просто трубку не буду бросать, и всё, ты же не можешь перестать спорить, пока спор идет, а денег у меня на телефоне до хрена, я могу сейчас в Тагил скататься, вернуться и к тебе приехать, и если буду продолжать разговаривать, то ты все так и будешь стоять возле своей тумбочки и слюной брызгать.

Игорь, кивая глубоко, как цирковая лошадь, выслушал возражения Виктора и вздохнул:

— Ну ладно, нет так нет. Мы приедем, посмотрим, может, ты еще переменишь свое мнение, а если не переменишь, то постоим на пороге, как девочки со спичками, припадем к твоему окну, продышим глазок и будем смотреть на твое счастье… Нет, меня не пугает, что второй этаж, ты меня знаешь. Пускай тебя это пугает.

Закончив разговор, Игорь убрал телефон обратно вглубь себя, обнял пакет и обернул к Петрову довольное лицо. «Нет, ему ведь реально лет сорок», — подумал Петров, которому было двадцать восемь.

— Он, конечно, против, но кто его спрашивать будет? — сообщил Игорь.

— Так он может тупо не открыть, — подсказал Петров.

— Так мы можем тупо стучать, пока он не откроет, — ответил Игорь.

— Так он может тупо куда-нибудь уйти, пока мы едем, — сказал Петров.

— Так ему тупо некуда, — сказал Игорь. — Ему суждено сегодня напиться, парки уже соткали ткань и все такое.

— А зачем тогда звонить было? — спросил Петров.

— Надо было его заранее растравить, — ответил Игорь, — чтобы он, знаешь, бесился, как Минотавр в своем лабиринте.

Игорь опять приотпустил пакет и показал одной рукой и скорчившейся гримасой Минотавра в бешенстве.

За чужим разговором Петров не заметил, как водитель вывез их в какие-то городские боковины, которые можно было различить при свете дня, но теперь их топология как бы отступила в подступившую темноту и затерялась в лезущих в глаза огнях, впрочем, и огней скоро не стало — «Волга» выкатила на какую-то дугообразную дорогу, которой не было конца. Маленькие полосатенькие столбики торчали по бокам дороги, а за столбиками стояли хвойные деревья с опущенными снегом лапами. Потом мелькнул знакомый дорожный знак с ржавой вмятиной в нижнем правом углу. Знак, обозначавший скорую заправочную станцию, и следующий за ним через сотню метров знак, предостерегавший от вылета гравия из-под колес, сразу расставили по местам дорожные замыслы молчаливого водителя. Правда, мелькнула заправка с воткнутой неподалеку елочкой, украшенной серпантином и гирляндой; непонятно было, специально ли приволокли откуда-то елку или она тут предусмотрительно росла. Через несколько минут после заправки лес начал отступать, а дорога стала обрастать подробностями городской окраины: железной дорогой под автомобильным мостом, какими-то складами без окон и дверей, далекими, сбившимися в стайки, но при этом выглядящими одиноко высотками. Проживший в городе всю жизнь Петров никогда здесь не был и никогда не смотрел на город с этого ракурса, и поэтому все равно не мог понять, где они находятся. Потом и окрестности почти потерялись из виду, потому что водитель «Волги» сунулся в проулок и осторожно поехал между двух бетонных заборов, кренящихся друг к другу, с колючей проволокой по верху. Из-за заборов выглядывали здания из темного мелкого кирпича, с пыльными узкими окнами, но даже за этой оконной пылью и узостью виднелось внутри зданий какое-то пространство, и виднелись в этом пространстве части крупных тяжелых механизмов, какие-то их углы. Из-за того, что ехали они медленно, так же медленно, как на сцене с поворотным механизмом, проплыли мимо них мужчина и овчарка, стоявшие в сугробе. Мужчина отливал в сугроб и как будто даже не заметил автомобиля, а собака смотрела, как мужчина отливает. Еще была заводская труба, торчавшая, как телебашня, из трубы шел белый пар, видный даже в темноте на фоне темного неба.

Следом за промзоной стали появляться желтые двухэтажные домики и черные деревянные, тоже двухэтажные, домишки. Водитель повел дворами, и вся прелесть дворов с их секретными магазинами, известными только местным жителям, спрятанная в первом этаже дома детская поликлиника или детский сад (внутри горел свет и видны были разрисованные игривыми зверюшками стены), кренясь, покачиваясь на особенных дворовых ухабах, стали представать взору Петрова. На совсем короткое время вынырнули как будто на улицу или даже перекресток, однако было темно, и Петров не был уверен, полноценные ли это улица или перекресток или просто причуда ландшафтного дизайнера. Машина полезла в гору и показала, что на горе есть магазин «Кировский», снова запетляла между кустов, близких дверей подъездов и бетонных блоков, преграждавших ей дорогу. Петрову показалось в этом кружении, что они возвращаются обратно.

— Да, вот здесь, — сказал Игорь, и машина остановилась.

Вместо того чтобы вылезти со своей стороны, Игорь необидно выпихнул Петрова наружу, выпихнулся сам и повел Петрова вдоль короткого деревянного палисадничка, в котором стоял покрытый снегом мангал. «Волга», покинутая ими, всячески попятилась, чтобы развернуться и отправиться в обратный путь, сделать это ей было нелегко, потому что дорога была не чищена. Почти за руку Игорь подвел Петрова к двери, пухло обитой коричневым дерматином по площади и черным войлоком по периметру, поставил Петрова под фонарем над крыльцом, передал в руки Петрова пакет и постучал. В ответ его громкому и одновременно мягкому стуку только ветер по-особенному тонко засвистел в рейках палисадника.

— Ну зашибись, — сказал Петров, застегиваясь.

Но тут внутри дома что-то заскрипело деревянными скрипами как будто в нескольких местах сразу, дверь открылась внутрь. На пороге стоял Виктор Михайлович, клиент автосервиса, где работал Петров. Несмотря на то что последний раз Виктор Михайлович появлялся в сервисе года три назад, Петров очень хорошо помнил, как они чинили ходовую его «уазика» и меняли «уазику» коробку передач, и надо было буквально раскручивать Виктора Михайловича на покупку каждой запчасти для его же автомобиля, а потом еще выковыривать из него плату за работу, в итоге у Виктора Михайловича, словно в наказание за его скупость, буквально через несколько часов после того, как машину выгнали из гаража, стуканул движок. Виктор Михайлович, канюча, стал проситься обратно и обещал золотые горы, но все ближайшие гаражи его уже знали и не повелись на обещания, так что Виктору Михайловичу пришлось убираться восвояси и искать лохов в другом месте, где его фотокарточка еще не примелькалась.

Виктор Михайлович запомнился Петрову как довольно крупный мужчина, а теперь, после нескольких лет, что Петров его не видел, он казался еще здоровее. Даже удивительно было, как Виктор Михайлович пролезает к себе домой в такую узкую и низкую входную дверку. Помимо каких-то ватных штанов, на Викторе Михайловиче был еще турецкий свитер горчичного цвета, какие уже носили только на приусадебных участках в холодную погоду, живот свитера украшала надпись «Team boys», сильно подпираемая изнутри телесами хозяина дома. Виктор Михайлович по-особенному, пьяно, посапывал носом, словно собираясь вот-вот проблеваться. Виктора Михайловича слегка покачивало.

— Пришли-таки, ну заходите, — сказал Виктор Михайлович, не без труда развернулся в тесной прихожей и полез по узкой для него лестнице наверх.

Игорь забрал у Петрова пакет и шмыгнул внутрь. Петров шагнул следом за Игорем, прикрыл за собой дверь, и та отчетливо щелкнула английским замком. В прихожей было холодно, как в деревенских сенях, возле двери стояли, прислоненные к стене, несколько совковых лопат, лопата для уборки снега и метла, рядом с ними лежала штыковая лопата с комом земли, оставшимся, наверное, с осени, и так и заброшенная. Еще был электросчетчик на стене, гудевший, как электрический стул во время казни.

— Свет там выключите, — рявкнул Виктор Михайлович откуда-то сверху.

Петров не без труда отыскал землистого вида выключатель на стене, такой старый, что последний раз Петров видел подобную модель только в коммуналке, где жила его бабушка со стороны матери, причем было это лет двадцать назад. От выключателя вверх шел шнур, похожий на обычную бельевую веревку. Петров щелкнул маленьким рубильником выключателя, и сразу же стало совершенно темно, только спустя несколько секунд дверь наверху скрипнула и откуда-то сверху появилось что-то вроде отраженного от стены желтого света. Ориентируясь на шуршащего пакетом и тканью пальто Игоря, стесняясь выставить вперед руку, чтобы не наткнуться головой на какой-нибудь припасенный по дороге возможный антиквариат, но так и не сумев найти перила лестницы, Петров полез за Игорем.

На площадке между первым и вторым этажом висел таз, а его уже было видно в свете, что пробивался в щель приоткрытой двери. За дверью была еще одна прихожая, но на этот раз теплая. Ожидая увидеть жуткую берлогу холостяка, Петров был слегка удивлен, когда обнаружил зеркальный шкаф, встроенный в стену налево от входа, пол, покрытый ламинатом, малиновые занавески с помпончиками на двух видимых Петрову дверях, одна из которых вела, очевидно, в кухню, другая — в гостиную. Сверля гостей злобными, крупными (от рождения) и светлыми (от алкоголизма) глазами, Виктор Михайлович стащил с них верхнюю одежду и шапки и развесил все это на плечики, вырвал пакет из рук Игоря и удалился за одну из малиновых шторок, ту, которая была напротив входа. Под пальто у Игоря оказался костюм, похожий на похоронный, словно он успел стащить его у покойника в «газели», Петров же, в своих джинсиках и свитерочке, пропахших бензином, почувствовал себя подобным Виктору Михайловичу, и ему это совсем не понравилось, ему не хотелось становиться крупнее с годами, тем более настолько крупнее.

— Тапок у тебя так и нет? — спросил Игорь, разуваясь и ставя ботинки на полку для обуви.

— Щас, таксу свою дрессированную кликну, она принесет, — ответил Виктор Михайлович с таким сарказмом, чтобы Игорь понял, что тапок ему не будет.

— Ох ты, батюшки, — сказал Игорь, — да ты все еще злишься на то, что в прошлый раз, что ли, было?

— И за то, что в позапрошлый раз, тоже, — сказал Виктор Михайлович, при этом было слышно, что он отвинчивает крышечку у бутылки и разливает водку по рюмкам.

Игорь, поджидая, когда разуется Петров, не спешил на кухню, хотя и нетерпеливо косился на его гриппозные шевеления со шнурками.

— Племянника я, кстати, и без твоей помощи смог устроить, — сказал Игорь. — В мед.

— Какой мед? — удивился Виктор Михайлович. — Он же у тебя дебил, я же точно помню.

— Дебил, не дебил, — сказал Игорь, — а уже на третьем курсе.

— А это тоже племянник? — с подозрением спросил Виктор Михайлович, показав пол-лица из-за шторки.

— Почти, — сказал Игорь. — Это хороший знакомый мой и сосед по даче. Нас однажды возле ТЮЗа десантура пыталась отмудохать.

— Да не пыталась, — вставил свои пять копеек Петров, наконец разобравшись с ботинками и выпрямляясь, отчего у него едва не случился приступ внезапного кашля, — не пыталась, а именно отмудохала слегка.

Игорь повернул к Петрову лицо, в котором читалось легкое недоумение.

— Да ладно тебе, — сказал Игорь. — Так, потолкались немного, за жизнь поболтали. Если, считай, никого на полу не оказалось, значит, и драки не было. По-моему, так.

Петров, которому все же намяли бока, невольно издал звук некоторого несогласия с Игорем.

— Как же так, Игорек? — спросил Виктор Михайлович. — Не смог отговориться?

— Да вот так как-то, — пожал плечами Игорь. — В свое оправдание хочу сказать, что нас все же не побили. Единственные, кому я бы позволил это сделать, — шахтеры там или горняки. И то если бы я был неправ. А я всегда прав.

По очереди вымыв руки в ванной, Игорь и Петров переместились на кухню, за маленький квадратный столик, покрытый такой жесткой пластиковой скатертью, что Петров почему-то чувствовал ангинный ком в горле, когда щупал ее край, по жесткости скатерть напоминала синие пластинки, вшитые между страницами журнала «Колобок». Петров смотрел на голубое пламя под желтоватым от времени чайником, сделанным в виде полусферы, и начинал чувствовать, что внутри домашнего тепла сам начинает нагреваться, как чайник, хотя нет, жар внутри Петрова был не жидкий, не как в чайнике, он был скорее таким, какой бывает у печных кирпичей, — сухой, тяжелый и долгий. Собственно, Петрову не оставалось ничего, кроме как страдать и напиваться, потому что Игорь и Виктор Михайлович, сев за стол, как и до этого, сразу же занялись друг другом, источая взаимный яд. При том что они пикировались между собой, апеллировали как к судье они почему-то к Петрову, а он мог только хмыкать, поскольку почва большинства острот была Петрову понятна только отчасти. Например, Петров знал уже, что Виктор Михайлович преподает философию, но не знал где, и хотя бы мог понять, почему Игорь спрашивает, каково это — разваливать систему образования и, значит, отчасти саму государственность и быть при этом почвенником. При этом ответный ход Виктора Михайловича, который утверждал, что кому, как не Игорю, знать все про распад, основы, государственность и почву, — был Петрову совершенно неясен, хотя Игорь, услышав такие слова, гадко заулыбался и заговорил про Олешу и зависть. Виктор Михайлович говорил, что зависти нет, а есть вполне закономерное удивление таким поведением Игоря.

Минут через двадцать Виктор Михайлович уже почти орал на Игоря с покрасневшим от натуги лицом и для убедительности тыкал зачем-то указательным пальцем между рюмок.

— Как цивилизация зародилась на Ближнем Востоке, так она там и осталась! Не нужно было даже на пушечный выстрел варваров с севера подпускать! Там и без европейцев котел, чтобы туда еще и масла подливать! Всё, что севернее, — это мусор, мусор, я тебе говорю! На Ближнем Востоке появилось все, что было потом испохаблено варварами под собственные нужды! Любое изначальное проявление хоть какой-то культуры! Хотя вы-то тоже хороши! Носились со своим единобожием как оглашенные! И перед кем вы его стелили, кому вы дали все готовенькое — плод пары тысяч лет религиозной мысли? Причем, смотри, даже арабы, которых сейчас гоняют по всему миру, — и то смогли усвоить, что такое один Бог! Арабы! Это потому что там просто, может, реально что-то святое есть в этих песках! Как только мысль тронулась на север — всё. Во что мы сейчас верим? Правильно! В Отца, Сына и Святого Духа, то есть в Юпитера, Геркулеса и Меркурия в одном лице! А если еще глубже копнуть, то в Зевса, Геракла и Гермеса! Конечно, мне будут возражать, что нет, нет, богословская мысль пошла дальше этой условности. Да ничего подобного! Для обычного люда — это реально Зевс, Геракл и Гермес. Это знаешь, где там под себя черного Иисуса рисуют? Вот и тут так же, просто адаптировали под себя, отмели часть мифов и стали типа не язычниками, хотя по факту ими и остались. Богословская мысль делает всякие обходные тропинки мимо этой аналогии, но так оно и есть, все эти святые покровители того и сего — чистый уход в язычество. Не нужно было перед ними распинаться! Пускай молятся своему греко-римскому пантеону! Нужно мириться с арабами и жить по-своему!

— У тебя инсульта сейчас не случится на фоне религиозного экстаза? — спросил Игорь, то ли издеваясь, то ли беспокоясь.

— Не надо было хотя бы воевать сами с собой! — не слыша его, насел Виктор Михайлович и навалился брюхом на край столешницы. — Хотя бы этого не нужно было делать! Понимаешь?! Понимаешь ты это?

Ой-ой-ой, у нас храм, а у вас — нет! Ой-ой-ой, у вас храм, зато мы не быдло! Нормально вообще, нет? Хуяк, набежали соседи и разогнали всю шоблу на две тысячи лет!

Игорь расхохотался.

— Тебе бы сейчас с моим дядькой за один стол! — сказал Игорь, по-прежнему посмеиваясь. — Он бы тебе стал в твое суконное рыло тыкать твоим же великодержавным шовинизмом, если бы его раньше удар не хватил от такого краткого пересказа библейской истории.

— Ну, так и надо было дядьку притаскивать, а не этого, — Виктор Михайлович посмотрел на Петрова и в попытке сформулировать сущность Петрова стал морщиться, как от запора, — этого молчуна. Он кто, кстати? Секретарь какой-нибудь твой?

— Я говорю — знакомый, — сказал Игорь, — не знаю, где он работает.

Петрову хватило ума сказать, что он сантехник, но Виктор Михайлович все равно заприсматривался к Петрову, покачиваясь и щурясь.

— А в гараже никогда не работал? — спросил Виктор Михайлович.

— Не, — ответил Петров.

— Смотри у меня, — погрозил пальцем Виктор Михайлович.

Вообще, вероятность того, что Виктор Михайлович узнает в нем автослесаря, была минимальна, тут все было за Петрова — и другая одежда, и измененный простудой голос, и время, прошедшее с той поры, что Петров ковырялся в многострадальном «уазике». Петров до сих пор помнил, как «уазик» проседал влево-вперед, когда Виктор Михайлович садился внутрь. На всякий случай Петров потупил глаза под внимательными буркалами Виктора Михайловича, в душе которого автослесари, похоже, оставили особенно глубокую рану, и образы обидчиков, возможно, еще плавали в его памяти, а бороться с такой тушей не было у Петрова ни желания, ни здоровья, ни пространства.

— Соседи у меня козлы, — внезапно перескочил Виктор Михайлович, налюбовавшись невеселой мордой Петрова. — И ладно бы с ними пересекаться, знаешь, на выходе, но тут ведь как. Второй этаж мой и вход в подъезд тоже мой, а с той стороны живут люди на первом этаже и у них тоже свой выход. Мне не улыбается весь дом вокруг обходить, чтобы только с ними побеседовать. Да и слева сосед тоже не подарок, просто берет снег, сгребает в мою сторону — и поехал, я же, типа, сейчас не на колесах, так переберусь через завалы. И собака их гребаная, гав-гав-гав, гав-гав-гав. Че «гав-гав-гав»? И на людей, и на собак, и на кошек, а когда Луна, она, сука, воет. А когда нет Луны, она ходит и цепью гремит. Патрулирует. Еще цепь у нее такая, не знаю, по спецзаказу они ее, что ли, сделали, чтобы она так громыхала. Хрен знает.

После собаки, привязанной цепью, мысль Виктора Михайловича сделала очевидный ассоциативный скачок. Хотя и до этого, когда Виктор Михайлович, посмотрев на Петрова, стал распространяться, какие суки его соседи, скачок тоже был ассоциативным, однако Петрову не хотелось этого признавать.

— Мы, ребята, — заговорил Виктор Михайлович, — привязаны к материи. Что бы ни говорили, но даже информация полностью материальна и не свободна от оков материи. Взять ту же книгу. Фотоны отскакивают от ее страниц и влияют на нейроны мозга определенным образом. Учитель колеблет среду, в которой находится, с помощью голосовых связок и воздействует на нейроны учеников через барабанные перепонки. Другое дело, что та же книга, без всякого бензина и электричества, просто лежа на столе, имеет почти неисчерпаемый ресурс информативности. Из нее могут черпать знание поколение за поколением, пока книга не рассыплется. Сказанное слово может размножаться в человеческой среде как живое, по сути дела слово — это как квант света, имеет сразу несколько сущностей, только свет может иметь корпускулярную и волновую сущность одновременно, а та же мысль — и связка конкретных молекул в нейронах, а когда ты произносишь свою мысль вслух — это вполне конкретное, измеряемое колебание воздушной среды, мысль, выраженная на бумаге, вообще какая-то невообразимая связка механизма распознавания образов, самих образов и непрерывного пинг-понга фотонов между механизмом распознавания образов и самими образами. Вообще интересно, ведь на квантовом уровне, грубо говоря, голова не отличается от жопы, среда, в которой мы существуем, не отличается от нас самих, воздух, который мы вдыхаем, еда, которую мы едим, становится нами, где эта граница между нами и средой? Почему мы, по сути дела, абстрактное облако элементарных частиц, можем передвигать облако элементарных частиц, которое является нами, и не можем, допустим, двигать горы таким же образом? То есть понятно, что с помощью инструментов можем двигать и горы, но почему не можем наделить ту же гору своей волей и не сдвинуть ее? Ведь никакой границы не существует.

— Слушай у тебя тут курить можно или все еще нельзя? — перебил Игорь и тем самым озвучил мысль, давно беспокоившую Петрова.

— Нельзя, — категорично заявил Виктор Михайлович, — провоняете тут всё.

— Да ладно тебе, — сказал Игорь, — ну проветрится же через день буквально.

— На улицу идите, — приказал Виктор Михайлович, — но окурки в огород не бросать. К соседям бросайте, к собаке этой.

Игорь и Петров повторили процесс одевания в обратном порядке и спустились на улицу. Виктор Михайлович явно преувеличивал шум, который издавала соседская собака, потому что опять, кроме ветра в рейках палисадника, ничего слышно не было. Сам Виктор Михайлович, несмотря на свою демонстративную нелюбовь к курению, вскоре сам вылез на крыльцо и стал с легким презрением наблюдать за курящими гостями. У самого него в руке была бутылка, и из нее он изредка делал небольшие глотки, как будто пробовал.

Выкурив по одной сигарете, они решили выкурить еще несколько — про запас. Петров, заметно нагревшийся внутри дома и внутри себя за то время, что они сидели на кухне, а Виктор Михайлович то включал огонь под чайником, то выключал (и непонятно зачем, ни кофе, ни чая никто не предлагал), с удовольствием вдыхал кажущийся прохладным воздух всей грудью, только иногда воздух как будто попадал не в то горло и Петров заходился кашлем.

— Бросай курить, — сказал Виктор Михайлович во время одного из таких приступов кашля.

— Что-то не слышно твоей собаки знаменитой, — заметил Игорь то, что Петров заметил сразу.

Вместо того чтобы рассказать про собаку, Виктор Михайлович, как будто озаренный видом Игоря в накинутом на плечи пальто и черном костюме, кинулся в пучину внутренней политики.

— Вообще, все это не нужно, — сказал Виктор Михайлович, тыча пальцем в темно-серый галстук Игоря. — Система выборов давно себя дискредитировала. Ничто не может гарантировать, что человек, которого изберут, будет делать, что обещал. Надо по-другому. Нужна лотерея. Случайный выбор из граждан. Все равно нет гарантии, что человека выбрали не потому, что у него пиарщики хорошо поработали. Получается, что выбирают не тех, кто может управлять страной, а тех, кто хочет ей управлять. А это две большие разницы. По сути дела, правление возведено в абсолют, все крутится вокруг этого правления. С появлением лотереи не будет смысла контролировать СМИ, покупать голоса, копать компромат, вся эта лабуда. А голосование перенести на конец правления, если президент устроил — пускай отправляется на пенсию, если не устроил — пускай отправляется на нары. Хотя нары — это, конечно, перебор, но какая-то ответственность нужна. Сделать президентское правление как священный долг защиты родины, чтобы человек со школы знал, что может попасть на президентское кресло.

— А с парламентом что делать, откуда его брать? — спросил Игорь. — Нужно или всю систему под эту лотерею менять, или не знаю что.

— Там тоже можно что-нибудь придумать, — сказал Виктор Михайлович, — тоже какую-нибудь ответственность, чтобы все это отпуском не казалось.

Игорь и Виктор Михайлович заспорили, Игорь — несколько насмешливо и с высоты неизвестного своего положения, а Виктор Михайлович — с горячностью подростка, выпучивая свои и без того немаленькие глазищи, срываясь во вскрикивания на высокой ноте. А Петров, глядя на многочисленный снег вокруг себя, на пятиэтажный дом через дорогу, вспомнил вдруг, как на елке в раннем детстве женщина или девушка, изображавшая Снегурочку, взяла его за руку, а рука у нее была совершенно ледяная, и маленький Петров подумал: «Настоящая». Пока спор со стороны Виктора Михайловича становился все жарче, жарче становилось и Петрову, но это был уже такой жар, какой с трудом балансирует на грани озноба, словно та Снегурочка из детства сунула свою руку не в ладонь Петрову, а за шиворот, или даже не за шиворот сунула, а пролезла рукой под рубашку со стороны живота и коснулась ребер. Еще Петров решил тогда, что Снегурочка настоящая не только из-за ее холодной руки, а еще и потому, что лицо у нее, когда он на нее посмотрел, было очень белое. Сейчас-то Петров понимал, что это был всего лишь грим, но тогда, в детстве, эта бледность Петрова очень впечатлила.

— Да? А исходить из того, что большинство не может ошибаться, — не утопия? Нынешний институт демократии основан на том, что среднее арифметическое — истина, а это не так. Нынешний институт демократии совершенно так же верит в некоего сферического избирателя в вакууме, — крикнул Виктор Михайлович отчаянно. — А взять мою сестру. Это же ужас, а не избиратель — это совершенно безумный человек. Она залетела, ее у нас в Невьянске старушки гнобили, мать парализовало после пьянки, потом мать умерла, и все это — пока я в армии был, она в это время заочку умудрилась закончить, можешь себе представить, в атмосфере этого гнобления, этой парализованной матери, этого ребенка, пеленок этих, всяких его болячек. И вот она сваливает в Австралию в разгар перестройки, вместе с сыном, я даже сам до сих пор не понимаю как, и теперь мы пишемся по электронной почте, она утверждает, что Австралия — это континент-Невьянск, то есть там сплошь Невьянск, и топит за родные березки. На этого человека, по-твоему, нужно ориентироваться, да она сама не знает, где завтра будет. Да и где оно, это большинство? Все поголовно ходят на выборы? Нет, не ходят! Нынешний механизм выборов — это просто иллюзия сопричастности к жизни в стране, и при этом многие даже в этой иллюзии не хотят участвовать. Один хрен на выборы ходит только часть населения, из этой части только часть голосует за определенного кандидата, так где тут большинство? Произрастание власти из иллюзорных элит — это не иллюзия? Сакрализация власти — это не один большой фокус? Возводить перераспределение доходов государства в область божественного знания — ну это вообще за гранью. Что есть тот же парламент? Дискуссионная площадка из выбранных в разных областях людей, которых в идеале заботит благополучие их региона. Ну, так это в идеале заботит, а на самом деле, как правило, их заботит лоббирование какой-нибудь ерунды, борьба за нравственность и популизм. Нужно не региональное деление, а статистический срез определенных слоев населения, эту парашу вообще давно пора реформировать до неузнаваемости, иначе бог знает, до чего мы дойдем.

С этим монологом Виктора Михайловича они снова перетекли в дом, снова был наполнен водой ненужный чайник и зажжен под чайником ненужный огонь, сами же хозяин и гости приняли по паре рюмок.

— Но это, конечно же, совершенно пустой разговор, — заключил Виктор Михайлович устало. — Нужна опять революция, как в семнадцатом году, а этого как-то не хочется. Хотя немного все же хочется, в глубине души тянет посмотреть, как все это накроется медным тазом.

Петров сходил в ванную, чтобы остудить голову под струей холодной воды, причем от этого жар только подступил к лицу, тогда он попросил выключить огонь под чайником, а когда и это не помогло, спросил, нет ли в доме аспирина или парацетамола. У Виктора Михайловича не было парацетамола, а был только аспирин, от целой упаковки Виктор Михайлович оторвал Петрову бумажку с двумя таблетками, Петров, в свою очередь, оторвал от уже оторванного, выдавил таблетку наружу и снова сходил в ванную, чтобы запить ее, — на кухне при всех пить таблетку показалось Петрову неприличным. Оставшийся нераспакованный уголок с аспирином Петров сунул в карман. Когда он снова приплелся на кухню, огонь опять горел под чайником, Виктор Михайлович разливал очередную водку по стопкам, а Игорь, щурясь, изучал упаковку аспирина, оставшуюся после дележа, так сказать, материнскую упаковку. Петрову показалось, что аспирин в его кармане, а особенно аспирин в его желудке зашевелились, пытаясь вернуться к своим.

— Витя, ты с дуба упал, — констатировал Игорь, — это аспирин семьдесят девятого года выпуска, он вообще как подействует?

— А вот сейчас и посмотрим, — ответил Виктор Михайлович. — Ты вообще кто такой, чтобы меня критиковать? Может, ты доктор? Я его из дома, из Невьянска привез, у меня его запас, он мне все время помогает, всю жизнь. Так ты доктор, чтобы спрашивать? Хотя я и доктору нашел бы, что ответить.

— Я дух этого места, — серьезно сказал Игорь, не поднимая глаз на хозяина. — Или как там в «Тысяче и одной ночи»?

— Вроде бы не так, — сказал Виктор Михайлович. — Там вроде бы «я обитатель этого места». Какого места-то, кстати? Табурета?

— Я дух-покровитель Свердловска, — ответил Игорь, — а то и всей Свердловской области.

— Так, духу-покровителю больше не наливаем, — уверенно произнес Виктор Михайлович, двигая к себе бутылку, которая и без того была к нему ближе некуда.

— Я серьезно, — сказал Игорь.

— Ты опять про эту лабуду со своим Ф.И.О? — догадался Виктор Михайлович. — Ну складывается из твоей фамилии, имени и отчества имя «Аид». Это ведь ничего не значит совершенно.

Петров поднял глаза на Игоря и понял, что все очень плохо. Даже не отягощенному медицинским образованием Петрову было видно, что Игорь, кажется, действительно считает себя античным богом подземного мира. Таких фокусов от людей вне троллейбуса Петров раньше не наблюдал, поэтому тоска по тому, что может произойти дальше, обволокла его сердце; тоска вокруг сердца походила на ту самую тоску, которую он чувствовал, когда болел ангиной и протягивал бесконечные болты на автомобильном колесе, думая, что вот-вот сдохнет.

— Хватит тебе пить, — сказал Игорю Виктор Михайлович.

Эти слова звучали с оскорбительной самоуверенностью потому хотя бы, что Виктор Михайлович выглядел гораздо пьянее Игоря, и это было не удивительно, потому что Игорь выглядел так, будто вовсе и не пил этим вечером. Обычно после подобных слов, дескать, кому-то уже хватит, когда кто-нибудь произносил их в гараже, начиналась драка. Петров покосился по сторонам, выискивая поблизости тяжелые предметы, которыми Игорь и Виктор Михайлович могли навредить друг другу, чтобы в случае чего успеть прыгнуть на них первым и предотвратить кровопролитие. Одно только его смущало: если хозяин дома схватит чайник, чтобы, как осажденная крепость, отбивать штурм, отливаясь от Игоря горяченьким, трудно будет выхватить чайник из его рук, не обжегшись самому. Нужно было решаться и идти на крайние меры.

— А мне-то можно налить? — попросил Петров, тяпнул рюмку для храбрости и начал свой рассказ. — У меня друг в гараже работает, — повел Петров, как он думал, издалека. — У них там тоже есть дух. Только не Свердловска и области, а дух ямы, его Димон зовут. Потому что он, как напьется, всегда в яму падает, причем всегда спиной вперед, и, как бы его ни караулили, как бы вокруг него ни ходили, он все равно умудряется это сделать. Прямо фокус какой-то. Стоит буквально на миг отвлечься — и он уже там. Хорошо, там опилки лежат на дне. С одной стороны, хорошо, а с другой стороны, от опилок намного мягче не становится, как он при этом до сих пор жив — загадка.

Петров, рассказывая это, крутил рюмку в руках и глядел на ее прозрачное донышко, похожее на линзу, с помощью которой он в детстве, посмотрев «Калле-сыщика», сам пытался стать детективом. Взяв паузу, Петров собрался поведать про то, как Димон, упав под машину, зачем-то выкрутил пробку из днища бензобака стоявшей на яме машины, забросил пробку подальше, потом стоял под струей вытекавшего бензина, а когда его выгнали наружу и попытались поколотить, он стал убегать от всех и угрожающе чиркать зажигалкой.

Но, оглядев аудиторию, Петров понял сразу несколько вещей, а именно: что Игорь затащил его к Виктору Михайловичу не случайно, что, видимо, он и правда был духом города и области, который всё про всех знал, что Игорю интересно, что будет происходить дальше между Петровым и Виктором Михайловичем, что Виктор Михайлович узнал Петрова, а когда Петров обратил к нему лицо, у Виктора Михайловича совсем не осталось сомнений в принадлежности Петрова к проклятому гаражу.

— Ну всё, сука, — заявил Виктор Михайлович, медленно поднимаясь. — Теперь отольются кошке мышкины слезы.

Петрову странно было слышать, что человек такой комплекции сравнивает себя с мышкой, поэтому Петров растерянно рассмеялся. Виктор Михайлович воспринял этот смех как-то по-своему и издал горлом короткий звук, похожий на рев разгневанного слона. Игорь успел влезть между ними обоими, пока Петров и Виктор Михайлович, как-то уже подспудно спланировав не идти в бой с голыми руками, тянули бутылку со стола каждый в свою сторону.

Тем удивительнее было, что уже через пять минут они снова сидели и спокойно общались, Петров пытался досказать историю про Димона, но Игорь просил совсем другого рассказа, а Петров не понимал, какого рассказа хочет Игорь. Игорь говорил, что Петров — неблагодарный человек, что Игорь достал ему жену чуть ли не из самого Тартара, а Петров кочевряжится. Еще он утверждал, что Петров когда-то спас его сына одним своим прикосновением, как Иисус, что он специально собрал людей, причастных к его личному чуду, в одном месте и очень им благодарен, так пускай и они хотя бы чуточку будут благодарны и ему. Продолжайся это еще дальше, то дошло бы до того, что Петров попытался бы сцепиться с Игорем — так Игорь начал раздражать какими-то непонятными намеками. Но тут Виктор Михайлович, для чего-то притащив из гостиной магнитолу, включил Маккартни на всю катушку, а сам завел свою шарманку по поводу новой государственной политики и соседской собаки. И Петров пил под всю эту музыку, пока тьма не поглотила его вместе со звуками «Hope of Deliverance».

ГЛАВА 2
Сны Петрова

Петров очухался засветло, сначала ему показалось, что его разбудила тишина. Сознание включалось какими-то крупными сегментами, будто собирало простейший пазл из девяти кусочков. Так вот, сначала Петрову показалось, что его разбудила тишина, он подумал, что проснулся оттого, что Виктор Михайлович вырубил наконец свою магнитолу. Затем Петров решил, что его разбудил страшный холод, окружавший со всех сторон, после чего Петров обнаружил, что пристегнут ремнем безопасности к сиденью машины, а впереди, сквозь лобовое стекло, видна неподвижная дорога, полная синеватого утреннего снега, истоптанного шинами. Справа от дороги тянулся низкий черный заборчик, похожий на строй букв «Н», многократно скопированных и поставленных бок к боку. То, что вечером Игорь принял за единственный пятиэтажный дом через дорогу от хибарки Виктора Михайловича, оказалось сразу несколькими двухэтажными домами, располагавшимися вразброс, еще один дом, и правда пятиэтажный, стоял в отдалении от дороги, на горе. Впереди, через некоторое расстояние, начиналось паханое поле частного сектора, чьи домики, согнанные вместе за высокий забор, разнообразно торчали в сплошном беспорядке до самого леса на горизонте. Между частным сектором и машиной, в которой сидел Петров, стояло несколько человек, в двух из них Петров узнал Игоря и Виктора Михайловича, двое же других были Петрову незнакомы, но по милицейской форме и так было понятно, кто они такие.

Холодок бы пробежал по спине Петрова от этой картины в память о том, что они с Игорем вчера творили и на каком транспорте передвигались, Петров даже ощутил потребность, чтобы этот холодок пробежал по его спине, когда он огляделся и обнаружил, что сидит в том самом вчерашнем катафалке и даже вчерашний гроб находится в салоне, а значит, тело родственникам не вернули до сих пор, холодок пробежал бы Петрову по спине, а может, даже и пробежал, но Петров не почувствовал его, потому что сам был холоден, как эскимо, давно, видимо, еще во сне, миновав несколько стадий замерзания. Даже в носоглотке и легких, казалось, не было уже ни капли тепла. Онемевшими пальцами Петров ткнул в кнопку замка на ремне безопасности, путы, державшие Петрова на месте, скользнули вправо.

Люди на улице не обратили на движения Петрова никакого внимания. «Идите-ка вы лесом», — подумал Петров, аккуратно открыл дверцу на свободу, вылез наружу, не понимая, как стоит на ногах, которые почти ничего не чувствуют, прикрыл дверь за собой и потихоньку пошел вдоль борта машины в сторону, которая удлиняла расстояние между ним, Петровым, и любителем приключений Игорем. Сунув руки в ледяные карманы дубленки, Петров скрылся за автомобилем и неторопливо поковылял в поисках какого-нибудь транспорта. Ему стало интересно, в какую часть города заманил его вчера Игорь, но голубенькая табличка на ближайшем домике ничего Петрову не говорила. «Интересно, это тот самый Замятин, что “Мы” написал, или революционер какой-нибудь», — подумал Петров. Снежные колеи, изображавшие дорогу, загибались вправо, в обход еще одного пятиэтажного дома, Петров послушно потопал по ним и вышел наконец на нормальную улицу, уходившую куда-то вниз, усаженную по бокам тополями. На улице никого не было, даже собак. Петров побрел мимо тополей, поглядывая туда-сюда в поисках какой-нибудь улицы покрупнее, пока наконец в самом низу снова не уперся в заборы частного сектора и какие-то гаражи, впереди и справа за гаражами и частными домиками снова был лес, зато слева, по очень далекой для замерзшего Петрова дороге, прошел синий троллейбус.

Петров подался в сторону троллейбуса. На лавочке троллейбусной остановки сидели какие-то бомжи, неотличимые от местных жителей, или местные жители, почти неотличимые от бомжей, какие-то, в общем, маргиналы с мордами, красными или от холода, или от алкоголя. Удивительно было, что свой семьсот семьдесят седьмой портвейн и девятую «Балтику» они пили в полной тишине, как бы усугублявшей их алкоголизацию на морозе. Петров хватился себя и понял, что не испытывает ни малейшего признака какого-либо похмелья, кроме того разве, что чувствовал некую отстраненность своего сознания от своего тела, не полную отстраненность, нет, а некий едва заметный люфт между телесным и умственным, усугублявшийся обычно печальной тошнотой, которой не было выхода, и головной болью. «Все-таки легкая рука у Игоря», — подумал Петров. Все произошедшее, от самого начала пьянки, от пересаживания в катафалк вплоть до пробуждения в этом же катафалке, уже было подернуто для Петрова дымкой ностальгии, которая оставила в памяти только забавное и хорошее и походила на морозную дымку вокруг.

Кроме пьющих на лавочке людей стоял возле самой дороги молодой парень с черным рюкзачком за плечами, без шапки, с ярко пылающими на ветру ушками, казавшимися нежными из-за своего цвета, как подушечки лап у котенка, низ лица молодого человека был замотан заиндевелым черным шарфом. Петрову неловко было подходить к нему и обдавать его похмельным своим дыханием, тем более что молодой человек заметно отстранялся как от пьющей компании, так и от Петрова. Говоря словами Паши, с которым Петров работал в гараже, паренек «напрашивался на тумаки». Стой он нормально, ощущения напрашивания бы не возникло, но он то и дело начинал разглядывать алкашей, а потом презрительно отворачивался, то косился на Петрова, так что Петров начинал чувствовать себя гопником, хотя таковым не являлся.

Петров невольно вспомнил, что тот же Паша — по замашкам этакий мелкий уголовник из палаты мер и весов — объяснял, почему он не кричит на своих детей и ни разу их даже не шлепнул. Во-первых, конечно, Пашина жена все с успехом делала за обоих родителей, а во-вторых, как Паша говорил, из всех этих воплей на детей и их битья и произрастает потом взрослое чувство вины за то, что тебя избили в подворотне, потому что ты не так говорил с правильными пацанами, вообще, что жертва насилия сама спровоцировала это самое насилие — это, типа, чувство из детства, когда тумаки и вопли получали только за дело. Такая дрессура. Условный рефлекс, остающийся на всю жизнь.

— Я, когда понял, — говорил Паша (а говорил он это часто, почти любому новому знакомому, как бы неся свет своего учения в массы), — что нет никаких правильных пацанов, нет правильного базара, что будь ты правильным пацаном с правильным базаром, а я им и был, то если бы меня избили эти два человечка, все думали бы, что надо было не курить и бухать, а боксом с детства заниматься, а будь я телкой, говорили бы, что не надо в короткой юбке по темным переулкам шастать.

Затем Паша рассказывал, как отмутузил гопников в подворотне, но не испытал никакого чувства радости, а испытал только горечь и разочарование от грустной реальности, а Петров почему-то представлял, что на Пашу падал в тот момент столб яркого света с самых небес, пронизанный снежинками или пылью, в зависимости от того, в какое время года Паша повторялся в своем повествовании.

Между Петровым и молодым человеком с одной стороны и лавочкой и пьющими людьми с другой, хрупая твердыми от холода подошвами ботинок по жесткому снежному крошеву, прошли несколько школьников, класса, может быть, шестого. Они были замечательны тем, что отличались от людей на остановке яркими цветами своих одежд и рюкзаков: красный, синий, зеленый, желтый, фиолетовый, голубой — вот это всё. Школьники тоже молчали, притворяясь серьезными, но, когда на их пути оказалась полоса черного льда, накатанного на тротуаре, они выстроились в очередь, и каждый скользнул по этой полосе, прежде чем пойти дальше. И молодой человек, и пьющие люди, и Петров проследили ход школьников оттого, что делать было больше нечего.

Когда же Петров вернулся к выглядыванию хоть какого-то подъезжающего транспорта, то увидел небольшой желтый автобус, стоявший на перекрестке. Ветер был в сторону Петрова, поэтому белые дымы из выхлопной трубы автобуса оборачивались вокруг правых автобусных колес, как кошачий хвост. С перекрестка номер автобуса было не разглядеть, но при приближении оказалось, что это ноль восьмая маршрутка, и сразу же Петров понял, где находится, понял, что каждый день видит улицу, на которой теперь стоял, когда выходит покурить из гаража, и даже видит эту троллейбусную остановку вдалеке, которая кажется просто далеким синим пятном с кучкующимися возле нее людьми. Сразу же вся география вчерашней поездки стала понятна Петрову так, что он увидел себя в этой географии как будто бы сверху, хотя при этом смотрел, как автобус проезжает как будто бы мимо, но останавливается при виде возможных пассажиров, и хвост дыма за автобусом скатан воздухом в клубок, как заячий хвост, но тем сильнее расправляется в пахнущий бензином шлейф вдоль правых колес по мере того как скорость автобуса становится меньше и меньше.

Сквозь белые от мороза стекла автобуса не видно было, сколько людей там ютится, а с сидячего места изнутри салона не был виден путь, который проходил автобус. Петров сел на место возле печки, так что жар сначала нагрел его лодыжки и стал подниматься выше. По мере того как Петров нагревался, появились и первые ощущения гриппа, в легких что-то захрипело, носоглотка пусть и оттаяла, но так и осталась сухой, при этом в самом носу, ближе к ноздрям, что-то захлюпало. Не успел автобус проехать и пары остановок, а Петрова уже развезло по сиденью, и дышал он уже ртом, а дыхание у него было такое, что женщина спереди пересела в другую часть автобуса. Осуждать ее было не за что, кажется, совсем недавно, а именно девятого марта, Петров и сам сел напротив двух симпатичных тетенек, судя по разговору — учителей в школе, филологинь, а разило от них так, будто вечером ранее они пили в невероятных количествах какой-то эпической силы термоядерный деревенский самогон.

— Оплачиваем проезд, — абстрактно сказала женщина-кондуктор, похожая на продавщицу советского продуктового магазина своим недовольным голосом и вообще всем своим видом.

Похоже, она уже заранее готовилась к тому, что Петров, пахнувший сивухой, начнет хамить или кокетничать, отпуская глупые шутки ради того, чтобы проехать на халяву. Еще в ее суровом пятидесятилетнем лице, осанке, подогнанном к плотному телу пуховике, толстых штанах, тяжелых ботинках было что-то армейское, так что сразу вспоминались фильмы «Взвод» и «Цельнометаллическая оболочка». Петров заранее ужаснулся тому, что в кошельке у него не окажется мелких купюр или металлической мелочи, так что это будет выглядеть так, будто он из тех пассажиров, которые возят с собой тысячную купюру вместо этакого проездного. Вкупе со спиртовыми парами, которые он невольно изрыгал, и его позой на автобусном креслице это могло выглядеть еще более некрасиво, это уже могло выглядеть так, что он шикует в рюмочных на те деньги, которые мог отдать кондуктору, чтобы потом, развалясь в автобусе, издеваться над работниками транспорта, сознательно подсовывая им деньги, которые они не могут разменять. Проблема была в том еще, что Петров не мог найти кошелек сразу, а стал шарить по карманам, которых у него оказалось теперь больше, чем он ожидал, и чем дольше он это делал, тем тяжелее становился взгляд кондуктора.

— Не можете расплатиться, так просто выйдете на остановке следующей, вот и всё.

Если до этого Петров не особо обращал внимание на то, сколько человек в транспорте, то теперь сразу заметил, что их пятеро, включая паренька с рюкзаком и шарфом и женщину, которая от него отсела. Была еще пожилая женщина с тележкой на колесиках, еще один парень, но постарше того, что стоял с Петровым на остановке, но несколько другого типа — это был скорее спортсмен, такой толстенький и плотненький, вроде штангиста, из тех Робин Гудов, которые любят восстанавливать мировую справедливость, добиваясь, чтобы старушке уступили место в метро, чтобы кто-то убавил громкость в наушниках и чтобы все платили за проезд; самое плохое, что рядом с этим пареньком-спортсменом сидел еще один такой, видимо, его друг, и они уже поглядывали на Петрова с некоей претензией и даже вызовом. Да что уж там — и женщина, которая отсела, и старушка с тележкой глядели совершенно так же, как и молодые и бодрые спортсмены. От их взглядов Петрову стало жарче, нежели от печки и гриппа вместе взятых. Последний раз Петров чувствовал себя так только на классном собрании по поводу приема в пионеры, когда называли всякие кандидатуры на прием, а ему уже было неловко, что очередь дойдет до него и все вцепятся в его кандидатуру, обсуждая ее так и эдак.

Кошелек оказался в таком месте, куда Петров его обычно не убирал — в нагрудном кармане рубашки под свитером. То-то Петрова самого удивлял этот фокус при ощупывании себя: снаружи кошелек прощупывался, а в кармане дубленки, куда Петров обычно кошелек и клал, кошелька не оказывалось. Дрожащими пальцами Петров вытащил полтинник и подал его кондуктору.

— Алкашня, — сказала женщина-кондуктор в проход, когда отсчитала Петрову сдачу и с отвращением оторвала полбилета.

Вообще, она, кажется, хотела пикировки с кем-нибудь, потому что не только обозвалась, нарываясь на ответное хамство, но и сунула полбилета в руку Петрова с нескрываемой какой-то неудовлетворенностью. Точно таким же образом она обошлась с семейной парой, которая влезла в автобус на следующей остановке, и там глава семейства не удержался и спросил, почему кондуктор так хамски сует билеты. В ответ женщина-кондуктор швырнула в него мелочью. Это был вымирающий вид кондукторов, его надо было пожалеть, Петрову такие кондуктора не встречались уже давно. Если среди пассажиров троллейбуса встречались психи, то кондукторы были без исключения милы, была среди них даже такая женщина-кондуктор с фотографической памятью, которая спросила, почему Петров перестал с ними ездить. «Ну как же перестал, вот он я», — ответил Петров. Так вот, почти не осталось грубых кондукторов, их надо было лелеять, показывать их туристам, однако пассажир, которому швырнули мелочь, так не считал. Путем витиеватого высказывания дрожащим от сдерживаемого гнева голосом он дал понять, что подозревает, что у кондуктора давно не было никаких интимных отношений ни с противоположным, ни со своим полом, еще он, кажется, намекнул, что интимных отношений у кондуктора не было вообще никогда, а если и были, то партнер кондуктора был очень непредвзят.

— Что-о-о-о-о? — протянула неожиданно тонким голосом женщина-кондуктор, был еще шанс, что она расплачется от обиды, мужчина начнет извиняться, что-нибудь такое должно было произойти в идеале, но после своего длинного «что» женщина-кондуктор сказала такую фразу, после которой Петров стал невольно искать какой-нибудь стоп-кран или ручку катапульты, чтобы как-нибудь побыстрее оказаться вне салона.

— На свою шлюшину посмотри, — сказала женщина-кондуктор.

Самое неприятное в этом всем было то, что мама у Петрова была некоторыми чертами характера как этот кондуктор: не стесняясь в выражениях, подслушанных и выученных у себя на заводе, она совершенно с места в карьер могла начать бороться за справедливость в любых общественных местах, при этом голос ее обретал зычность оратора и какие-то особые подвывающие нотки, похожие на панику, от которых Петрову, когда он был ребенком, в очереди, или в транспорте, или в магазине, или в школе хотелось провалиться сквозь землю. Ко всем учителям Петрова мама спокойно обращалась на «ты», это было еще хуже, чем скандалы в общественных местах. Когда по телевизору показывали интервью и интервьюируемый прохожий начинал мямлить, пугаясь микрофона, которым в него тыкали, мама говорила: «Эх, меня бы туда, я бы показала». От таких заявлений Петрова начинало колотить мелкой дрожью. Он нисколько не сомневался в том, что мама бы «показала», но смог ли бы он после этого выйти на улицу, Петров очень сильно сомневался. Конечно, Петров и сам не был ягненочком: слал на три буквы клиентов, если был какой-то вопрос в цене ремонта, слал клиентов на три буквы, если они сомневались в его компетентности, ходил в замасленной одежде в ближайший супермаркет и слал на три буквы охранников, если они не были довольны его внешним видом, вместе со всеми унижал криворукого слесаря из гаража МЧС неподалеку, который бегал к ним в бокс за советами, — все это было, но все эти посылы были чем-то традиционным. От автослесаря никто особо никогда и не ждет, чтобы он сыпал латынью. Петрова бы даже не поняли, если бы он, открыв капот, не сказал, печально вздохнув: «Да-а-а, б...» Большинство клиентов даже приняли бы за признак слабости, если бы в споре о деньгах за работу он стал говорить фразами типа «Что вы, что вы, в своем ли вы уме, этих денег явно будет недостаточно». Но все же была в поведении Петрова и других слесарей какая-то грань, через которую они не могли перешагнуть, допустим, никогда при споре с клиентом не затрагивались родственники или те люди, которые были с клиентом, дальше посыла на три буквы и выталкивания машины из гаража дело не доходило, тем более никто никогда не швырял в лицо клиента сдачей. Если бы женщина-кондуктор ограничилась этим коротким посылом, они обменялись бы с пассажиром обычными в этих случаях фразами, сама иди, нет, ты иди, и всё в таком духе, но нет ведь.

Пассажирка вступилась за себя, и Петров, покарябав стекло ногтем и поглядев на улицу сквозь стекло автобуса, с тоской определил, что до метро ему ехать еще остановки четыре.

— Че, у хахаля денег на такси не хватило? — спросила женщина-кондуктор. — На гондоны хоть хватило? А то будете тут еще потом со своими выродками ездить.

Петров заметил, что на своем месте ерзает не только он один, но еще и парень с рюкзаком.

— Коля, останови автобус! — приказала женщина-кондуктор, но Коля не останавливал, злая парочка язвительно рассмеялась.

«Коля, правда, остановил бы ты уже, а?» — подумал Петров с невыразимой меланхолией, решая про себя: выйти или все-таки дотерпеть до нужной остановки.

— Коля, останови автобус! — закричала женщина-кондуктор, добавив голосу истошности, а лицо ее стало свекольным.

— Здесь запрещена остановка! — заорал Коля в ответ.

— Мы все равно не выйдем, — сказал мужчина. — Мы оплатили проезд, с какой стати нам выходить?

— Ну так молодые люди вас выведут, — нашлась женщина-кондуктор, апеллируя к двум спортсменам.

Тут спортсмены заерзали на месте точно так же, как Петров и парень с рюкзачком.

— А че мы-то? — удивился один из спортсменов.

Тут женщина-кондуктор словесно сцепилась уже с четырьмя персонами сразу, напоминая этим Шреддера из «Черепашек-ниндзя». Во время спора пассажир и пассажирка одинаково раскраснелись от гнева, эта краснота как будто передалась на спортсменов, когда они пытались пробубнить что-то в ответ на оскорбления кондуктора. Даже в катафалке с трупом было более комфортно, чем в таком автобусе.

Коля сжалился, остановил и распахнул обе дверцы, словно разом стравив накопившееся давление из аварийных клапанов. Петров выкатился наружу из задней двери, которая была ближе к нему, парень с рюкзачком — из передней, следом за ними выкатились порознь и два спортсмена. Оба отпыхивались, как после пробежки, лица их были розовы, как после бани, из-под их одинаковых черных вязаных шапочек стекали крупные капли пота. Парень с рюкзачком, наоборот, был очень бледен.

— Ну это капец ваще, — сказал один из спортсменов, вытирая лицо шапкой.

Не как после бани были спортсмены, они походили на купцов, которые только что обпились горячего чая.

— Вы-хо-ди-те! — доносился из автобуса громкий кондукторский голос. — Дальше автобус не поедет!

— С какой стати? — кричал мужчина. — Вы деньги сначала верните, а потом выгоняйте!

— Подавись, — артикулируя по возможности четко, сказала женщина-кондуктор, и Петрову показалось, что он услышал, как по прорезиненному полу рассыпалась мелочь.

— Двери хотя бы закройте! — послышался голос старушки с тележкой на колесиках. — Не июнь месяц на улице.

Двери автобуса закрылись, но закрылись как-то неуверенно, будто портьеры театрального занавеса, будто после антракта было заявлено второе действие. Бывшие пассажиры автобуса бросились каждый в свою сторону: спортсмены подались через дорогу, паренек с рюкзаком зашагал в киоск, Петров пошел по ходу автобуса, раскуривая сигарету. Из-за того что за ночь в горле скопилась всякая простудная дрянь, первая затяжка была какой-то тухлой, с запахом подгнившего мяса. Петров поглядел по сторонам, убеждаясь, что никого не обидит своим жалким видом, и с отвращением похаркался в лежащий вдоль тротуара сугроб.

Путь до метро был еще более прям, чем обычно, потому что Петров знал, куда и сколько ему еще примерно идти. Он все ждал, когда же его догонит злополучный автобус, автобуса же все не было, хотя, скорее всего, Петров его просто пропустил, когда заходил в аптеку, находившуюся в углублении улицы, возле засыпанного снегом сооружения, похожего на фонтан. Петров пытался не отвлекаться от дороги, но очередь из двух старушек в самой аптеке могла невольно и отвлечь его.

Старушки были замечательные: одна покупала многочисленные лекарства, подолгу сравнивая их со своим кустарным прайс-листом на поношенном клочке бумаги, вырванном когда-то из тетради в клеточку, другая сверялась со своей собственной памятью, и это было еще хуже, чем если бы у нее был листочек. Когда старушки вышли одна за другой, в аптеке перестало пахнуть аптекой и стало пахнуть обычным магазином, по типу хозяйственного, то есть старушки действовали на аптеку как елочки с отдушкой в автомобилях.

Увидев Петрова в окошечке кассы, аптекарша сразу сказала, что шприцы и «Коделак» она без рецепта ему не продаст.

Петров замер, пробуя сформулировать какую-нибудь интересную шутку, связанную с тем, что аптекарша с лицом строгого, но справедливого советского педагога начальной школы приняла его за наркомана. Одновременно с этим Петров понял, что его вообще очень часто принимают за наркомана; видимо, какой-то нездоровый образ жизни, который Петров вел, ковыряясь под машинами, как-то отражался на его внешнем виде. Шутка должна была обыгрывать именно вот это вот всё. Петров даже скорчил шутливую гримасу, чтобы начать шутить, пока не понял, что стоит уже с этой гримасой несколько секунд, как бы оценивая свою горькую наркоманскую судьбу, как бы придумывая причину, по которой аптекарша должна дать ему и шприцы, и какой-нибудь кодеиносодержащий препарат, про который она еще не знает (хотя почему она должна не знать, она же аптекарша). А еще Петров растерялся. Как бы часто ни принимали его за наркомана, всегда это происходило неожиданно, и всегда люди говорили, что Петров — наркоман, с пугающей Петрова прямотой, как-то даже его тетка сказала, что он тратит заработанные деньги на героин, и Петров так же вот впал в ступор, не зная, что ответить на это. Так однажды в детстве отец попросил его купить растворитель, и Петров пошел за растворителем, а чтобы не тащить его в руках, купил еще и пакет, а кассирша начала его стыдить, как настоящего малолетнего токсикомана, говорить, что пойдет сейчас к нему домой и все расскажет родителям, а Петров стоял и краснел со слезами на глазах.

Он уже и купил парацетамол, и шел до метро, и купил газировки в киоске, и выпил парацетамол, и спустился в метро, обойдя несколько уборщиц в оранжевых жилетах, скобливших нетающий снег на каменных ступенях, и прошел мимо милиционера, который тоже, видимо, приняв его за наркомана, как-то потянулся к Петрову, но потом заметил более явного, чем Петров, азиата и отвлекся, Петров отстоял очередь в кассу с жетончиками и все продолжал дуться на аптекаршу, как будто она была виновата в том, что никакая остро́та не пришла ему в голову. И только при виде сидящей за стеклом кассирши метро, при виде ее крашенных в рыжий цвет волос, завязанных в тугой хвостик, Петрова озарило.

«Надо было не мяться, а попросить три настойки боярышника и гематоген», — подумал Петров и внутренне застонал от того, что эта шутка не появилась к месту. Жаль, что нельзя было уже вернуться и повторить все сначала.

С Петровым так было почти всегда. Только в вагоне метро в памяти стали появляться интересные истории из гаража, которых Игорь просил прошлым вечером в машине бомбилы. Не ахти это какие, может быть, были истории, и неизвестно, как бы их оценил Игорь. Но была совершенно чудная байка про то, как у них, вечно бегающих и чем-то занятых людей, появился доставщик готовых обедов, где были, в частности, пельмени, и только пельмене на седьмом они поняли, что это пельмени с капустой — настолько все были голодны и разогнаны работой. Или была история про то, как владелец «газели», чеченец, жаловался на одного своего водителя маршрутки, который уходил в непредсказуемые запои, причем что только с ним ни делали: и били, и вывозили в лес, и ставили на счетчик, а потом били и вывозили в лес, и ходили жаловаться его маме, — но водитель так и продолжал пить. Чеченцу предложили уволить нерадивого шофера, но тот лишь побледнел и сказал, что это не по-человечески, а потом разрыдался в бессилии. Петров подозревал, что истории эти были смешны только в момент, когда происходили, а в его муторном пересказе потеряли бы часть очарования, но это было бы все равно лучше, чем просто отмалчиваться в ответ на язвительные требования Игоря, оставляя впечатление, что ничего человеческого в боксе не творится, а лишь крутятся бездушными людьми мертвые гайки.

Напротив Петрова в вагоне метро сидел целый класс младшей школы с каким-то педагогом или главой родительского комитета, педагог (или глава родительского комитета) — женщина, похожая на аптекаршу, неотличимая от аптекарши настолько, что можно было предположить, что эта одна и та же женщина, — смотрела на Петрова так же осуждающе, а Петров почему-то отвлекся от гаражных баек, когда заметил этот ее взгляд, и подумал, что странно, столько всего изменилось в стране с того времени, как сам он был младшим школьником, а аптеки, и поликлиники, и педагоги остались совершенно такими же. Мода никак не отразилась ни на косметике педагогов, ни на их методах, ни на оформлении аптек, разве что в аптеках появились цветные рекламные плакатики препаратов от простуды, и всё. Даже вот эта плексигласовая перегородка оставалась прежней, все так же опоясывала помещение аптеки по периметру и отгораживала посетителей от лекарств, но при этом самые популярные из них всегда стояли прямо за перегородкой, как в витрине. И всегда было полукруглое окошечко, а аптекарь всегда был в белом халате, хотя и непонятно зачем. И еще над окошечком всегда была надпись: «Касса», хотя что это могло быть, кроме кассы?

Как всегда было с Петровым в метро, так произошло и на этот раз: он хватился, не пропустил ли свою остановку, когда поезд еще ехал в длинном перегоне между «Машиностроителей» и «Уральской», был там такой медитативный участок пути с некоторым изгибом, когда интересно становилось, какие вещи выделывает перспектива, если смотреть сквозь окна между вагонами на следующие вагоны; это напоминало толстый учебник по рисованию, который был у одного из школьных товарищей Петрова. Петров несколько раз брал почитать этот учебник, но всегда пролистывал и главу о перспективе, и главу о цвете, из главы о цвете он помнил только что-то про теплые и холодные цвета и про насыщенность, а больше не помнил ничего. Далее в учебнике были главы с гипсовыми слепками головы Аполлона, с гипсовыми кубами и шарами (хотя, если быть точнее, сначала были кубы и шары, а потом уже — голова Аполлона во множестве ракурсов), вот на этих главах Петров и зависал и никак не мог продвинуться дальше, хотя нет, продвигался. Еще были отдельные глаза, носы, уши, тоже гипсовые, Петров возился и с ними тоже. А вот следом шли портреты людей, отпугивающие своей фотографической точностью и невыносимым мастерством, а Петров никак не мог понять этого чуда, перехода из упражнений с гипсом в живой человеческий портрет, переданный всего лишь несколькими взмахами карандаша. Всё, чему он научился, — это улавливать обычное сходство, когда сообразил, что все головы суть есть голова того же самого Аполлона, просто с вариациями, но это был потолок Петрова, и он сам это понимал, как бы ни хвалили его одноклассники.

Вот почему вопрос Игоря про писателей и художников, заданный шоферу в катафалке, так не понравился Петрову. Это был такой неосознанный, а еще хуже, если осознанный подкоп под Петрова, который не мог сознаться теперь в своем увлечении никогда в жизни. Петрова удивляло, когда люди рассказывали о себе невероятные по откровенности вещи, от некоторых писателей волосы вставали у Петрова дыбом. Например, при описании отношений Степана Трофимовича и маленького Ставрогина бедного Петрова начинало мутить, а лимоновское «Это я — Эдичка» Петров даже не смог дочитать до конца, настолько Лимонов бросился в такую жуткую откровенность. Лимонов в момент чтения казался Петрову этаким Чикатило, дающим интервью перед самой смертной казнью. Даже пыткой нельзя было узнать от Петрова, что он, в свой почти тридцатник, рисует комиксы и пытается косить под японцев в этом плане. Причем Петров понимал, что, будь это какая-нибудь порнуха с чудовищами, мужики бы еще прониклись творчеством Петрова, про это можно было рассказывать без стеснения. Но это были комиксы про полицию будущего, про боевых роботов и злых киберпреступников, про небоскребы, взрывы, летающие машины, мутантов, разлетающиеся осколки — и всё это казалось Петрову невыносимо жалким, бездарным и, судя по тому, что сыну это нравилось, это было чудовищно плохо.

Петров снова спохватился, что проехал свою остановку, но это была еще только «Динамо». Педагогиня призывала учеников к тишине и предупреждала, чтобы все приготовились, потому что выходить через остановку, еще она окликала особо буйных, беспокоясь, что особо буйные уже вышли где-нибудь не там, где она планировала. За время поездки шальные дети успели уже вычудить несколько номеров: единожды школьник успел сказать «жопа» на весь вагон, и, как бы ни ругалась педагогиня, остальные дети одобрительно улыбались; успел один из школьников уже предложить своим одноклассницам выйти к вертикальному поручню и воспользоваться им как шестом для стриптиза, на что педагогиня заметила, что школьник уже повторяется в своих шутках, уж не хочет ли он, чтобы эта шутка ей особенно запомнилась, дабы она рассказала ее на родительском собрании, может, его родители тоже порадуются чувству юмора своего сына; успели уже школьники докопаться до классного ботаника, игравшего на телефоне, и успели обступить мужчину, который читал электронную книгу, успели похихикать над отпыхивающимся под гриппом Петровым, успели предостеречь одну из одноклассниц, чтобы она больше не падала в эпилептические припадки, успели изобразить этот припадок.

На самом деле спокойно сидел почти весь класс, а бесновались всего три человека, не считая педагога, но и этого хватило, чтобы Петров с облегчением вывалился из вагона на гранит станции «Площадь 1905 года» и бросил сочувствующий взгляд остающимся в вагоне пассажирам. Он не сомневался, что его сын ведет себя гораздо лучше — его сын был как раз из тех ботаников с сотовым телефоном, или книжкой, или мечтательностью во взгляде. Это именно его в основном толкали и подкалывали за его медлительность и мечтательность, поэтому Петров испытывал особую неприязнь и к мальчику, игравшему на телефоне, и к его буйным одноклассникам.

На перроне было немного людей, и большинство из них топтались на месте и сидели на лавочках, стремясь в ту сторону, откуда Петров только что приехал, — в том направлении были вокзал, автовокзал и рынок. Между блестящих металлических колонн гулял веселый голос автоматического диктора, призывающего не подбирать найденные сумки. Пара милиционеров стояли спиной к Петрову, и, проходя мимо них, Петров коротко позавидовал женщинам, которым нужно было творить невообразимые вещи, чтобы их остановили для проверки документов. Сам Петров не носил документы, когда передвигался по городу с помощью общественного транспорта. Как бы его ни подозревали в употреблении, наркотиков при себе у него все равно никогда не было, плюс был у него номер милицейского начальника, а его «немцу» они неоднократно меняли масло, и тормозные колодки, и диск сцепления, так что если и могли задержать Петрова для выяснения личности, то ненадолго.

Петров не понимал, как можно работать патрульным милиционером, он не представлял, как это — слоняться по перрону или по улицам и выискивать каких-то нарушителей либо останавливать людей для выяснения. Это было невыносимо скучно. Было на его памяти несколько дней, когда он вообще не видел солнца из своей ямы: как пришел в темноте, так и уезжал с наступлением ночи; были дни, когда он зависал в гараже с ремонтом несколько дней подряд, вообще не бывая дома, причем эти дни — с полярным днем и ночевками в гараже — вообще показались ему пролетевшими незаметно. Вот это, по его мнению, и было настоящее веселье, которое нельзя было пересказать Игорю никакими словами, потому что он все равно бы не понял, как это: собрать коллектив из нескольких гаражей в полвторого ночи и всей толпой, вместе с хозяином машины, смотреть под капот уже ничего не соображающими глазами и пытаться понять, почему машина не заводится. Не объяснить, как это — целый день чинить бесплатно автомобили каких-то друзей, и знакомых, и родственников, каких-то знакомых гаишников, знакомых ППСников, а потом радостно смеяться над шуткой «Петров, у нас сегодня субботник, как у проституток!», сказанной радостным голосом как бы комсомольского энтузиаста.

Паша, словно прочитав его мысли, позвонил тотчас же, как только Петров вышел на поверхность земли, где, в отличие от метро, брала сотовая связь. По голосу Паши было понятно, что он тоже заболел.

— Ну как ты там? — спросил Паша. — Нахрена вот ты вчера на работу приперся? Я тоже выскочил сегодня, но что-то покрутил-покрутил и думаю, да ну его, чуть не сдох, сдал машину соседям и домой пополз.

— Да лучше бы я в гараже остался, — в сердцах сказал Петров, — зря я к этому таксисту подсел. Он меня только до ТЮЗа подбросил, а дальше пришлось троллейбус дожидаться. Я тебе потом расскажу, у тебя деньги на телефоне не лишние.

— Ну да, — согласился Паша, — давай с домашних созвонимся, если я смогу разговаривать. Меня пидорасит по-черному. Только усну, а там бесконечный урок литературы, а я у доски стою и какую-то ерунду, какую-то поэму сдаю, хотя и не учил, пытаюсь так придумать, чтобы и своими словами, и в рифму. Это трындец. Главное, уже что только ни принял, прет и прет.

— Хорошо хоть грипп не кишечный, — заметил Петров, — а то бы и полежать не удалось как следует первое время.

— Это да, — согласился Паша. — Ну ладно, давай.

Казалось, что, прежде чем бросить трубку, Паша зазвенел ложечкой в кружке и куда-то заворачивался, как в кокон, — такое от него послышалось уютное шевеление, похожее на меховое.

Чем ближе был к дому Петров, тем тяжелее ему становилось. Это было похоже на высокогорное восхождение с его кислородным голоданием и самым отчаянным холодом в самом конце. Меховой уют в окончании Пашиного звонка подчеркивался общим неуютом продуваемой вдоль улицы Малышева, стеклянной остановкой, ветер в которую не задувал, но на ветру почему-то было не так холодно, словно нутро остановки концентрировало в себе окружавший мороз. Сбоку внутри остановки была приклеена реклама турфирмы, где папа, мама и дочь отвисали в купальных костюмах, и казалось, что волна за ними — просто кусок льда, а от вида их голых тел становилось совсем ужасно. Еще и троллейбусы, как на грех, шли только семнадцатые, один за другим, спустя четыре семнадцатых пришла тройка, но в нее невозможно было залезть, настолько она была полна. Двери третьего троллейбуса просто открылись, чтобы показать спины пассажиров, пучащиеся изнутри, как диванная обивка, потом с трудом сомкнулись, и троллейбус поехал себе дальше, и непонятно было, зачем он вообще останавливался.

Спустя несколько сигарет, несколько обширных по времени приступов кашля между мелкими покашливаниями, спустя несколько пустых, но ненужных троллейбусов и несколько нужных, но наполненных людьми до невозможности, после того как были передуманы на свой лад, несколько раз спеты, а потом забыты строчки «Троллейбусы идут на Магадан, идут туда, но мне туда не надо», пришла все же пустая тройка. Она шла следом за полной тройкой. Эти две тройки одновременно остановились на одной остановке, но почему-то пассажиры передней, несмотря на толкотню, не спешили пересаживаться в более свободный троллейбус, и в Петрова закралось подозрение, что вторая, пустая тройка идет куда-нибудь в парк. И все же он рискнул и метнулся к пустому троллейбусу.

— Вы в парк идете? — спросил он кондуктора.

— Нет, — сказала кондуктор.

— А почему тогда люди к вам не пересаживаются?

— Я тоже несколько остановок уже об этом думаю, — сказала кондуктор, — только вон девочка и пересела.

Она показала рукой на место рядом с кондукторским, и у Петрова ёкнуло в сердце, потому что это была вчерашняя девочка, из-за которой старичок и семнадцатилетний парень устроили потасовку. Девочка посмотрела на Петрова и поздоровалась с ним, Петров на автомате поздоровался с ней тоже и зарделся так, словно это он вчера поделился с ней своими этнографическими наблюдениями.

Учтя вчерашние ошибки, Петров сел там, где его нельзя было разглядеть с проезжей части, и там, где ему не видна была девочка, то есть сел он прямо спиной к ней на переднее место, предназначавшееся для пассажиров с детьми и инвалидов, причем сел не с водительской стороны, а со стороны дверей. Это было не очень удобно, потому что пластиковая перегородка перед спускавшимися к выходу из троллейбуса ступеньками упиралась ему в колени, хотя это он, скорее, упирался коленями в перегородку, а она опасно выгибалась, грозя треснуть окончательно. (Там уже была трещина, сделанная, видно, или пассажиром с детьми, или детьми, или инвалидом.)

В троллейбусе было холодно, однако после улицы это было не так заметно. Через водительское окно виднелись лица пассажиров троллейбуса, шедшего впереди, и Петров с трудом удерживал себя, чтобы не покрутить им пальцем у виска и не сделать приглашающие жесты рукой.

От несчастных пассажиров Петрова отвлек узкий пятачок остановки возле театра «Волхонка», где обещались новогодние представления, и Петров злорадно подумал, что уже купил билет в ТЮЗ. На стекле возле Петрова было наклеено объявление о том, что троллейбусы тридцать первого декабря уйдут в парк к одиннадцати часам, почему-то в этом объявлении было для Петрова больше новогоднего настроя, нежели во всех этих гирляндах, висящих по городу, и в новогодней рекламе по телевизору. Петров вспомнил, как пару лет назад сбегал, докупая шампанское, в киоск возле дома, а когда возвращался в одиннадцать сорок пять, в застрявшем лифте кто-то бился с пьяным грустным ревом, понимая, что раньше первого часа ночи его никто не освободит.

Ротозейничая по сторонам, Петров пропустил появление сумасшедшей. Невозможно было не заскучать, выезжая сложным крюком от Московской горки до Центрального стадиона, потому что там всегда была если не пробка, то какой-то небольшой затор, связанный с корявой развязкой и узкой дорогой, примыкавшей к другой узкой дороге. Обычно до Центрального стадиона ехали провинциальные тетки с клетчатыми китайскими баулами, они пыхтели, поминутно спрашивали остановки, тревожно смотрели в окна, боясь пропустить свой выход. Они не были болельщицами, просто напротив стадиона располагалась тюрьма, и все эти тетки спешили туда, к своим сыночкам. Смотреть на них было невыносимо, потому что Петров и сам мог в свое время туда угодить по совершеннейшей своей юношеской глупости. Он точно мог представить, что его мать так же бежала бы за транспортом в чужом каком-нибудь городе, где Петров бы сидел, так же беспокойно спрашивала бы остановки, и поэтому Петров чувствовал к суетливости теток брезгливое отвращение. Он всегда отворачивался или забивался в уголок, когда видел их сбитые набок или сползшие с головы на шею, на манер пионерского галстука, платочки, их катящийся из-под шапок пот, как будто тетки только что играли в снежки на улице. Не мог он переносить их какое-то извиняющееся выражение лица, потому что помнил, как скандалили женщины в гараже, угрожая мужем-бандитом; сейчас такие угрозы стали реже, а вот в конце девяностых, когда Петров только начал вертеть гайки, такое было сплошь и рядом. Он с легкостью мог предположить, что среди одной из таких теток могла быть такая, которая вот так вот скандалила в прошлом. Взять того же короля Лира, читать-то про него нелегко, смотреть невозможно, а предположить, что в троллейбусе их таких может быть до нескольких штук сразу, — это как пару раз подряд пережить киносеанс «Белого Бима Черное ухо».

Петров пропустил появление сумасшедшей, иначе бы, как только она вошла, как-то приготовился бы к тому, что она безумна, не стал бы говорить ей ни единого слова, потому что именно на слова-то сумасшедшие и были особенно падки.

Петрова потолкали в плечо; когда он отвернулся от окна и посмотрел на того, кто его толкал, он увидел молодую женщину, слишком легко одетую для такой погоды: на ней был синий осенний болоньевый плащ и легкие перчатки без пальцев. Женщина была очень ярко накрашена. Привыкший к тому, что его жена вовсе не пользовалась косметикой, Петров отметил это особенно, тем более что накрашена женщина была по моде конца восьмидесятых — со всеми этими яркими тенями с блестками, темным тоном, подчеркивающим скулы, помадой, лежавшей толстым слоем на губах. Волосы женщины, вздыбленные химзавивкой, были разнообразно расцвечены как бы натуральными цветами, но обилие этих натуральных оттенков вызывало ощущение пестроты.

«Ни фига она клоун», — невольно подумал Петров и даже мысленно улыбнулся такой безвкусице, но улыбка эта сползла, когда паяц начал свой номер.

— Вы в курсе, что это место для пассажиров с детьми? — спросила женщина, и в интонации ее ничего не предвещало, хотя странно было, что она докопалась до Петрова, когда в салоне была масса свободных мест.

Петров решил, что на месте, которое он занял, просто теплее, чем на других местах, потому что они были дальше от кресла кондуктора, которое отапливалось, а ребенку, который держал женщину за руку, несомненно, требовалось тепло. Это был мальчик лет, может быть, четырех, тоже одетый в оранжевую осеннюю куртку, вязаную шапочку и фиолетовые резиновые сапоги. При том что не видно было, что мальчик мерзнет или как-то вообще болезненно переносит мороз, губы у него были такие же фиолетовые, как и его сапоги. Петров торопливо заизвинялся, торопливо сполз с места и пересел на другое.

Женщина, однако же, от Петрова не отстала. Сунув ребенка на отвоеванное сиденье, она снова подошла к Петрову и снова потрясла его за плечо.

— Вы вообще стыд испытываете когда-нибудь? — спросила женщина. — Вы понимаете, что мой сын (тут она потыкала пальцем в направлении чада) — будущее человечества? Последняя надежда Земли.

«Приехали», — подумал Петров, хотя никуда еще, конечно, не приехал, а продолжал катиться на троллейбусе.

Тут из-за туч, как по заказу, вылезло солнце, отчего внутреннее убранство троллейбуса, с обилием инея и льда на окнах и нетающего снега на полу, стало напоминать морозильную камеру, а поведение нервной пассажирки в солнечном свете и синих тенях желтых поручней обрело особенный какой-то градус отмороженности.

Женщина заговорила про открытую чакру ее сына, про то, что у обычных людей аура белая, а у него — синего цвета. Она сказала, что он уже умеет читать, писать и считает до тысячи и обратно, знает множество английских и немецких слов. Еще она сказала, что у ее сына порок сердца и диагноз «слабоумие», но все это ложь. Бабка из соседней Екатеринбургу деревни давно всё исправила, и мальчик занял первое место на детском литературном конкурсе, но все жюри куплено, и поэтому сказали, что стихи писала его мама.

Петров только кивал в ответ и прижимался поближе к окну, чтобы находиться подальше от женщины, которая, несмотря на весь пыл своей речи, так и не решилась сесть рядом. Еще Петров старался не делать лишних движений и строил виноватую гримасу, как собака, которую ругают за лужу или съеденное со стола. Он думал, что с его другом Сергеем родители сделали, по сути, то же самое, выставили ему впереди Джомолунгму, вершину которой он должен был достичь непременными успехами, чередующимися один за другим, задали ему какую-то недостижимую планку, а между тем Сергей даже на уроках физкультуры не мог перепрыгнуть через планку вполне реальную, боясь сбить ее и опозориться — не то чтобы он не мог, он даже не пытался перепрыгивать через нее, говоря, чтобы ставили двойку, и он уйдет. Мальчику в троллейбусе, конечно, вряд ли грозило такое разочарование в жизни с его слабоумием, которое, конечно, даже самая мощная колдунья не сумела бы исцелить. Ему грозило умереть от воспаления легких после закаливания по системе Иванова, или вегетарианской диеты, или уринотерапии, или еще неизвестно чего, чем могла увлечься его мать, пока его растила. Мать могла уйти в секту или монастырь, и тогда мальчик мог стать одним из тех детей с благоговейным взглядом на православном канале, которые причащались святых даров, и нельзя было смотреть без ужаса на этих как бы обдолбанных седативными препаратами существ (особенно ужасны были, конечно, всякие четырехлетние девочки в старушечьих платочках). Петров кивал, а женщина продолжала затирать про то, что ее сын сам может лечить людей и предсказывать будущее. Петров хотел сказать, что тоже может предсказать ее будущее и будущее ее сына, но как-то не решился, потому что, покосившись на нее, наткнулся на совершенно дикий взгляд, от которого нельзя было ждать ничего хорошего в случае хоть какого-то сомневающегося слова.

Троллейбус остановился на конечной, когда речь женщины достигла кульминации своего безумия, когда она стала делиться тем, что ее саму во время беременности похищали инопланетяне (их зря называют серыми человечками, они на самом деле синего цвета, вот как троллейбус снаружи), что пришельцы уже и мальчика похищали несколько раз. Выйдя наружу, Петров заметался по остановке, пытаясь сделать так, чтобы женщина от него отстала, но она таскалась за ним и таскала за собой мальчика, пытаясь, видимо, как-то логично завершить разговор, мальчик поскальзывался на своих резиновых подошвах, но женщина крепко его держала, так что он, поскользнувшись, каждый раз оказывался подвешенным за руку. Петров с завистью посмотрел вслед уходящей девочке, к которой никто сегодня не полез с болтовней.

Петров купил мальчику шоколадку, а женщина вырвала шоколадку из рук ребенка и сказала, что у него аллергия на лактозу. Мальчик тупо смотрел вперед и во время того, как Петров совал ему в руку шоколад, и во время того, как мать этот шоколад из руки у него вырывала. Петров купил мальчику мандаринов, но его мать сказала, что у него диатез. Петров купил мальчику бананы, но его мать вырвала и бананы, заявив, что бананы полны калия и накапливают радиацию. В тот момент, когда Петрову казалось уже, что женщина никогда от него не отвяжется, что она так и будет преследовать его до самой квартиры, а потом, может, еще и ворвется внутрь, женщину вдруг перехватила такая же безумица в осеннем плаще, но не с одним ребенком, а сразу с двумя детьми постарше. Женщины радостно засмеялись, целуясь троекратно, как лидеры социалистических государств со своими восточноевропейскими коллегами. Дети смотрели друг на друга мрачно, хотя не мрачно, скорее, а обреченно.

— Любушка, сестрица моя во Христе, — успел услышать Петров восторженное восклицание от подлетевшей чокнутой, прежде чем смазал лыжи с места встречи.

Он вспомнил свою вчерашнюю троллейбусную мечту о большом количестве газированной воды и сне, поэтому снова подался в киоск, в тот же самый, где покупал шоколадку.

— Быстро вы, — необидно прокомментировала его очередное появление продавщица. — Забыли что-то?

Продавщица уже была симпатична Петрову тем, что возле нее не было детей, а еще тем, что она тоже простуженно, как и он, говорила в нос, и видно было, что она так же, как и он, выглядит простуженной, на прилавке рядом с ней стояла белая кружка, на дне был виден порошок, а рядом лежал разорванный пакетик из-под «Антигриппина», кроме тихого радио «Си» был слышен нараставший шум электрического чайника. На шею продавщицы был намотан шарф.

— Как вы умудряетесь болячки на ногах переносить, — сказал Петров, принимая двухлитровую бутылку «Колы», похожую на некий снаряд по его болезни.

— Так все заболели и отпросились, — сказала женщина, — а я просто самая последняя осталась. В этом ничего хорошего нет, честно говоря, людей заражать. Вот вы у меня позавчера сигареты покупали, может, вы от меня заразу и подхватили.

Петрову было лестно, что продавщица его помнила, поэтому он стал всячески расшаркиваться и говорить, что нет, что не от нее, что он стал заболевать раньше, еще на работе.

Им почему-то так хорошо стало от разговора друг с другом, что продавщица поздравила Петрова с наступающим, а Петров сказал, что рано еще поздравлять, что он зайдет в киоск, возможно, неоднократно, и, чуть ли не кланяясь при каждом шаге, словно прощаясь с китайским императором, выпятился из киоска. Сумасшедших и их детей уже не было, Петров поискал глазами их яркие плащи и курточки, что легко вычленялись бы в окружавшей его белизне, но улица Посадская была просторна и редка людьми. Между лавочками и кустами прогулочной зоны, что разделяла две полосы движения, гулял только собаковод с настолько мелкой собакой, что виден был от собаки больше поводок, чем она сама, и видно было, что собаковод именно собаковод по тому, как его характерно волокло по улице то к одному кусту, то к другому. Остальные люди напоминали схематические фигуры в архитектурной презентации будущего проекта. Вообще, зима, конечно, как будто убирала все лишнее и человеческое в ландшафте, оставляя опять милую глазу перспективу и изначальный замысел архитектора: не было ни мусора, ни собачьих какашек возле тротуара, не было видно, что дорога в сторону Гурзуфской заливается водой во время дождя и таянья снега настолько, что воды там становится по колено, дорога же в сторону 8 Марта всегда суха, веранда летного кафе в спорт-баре, забранная диагональными рейками, была пуста, как в первый день творения.

Петров вздохнул одновременно ртом и носом, пытаясь почувствовать запах снега, как чувствовал его еще в детстве, но только впустую выдал наружу клуб паровозного пара и пошел в сторону своей девятиэтажки. Днем всякие киосочки выглядели унылее, чем в темное время суток, было видно, что на них висят гирлянды, но гирлянды не горели, а были как будто сломаны. Со всеми этими своими пустыми огоньками и провисающими проводами, развешанными в форме елочек, надписями «С Новым годом» они выглядели так, словно Новый год уже прошел, а их еще не убрали. Петров решил, что нужно выпить еще одну таблетку жаропонижающего прямо на улице, чтобы, когда он придет домой, она уже начала действовать, а упаковки парацетамола в кармане не оказалось: видимо, вывалилась из кармана дубленки еще в метро или в троллейбусе, когда он переползал из одного угла салона в другой. Дома вроде бы еще были таблетки, а тащиться через дорогу, а потом еще по одной улице до «Кировского», а потом еще через дорогу до аптеки как-то уже не очень хотелось — слишком длинный путь был проделан до дома, если учесть, что Петров начал этот путь еще вчера и все никак не мог его закончить. Уже все более торопясь и все более не в силах торопиться, Петров прошел дворами наискосок до двери подъезда.

В теории дверь закрывалась на магнитный замок, подрядчик обещал модернизировать систему, провести трубки и даже поставить видеокамеру, но на деле магнитный замок был настолько хилый, что подростки, ленясь доставать ключ, просто отпирали дверь рывком дверной ручки на себя, да еще и пенсионеры, и дети постоянно болели, и часто можно было видеть дверь, просто подпертую кирпичом, и увидеть на двери кустарное объявленьице: «Не закрывать — ждем врача». Еще из дома часто переезжали, так что можно было опять же увидеть дверь, вовсе не запертую, а опять же подпертую кирпичом, и увидеть объявленьице: «Не закрывать — ждем риэлтора». Еще в доме часто что-нибудь ломалось, и тогда опять была дверь, подпертая кирпичом, и тетрадный листок с надписью: «Не закрывать — ждем слесарей». Понятно, что при таком раскладе на первом этаже дома царил настоящий хаос: лампочка никогда не горела, всегда в закутке возле подвала кто-то исхитрялся помочиться, иногда исхитрялись помочиться в лифт или в закуток между стеной и трубой мусоропровода, которым уже давно никто не пользовался, а люки мусоропровода были заварены до тех времен, пока человеческая природа не улучшится, поэтому некоторые нерадивые граждане кидали мешки прямо у входа в подъезд. Ирония заключалась в том, что возле подъезда висела квадратная ржавая табличка, чьи порядком потускневшие буквы гласили, что дом, в котором живет Петров, — это дом образцового быта. Двойная ирония заключалась в том, что, даже когда Петров был очень мал, табличка выглядела нисколько не свежее нынешнего состояния. Сколько он себя помнил, ступени, ведущие к лифту от входной двери, были частично выщерблены посередине, как будто кто-то сволакивал по ним очень тяжелую трубу. На памяти Петрова подъезд несколько раз красили внутри и несколько раз — снаружи. В середине восьмидесятых поменяли почтовые ящики на площадке между первым и вторым этажом, но на второй день хулиган со второго этажа вместе со своими веселыми друзьями отрабатывали удары ногами по этим ящикам, так что ящики до сих пор висели грустные от своей вогнутости. В девяносто седьмом хулигана грохнули прямо на ступеньках, выщербленных посередине, Петров как раз приехал с работы и увидел хулигана за милицейским оцеплением, как он лежал там, похожий на помятый им почтовый ящик. Товарищи хулигана хотели сменить табличку про дом образцового быта на мемориальную доску, объясняя это тем, что в Нижнем Тагиле такое сделать разрешили. Мемориальная доска так и не появилась, потому что товарищей хулигана кого пересажали, кого тоже грохнули, а следы от пятна крови долго не могли убрать со ступенек — все равно оставались какие-то контуры. Но как раз к приходу миллениума сосед Петрова с первого этажа, запомнившийся Петрову тем, что раньше у соседа был кот, ходивший на унитаз, и клетка с белочкой в колесе, стал страшно пить, а в Новый год, собравшись упиться вообще в какую-то невообразимую дымину, затарился огромным количеством водки и пива и разбил и водку, и пиво как раз на ступеньках. Свежее пивное пятно оказалось сильнее, чем старое пятно крови, и на время перебило все запахи в подъезде, оставив только горьковатый запах хмеля, смешанный с запахом спирта.

Когда Петров подошел к подпертой кирпичом двери подъезда, в котором, судя по объявлению, ждали врача, запаха хмеля уже, конечно, не было, был обычный туалетный запах, смешанный с влажноватым запахом пара из подвала. Прежде чем идти к лифту, потому что подниматься на пятый этаж пешком не было уже сил совершенно никаких, Петров посмотрел на свою машину, скучавшую на стоянке, — на месте ли. Машина стояла там, где он ее и оставил позавчера, прикрытая инеем, будто сахарной пудрой.

Лифт тоже был в подъезде замечательный: в нем были именные надписи, нацарапанные гвоздем на фанерных стенках, из той поры, когда не было еще маркеров, были там надписи, появившиеся вместе с маркерами, особенно местные подростки любили писать черными маркерами потолще, поверх нацарапанного гвоздями прошлых поколений. Была надпись «HSH», была надпись «Prodigy», было несколько завуалированных признаний в любви, была игра «Если ты не голубой — нарисуй вагон другой», причем вагонов под этой надписью было нарисовано больше, чем было жильцов в подъезде, утверждалось, что рэп — это кал, упоминались Егор Летов и ГрОб, конечно же, не обошлось без Цоя, который был жив, несмотря на очевидный для Петрова факт его гибели под «икарусом». Еще красовались на стенках выведенные с какой-то особой любовью и тщательностью имена и отрицательные характеристики обладателей этих имен. Было объявление, обведенное рамочкой, что некая девочка из пятого класса — шлюха и сосет даже у бомжей, прилагался даже телефонный номер, по которому бомжам предлагалось звонить, чтобы разнообразить свою половую жизнь.

Надписи в лифте плавно перетекали в надписи на стенах подъезда, где было все то же самое, но выглядело все масштабнее, потому что в подъезде художник не был ограничен рамками холста. Если в лифте художник просто констатировал факт чьих-то близких отношений, то в подъезде он мог еще и подробно их проиллюстрировать в меру своих анатомических познаний и фантазии.

Петров снял шапку еще в лифте и там же начал расстегивать пуговицы дубленки, коричневые, гладкие и твердые, как ириски. Стоя возле своей деревянной двери, похожей на огромную плитку шоколада, Петров, зажав бутылку с «Колой» под мышкой, стал копаться в кармане джинсов, нашаривая ключи. Там же, в кармане, болталась между пальцами бумажка с таблеткой аспирина, подаренного Виктором Михайловичем.

Окно на площадке между пятым и шестым этажом было вроде бы плотно закрыто, но все равно оттуда как-то поддувало свежим холодком. Дело было, видимо, в том, что во внешнем стекле двойной рамы была прямая трещина, сквозь эту трещину набилось некоторое количество снега, чуть больше, чем для того, чтобы можно было принять его за вату, которой мать в свое время утепляла окна в гостиной и в его комнате. Справа от подъездного окна на широком подоконнике стояли две пустые бутылки из-под пива. Ну как пустые: правая правда была совершенно пуста, а вторая на треть набита окурками.

Желающие сходить в туалет почему-то не добирались до пятого этажа, или у них принято было делать свои дела на первом, поэтому на лестничной площадке отчетливо пахло супом. Кстати, было время, когда весь подъезд пропах травкой, до этого было время, когда выше первого этажа пахло дрожжами. Еще было время, когда по подъезду нельзя было пройти, чтобы шприц не хрустнул под ботинком, а до него опять же было время, когда повсюду, там и сям, стояли пустые бутылки. Сейчас бутылки опять возвращались — к стеклянным пивным добавились пластмассовые из-под алкогольных коктейлей и газировки. Раньше люди оставляли на площадке пепельницы из кофейных банок, теперь же кофейных банок почти не было, а были банки для газированной воды и энергетических напитков. Людям было мало садить сердце экстрактом гуараны, надо было еще покурить после опустошенной банки, как после секса.

Петров печально ввалился в квартиру. Запах супа исходил из его кухни. В прихожей горел свет, участковый врач из детской поликлиники сидела на полочке для обуви и застегивала длинный замок на втором своем сапоге. Жена стояла тут же и по-джентльменски держала наготове зеленоватое пальто врача. Из-за жены равнодушно выглядывал сын. Увидев Петрова, он даже не изменился в лице. В детстве, когда Петров простужался, участковый врач тоже ходил к нему на дом, все звали этого врача сложным прозвищем: Аспирин-Димедрол-Амидопирин.

— Что? Заболел? — спросил Петров у сына, выжимая из себя остатки бодрости, которую он попытался вложить в свой голос, а тот только что-то прохрипел в ответ, видимо, утвердительно отвечал на его вопрос.

— Иди к себе, — сказала жена сыну, — тебе только сквозняка еще не хватало.

Сын уплелся к себе в комнату.

Вообще, сын с разводом Петрова и его жены устроился довольно удобно — у него было целых две своих комнаты в разных квартирах. Петровы-старшие не соревновались друг перед другом в щедрости, оказываемой сыну, однако как-то само собой получилось, что у сына образовался двойной набор игрушек и книг, двойной набор игровых консолей и двойной набор одежды.

— Ну, в общем, вы поняли, да? — спросила врач, влезая в свое пальто и зачем-то ища взгляда жены, а жена уже подхватила сумочку врача и вешала сумочку на ее руку.

— Так ведь не первый раз уже, — отвечала жена врачу.

Петров занял место, которое освободила врач, и принялся развязывать шнурки своих зимних ботинок. Вот чего не хватало ему вчера в квартире Виктора

Михайловича — рухнуть на полочку для обуви, а не корячиться в согнутом состоянии, пытаясь не упасть, и не пыхтеть на корточках, чувствуя, как кровь и жар приливают к лицу. Край длинной шерстяной юбки врача мелькал у Петрова перед глазами, пока он разувался, а врач еще раз терпеливо объясняла жене, какие таблетки нужно купить, если их нет, и сколько раз в день их принимать.

— Сейчас же все всё знают, — говорила врач, — начали в интернет лазить за советами. А кто-то по старинке копеечным аспирином ребенка пичкает, хотя сейчас много хороших средств появилось, которые дети с удовольствием принимают. На соседнем участке бабка годовалому ребенку по забывчивости скормила три таблетки аспирина. Другая спиртом обмазывала до алкогольной интоксикации. Еще одна чистотелом напоила — травки перепутала. Вообще, бабушек меньше слушайте, если они у вас есть.

— Да сейчас все дома, — успокаивала ее жена, — никаких бабушек.

Петров помнил этого участкового врача еще по школе — она училась на несколько классов старше, они как-то были даже знакомы с женой через всяких других знакомых, поэтому, как бы врач ни прикидывалась беспристрастным наблюдателем, вся история Петровых с их разводом была для нее как на ладони.

Петров иногда оглядывал свою семейную жизнь со стороны и тоже слегка удивлялся тому, что они с женой развелись и все равно иногда живут вместе, словно откатив свои отношения до стадии свиданий. Только в прошлый раз во время этой стадии Петрова была едва выпустившейся студенткой, и у нее не было сына, и у Петрова не было сына. Это не была попытка освежить отношения, это было что-то другое, но Петров не знал, что именно. Петрова попросила развода по каким-то своим соображениям, которые были Петрову совершенно непонятны. Больше всего Петрова беспокоило, что жена могла изменить ему и из чувства вины начать весь этот цирк, просто не решаясь признаться. Это казалось Петрову хуже всего, ему становилось плохо от мысли, что он целует женщину, которую совсем недавно целовал кто-то другой. Это были глупые, совершенно пошлые мысли, похожие на строчки слащавых песен группы «Руки вверх!», но Петров ничего не мог с ними поделать.

Петров разулся и встал рядом с женой. Петрова держала руки под мышками, словно мерзла. Врач некоторое время смотрела на них, ожидая какого-то представления от разведенок, стоящих плечом к плечу, ей, видимо, хотелось увидеть, какими словами они сейчас начнут обмениваться, но Петровы не доставили ей такого удовольствия и просто дождались, когда пауза молчания между ними и доктором станет тягостной. Врач, хорошо скрывая свое разочарование, вышла.

— Фу, ну и запашок от тебя, — сказала Петрова, когда Петров повесил дубленку на вешалку. — Ты что, в морге пил и там же спал?

— Почти, — ответил Петров, внутренне ужасаясь силе обоняния жены. — Там долгая история. Там Игорь и все такое.

— Это вообще настоящий Игорь, или это твой воображаемый друг?

Иногда Петров задавался тем же вопросом, но не всерьез, как-то Петров все же доверял здравости своего рассудка, чтобы считать Игоря и себя этакими героями «Бойцовского клуба». А вот жена и сын иногда казались ему призраками его воображения, настолько было ему с ними хорошо, настолько они постепенно обрастали для него подробностями, Петрову казалось, что это не от того, что сын растет и приобретает какие-то свои пристрастия, вроде привычки спать на спине, закинув ногу на ногу, или привычки спать на спине, укрываясь одеялом поперек, так что голова и туловище у него оказывались под одеялом, а ноги по колено — нет, и не от того, что он узнавал, что жена имеет настолько пещерные взгляды по поводу воспитания ребенка, что повсюду развешивает турники для сына и везде — и в этой квартире, и у себя — повесила боксерскую грушу, хотя Петров-младший был не то что далек от спорта, он был чем-то неприложимым к спорту вообще. Скорее боксерская груша поколотила бы сына, чем он ее. Иногда Петрову казалось, что он придумывает эти новые подробности про близких своих людей.

С другой стороны, Петров, например, вообще ничего не знал о татарах, кроме того, что иногда попадал на татарский телеканал, который был в его кабельном, Петров просто не мог придумать, что его жена — татарка и даже знает татарский язык, силы воображения Петрова просто не хватило бы на то, чтобы придумать имя, которое носила жена, и совершенно невообразимое отчество, которое у нее было. При всем этом они ездили в тот же Татарстан к родственникам жены, на свадьбу ее двоюродного брата, и никто никогда из попутчиков в транспорте или там прохожих никогда не заговаривал с женой по-татарски — настолько у нее была простая славянская внешность, а к Петрову на татарском обращались постоянно, заставляя его краснеть, как будто он был татарином, и отказался от своих корней, и забыл даже язык. Петров, в конце концов, не мог придумать бабушку жены — реально такую полноватую бабушку в цветном платочке, перескакивающую с одного языка на другой, — и не мог придумать, что она будет буквально виснуть на нем, выясняя, откуда у Петрова с его фамилией такая аутентичная татарская внешность. «Моя бабушка согрешила с водолазом», — хотелось ответить Петрову на это, потому что его собственная бабушка правда согрешила с водолазом Балтийского флота — дедушкой Петрова. Дед был из детдомовцев, так что Петров, получается, носил фамилию, придуманную работником детдома во времена гражданской войны. У этого работника детдома тоже с воображением было не ахти.

Турник, который повесила жена для сына, был в простенке между прихожей и ванной, по пути к кухне. Она рассчитала примерный рост всех членов семьи, но нетрезвым гостям Петрова, например, тому же высокому Паше, приходилось несладко, когда они цеплялись за турник головой. «Я уже и у себя дома пригибаться начал при виде кухонной двери», — говорил Паша после того, как побежал поблевать в туалет Петрова и турник пришелся ему прямо на переносицу. Сам Петров не задевал турника головой, но чувствовал, как он касается его прически, как некий ангел-хранитель.

После того как жена сделала замечание о его запахе, Петров не мог пройти мимо ванной и не мог не оценить свою мрачную, небритую два дня рожу в зеркале над раковиной. Жена тоже устроилась неплохо, на полочке под зеркалом лежала ее зубная щетка и всякие ее ночные кремы для рук и для лица (в ее квартире, между прочим, бритвы Петрова и его зубной щетки не лежало). Стиральная машина возле умывальника гудела со звуком, отдаленно напоминающим звук авиационной турбины истребителя. Через патрубок, шедший от стиральной машины к унитазу, лилась ярко-розовая вода, смешанная с мыльной пеной.

— У тебя там белых вещей нет? — спросил Петров через плечо, жена, сунув руки под мышки, тоже смотрела на эту ярко-розовую воду. — А то получится как тогда.

Всего-то год назад, когда Петров-младший ходил в первый класс, — теперь казалось, что просто уйма времени прошла, — они постирали новые розовые колготки сына вместе со своими вещами. Нужно было сразу понять, что от этих колготок не стоит ждать ничего хорошего, и тем более не стоило их совать в стирку с другими вещами тогда еще, когда они безо всякой стирки отлиняли на ноги Петрова-младшего, раскрасив их по всей длине ровным оттенком, причем цвет был такой, что Петровы так и не поняли, что это за цвет, Петров говорил, что это розовый, а Петрова говорила, что фиолетовый. После стирки колготки правда стали фиолетовыми, зато на белой футболке Петрова, на белых носках Петровой, на белых и голубых майках Петрова-младшего остались отчетливые пятна ядовитого розового цвета.

— Это я пальто стираю, — пояснила жена.

Пальто у Петровой тоже линяло всегда. Пальто уже было года три, Петров говорил, что эту адскую вещь нужно выбросить, потому что она не только все время линяет, но еще и долго потом сохнет. Петрова говорила, что пальто ей идет. Петров говорил, что, может, оно и идет Петровой, но толку от него нет — оно же холодное, в нем зимой не теплее, чем в свитере.

Петров, решив, что потом как-нибудь вытащит всё из карманов, скидал все с себя в корзину для белья и полез в душ. Петрова стояла тут же и смотрела совершенно равнодушным взглядом. Вообще, с появлением ребенка отношения Петровых потеряли былую долю интимности, когда ванная, совмещенная с туалетом, запиралась, если кто-то из Петровых мылся или ходил в туалет. Теперь могло быть так, что Петров мылся, Петров-младший сидел на унитазе, ковыряясь в носу и болтая на одной ноге сползшие к полу трусы, а Петрова в это время, допустим, закладывала в стирку одежду, или, допустим, Петрова сидела на унитазе, а Петров в это же время мыл Петрова-младшего, Петрова просила принести ей новую прокладку из сумочки, Петров уходил, а когда возвращался, заставал сына и жену беседующими друг с другом столь непринужденно, словно все они были одеты и находились в гостиной.

— Есть ты, наверно, не хочешь, — сказала Петрова, когда увидела, что Петрова тоже бьет гриппозный озноб, непредсказуемо обострившийся под горячим душем.

— Не буду, — сказал Петров в нос, и это было тем более удивительно, потому что нос у него был совершенно забит. — Если я чем сегодня и буду питаться, то только таблетками.

Жена рассмеялась.

— Как в будущем шестидесятых, — сказала она. — Я тут недавно перечитывала Губарева…

Петров непонимающе посмотрел на Петрову.

— Ну, он «Королевство кривых зеркал» написал. У него еще есть «Путешествие на Утреннюю Звезду», так там пришельцы не таблетками, конечно, питаются, но почти.

Петрову нравилось, когда жена была так спокойна. Ему было с чем сравнивать. Просто были у Петровой периоды некого раздражения, что-то вроде гона, как у кошки, когда она была слегка не в себе, рассеяна и непредсказуемо взрывалась, она начинала находить в Петрове какие-то недостатки, о каких он и помыслить не мог. Однажды она наорала на Петрова за то, что он громко сопит носом и заглушает этим телевизор. Еще был скандал из-за того, что он ставит кружку с чаем слишком близко к краю стола. В такие дни что-то гудело внутри нее, как сварочный аппарат. В обычные дни, если Петров храпел, она просто просила его перевернуться как-нибудь по-другому, в дни раздражения она могла не полениться дойти до кухни, набрать там воды в стакан и вылить его Петрову на голову, и это было еще не самое плохое, иногда она просто отвешивала храпящему Петрову оплеуху или подзатыльник и просила заткнуться. Секс с ней в такие бешеные дни превращался в очень экстремальное мероприятие. Она могла заорать: «Да куда ты лезешь-то, блин!», могла рассмеяться и сказать: «Ну и рожа у тебя». Могла сбросить Петрова с себя, перевернуть, усесться сверху и, говоря с ненавистью: «Да давай ты быстрее уже», вцепиться ему в горло одной рукой так, что у Петрова темнело в глазах.

В дни спокойствия ничего не могло вывести ее из равновесия. Другое дело, что с первого взгляда не всегда можно было отличить один период от другого. Как-то Петров купился на ее мирный вид в то время, когда она шинковала лук и вытирала слезки тыльной стороной ладони, полез к ней с объятиями со спины, и жена, зевнув, как от скуки, быстро и глубоко взрезала ему предплечье во всю длину. Петров тогда удивился не этому ее поступку, а тому, насколько острые ножи у них в доме.

Был только один стопроцентный признак того, что жена находится в спокойном состоянии. Когда жена была спокойна, она рассказывала о библиотечных делах или о книгах. Больше всего из этих рассказов Петрова впечатлил рассказ про дядечку лет пятидесяти, который перечитал все сочинения де Сада, затем перешел на всю возможную литературу о концентрационных лагерях, после чего стал читать книги о гинекологии, хирургии и анатомии. Петрова однажды столкнулась с этим дядечкой вне библиотеки, в книжном магазине, где он листал «Камасутру», иллюстрированную фотографиями. Петрова сказала, что если на Уралмаше начнут пропадать женщины, то не нужно будет особо долго искать подозреваемого.

Петров уже пил чай, прихлебывая им таблетки жаропонижающего, отхаркивающего и средства от кашля, и рассказывал, как провел вчерашний день, когда появился хмурый от болезни сын, открыл холодную воду и стал пить прямо из-под крана, пока жена не прервала это питье окриком, похожим на крик чайки.

— Жарко, — пояснил сын, теребя серый пластырь на безымянном пальце.

— Ну так что теперь? Снег есть? — спросила жена. — Давай уж лучше морса выпей.

Сын только пробурчал в ответ что-то недовольное и пошел было к себе, но тут Петров вспомнил про «Кока-колу», оставленную возле ботинок в прихожей. Петров-младший поделился с отцом стаканом «Колы» и уволок газировку к себе. Петров тоже, не в силах уже выносить яркий солнечный свет в кухне и свое сидячее положение, подался в спальню, задернул шторы и завалился в постель. Когда он наконец уснул, то ему не снилось ничего. Вместо сна была чернота, этакий комикс, состоящий из кадров, полностью залитых тушью.

ГЛАВА 3
Елка

Петрову было четыре года. Он проснулся раньше родителей не потому, что сегодня была елка, на которую его должны были повести, а потому, что в четыре года он всегда просыпался рано. Было еще темно и пахло кошками, потому что бабушка подарила в комнатку Петрова полосатый половичок, скользивший по линолеуму, а у самой бабушки был кот, которого почти никогда не было дома. Петров видел бабушкиного кота всего один раз. До встречи с ним Петров представлял, что с котом можно будет поиграть, но это оказался зверь размером едва ли не с самого Петрова. Играть кот не хотел, кот хотел только лежать на кровати, такой высокой, что Петров не мог на нее забраться самостоятельно. Половичок постирали, но от этого он стал пахнуть кошками еще сильнее.

Первым делом Петров прошел в туалет по длинному темному коридору. В конце коридора была дверь и был свет уличного фонаря, падавший сбоку из кухни, дробленный стеклом кухонной двери до тусклых радужных перьев, лежащих на стене и полу. Чувство, что посещало Петрова, когда он проходил по коридору, можно было назвать готическим, настолько размеры самого Петрова были несоизмеримы с размерами коридора, а само готическое чувство брало начало в каких-то первобытных чувствах, когда никакой архитектуры еще не было, но людям нравились и одновременно людей пугали открытые пустые пространства. На двери туалета была прибита пластмассовая фигурка веселого мальчика, писающего по широкой дуге. Петров не понимал причин этого веселья, тем более что фигурка была повернута лицом к идущим в туалет, а щеки у мальчика были совсем уж какой-то нездоровой пухлости. Когда Петров видел эту фигурку, он всегда неосознанно трогал себя двумя пальцами за шею, проверяя лимфоузлы, потому что однажды они у Петрова воспалились и его отражение в зеркале разбарабанило до такой же степени.

Свет в туалете родители никогда не выключали, зная, что Петров опасается темноты, причем не всякой — темноту в своей комнате он как-то переносил, — а именно темноты туалета и ванной. Скорее всего, из-за того, что там как-то по-особенному пахло взрослыми, будто это была их территория, помеченная именно ими, а маленький зверь, каким Петров пока по большей части и являлся, чувствовал, что территория не его. Туалетная комната была узкой и напоминала Петрову колодец с лампочкой на самом верху. В углу под потолком всегда жил паук, и Петрову было спокойнее видеть паука при включенном свете, нежели предполагать, что паук уже спускается к нему на паутине, пока он сидит на высоком унитазе, холодном, как стетоскоп местного врача. Смывать за собой Петров пока еще не мог — шнур был слишком высоко, а кроме того, порождал жуткие звуки ревущей воды, раздававшиеся сразу отовсюду, словно смыв должен был происходить не в самом унитазе, словно всю комнату должно было засасывать в сливное отверстие после каждого использования.

Петров вернулся к себе, даже не заглянув к родителям в комнату. Очень редко зверю внутри него хотелось приобщиться к стае и потешить инстинкт самосохранения, лежа в безопасности между двумя большими людьми. Петров пока и родителей-то особо не считал родителями, а видел в них только две абстрактные фигуры, две передвигающиеся по дому горы, то и дело обращающиеся к нему с играми и разговорами, а в основном говорящие только друг с другом, причем как только они начинали разговаривать между собой, Петров терял к ним всякий интерес, его слух лишь автоматически начинал отделять слова, которые были ему знакомы (простые, бытовые слова, которыми он и сам пользовался каждый день), от тех, которые были ему еще непонятны. Так было еще и с радиопередачами, и с телепередачами. Иногда можно было домыслить, что имелось в виду, по знакомым словам, которые окружали незнакомое слово. Если он слышал, например, «Курляндия», а вокруг было про принца, войска, которые вторглись на землю Курляндии, то Петров предполагал, что это какая-то маленькая страна. Петров знал, что его страна огромна, потому что об этом без конца отовсюду говорили. Словосочетания типа «сколько-то там центнеров с гектара» были ему настолько непонятны, что он и вовсе пропускал их мимо ушей.

После туалета Петров хотел пойти в большую комнату, чтобы включить телевизор, но предположил, что еще настолько рано, что по телевизору не будет ничего, кроме настроечной таблицы и сигналов спутника «Орбита-4 (Восток) Центрального телевидения» и длинных пугающих гудков, как в телефоне. Родители поставили елку, чтобы порадовать Петрова, но для Петрова это было пока только не очень понятное сооружение с несколькими цветными шарами, тонкими полосками фольги на ветках и гирляндой, которую нельзя было включать без разрешения. Родители больше радовались этой елке, чем сам Петров. Еще Петрова должны были вести на какую-то елку, где должны были быть настоящие Дед Мороз и Снегурочка, но Петрова и это как-то не слишком впечатляло.

Петров пока сам не знал, как описать состояние, в каком он находился. Собственно, поскольку он находился в этом состоянии постоянно, то оно казалось ему нормальным, но вообще первые несколько лет своей жизни он был как бы потерявшим память. Ему то и дело казалось, что он силится что-то вспомнить, а от того, что вспоминать было нечего, личности его нужно было за что-то зацепиться, фальшивые воспоминания так и лезли ему в голову.

Книжный шкаф отца стоял в комнате Петрова. Петрова потрясало, как взрослые люди, взяв книгу, поклеванную черными знаками, начинали читать, причем если Петров давал разным взрослым ту же книгу, открытую на той же странице, взрослые, как сговорившись, начинали читать одно и то же. Отцовских книжек с картинками, стоявших на такой высоте, чтобы Петров мог их взять, было не так уж много. Петров вытащил их все, положил на свой столик, включил настольную лампу. (Кнопка настольной лампы, ее щелчок и зажигавшийся при этом свет, нагревавший металлический колпак лампы, впечатляли Петрова больше, чем обе елки — нынешняя и обещанная — вместе взятые.) Была зеленая книга про фокусы, странно, что у отца она была, потому что никаких фокусов Петров еще не видел. Петров видел выступление Кио по телевизору, и как бы отец ни объяснял Петрову, что ящиков два, что женщина-ассистентка, когда залезла в ящик, поджала ноги, а Кио просто пилил пространство между двумя ящиками, Петров все равно ему не поверил, потому что слова отца — это одно, а то, что Петров видел собственными глазами, — это совсем другое. Вот, например, когда отец объяснил ему про комбинированную съемку, что в «Старике Хоттабыче» школьники и джинн летают не по-настоящему, у Петрова не было никаких сомнений, что отец говорит правду, потому что, несмотря на весь подвижный фон за ковром-самолетом, было видно, что ковер лежит на месте, тут Петрова нельзя было обмануть никак.

Из книги про фокусы Петров не пытался узнать никаких секретов, по сути дела, его впечатлил только один фокус, а остальные прошли как-то мимо его внимания. Манипуляции с исчезающими картами были забыты сразу же во время просмотра, потому что Петров видел не сами карты, а лишь верчение руками. Когда фокусник достал кролика из шляпы, Петрову понравился не сам фокус, а белый кролик, подвешенный за уши. В книге про фокусы Петрову нравились люди, нарисованные просто — обычными линиями, но при этом похожие на людей. Петров не мог представить, что так великолепно может нарисовать живой человек, ему казалось, что это некое устройство, которое печатает книги, выполняет еще и иллюстрации к ним. Петров просто не представлял, как можно перенести обычный рисунок в книгу, кроме как посредством какого-нибудь заклинания. Ему представлялось, что там, где делают книги, иллюстрации сами выступают на бумаге.

Сам процесс книгопечатанья Петрову был известен, потому что отец показал ему литеры печатной машинки и сказал, что в том месте, где печатаются книги, есть тоже такие же буквы, только много, что эти буквы вставляются в специальные ящики, смазываются краской, а потом этими литерами давят на бумажные листы. В это Петров верил безоговорочно, потому что это совпадало с его понятиями правдоподобности, только Петров не понимал, откуда там, где печатают книги, знают, какие буквы куда укладывать. Отец объяснял, что у каждой книги есть автор, живой человек, показывал, что в некоторых книгах с его книжной полки есть даже фотографии авторов, но как раз в то, что живой человек вроде отца и матери может написать книгу, Петрову верилось слабо. Петрову думалось, что существует совершенно другой сорт людей —

не таких, какими бывают обычные люди, — которые придумывают книги, музыку и рисуют мультфильмы. «Ты, когда вырастешь, тоже сможешь написать книгу», — сказал отец после того, как многократно увидел недоверие Петрова, но в этих словах отца содержалось сразу два очень сомнительных для Петрова утверждения: во-первых, что Петров сможет написать книгу (про что? как это вообще делается?), а во-вторых, что Петров вырастет. То есть Петров, конечно, был не против стать огромным, как люди вокруг него, но фраза «Через двадцать лет ты будешь примерно как я» ничего для него не значила, а точнее, значила «Пройдет так много времени, что можешь считать, что пройдет вечность, так что большим ты не станешь никогда».

Еще одна книга с картинками была руководством по ремонту автомобиля «Москвич»; в этой книге совершенно не было людей, там были только схемы, непонятные Петрову, но он все равно листал эту книгу в мягкой обложке. Петров искал в тексте знакомые буквы — первую букву своего имени и первую букву алфавита. Петрову не нравилось, что первая буква его имени выглядит так просто — как обычная загогулинка, как половина бублика. Первая буква алфавита выглядела посолиднее. Отец силился объяснить Петрову, что первых букв алфавита было на самом деле две — одна, похожая на скат крыши, а вторая была приземистой сгорбленной буковкой, и обе эти буквы обозначали один звук, но душа Петрова пока не переносила таких сложностей, потому что первая буква имени Петрова выглядела одинаково и большой, и маленькой. Петров несколько раз пролистал книгу от начала до конца, и все равно бóльшую часть времени у него заняло разглядывание целого, неразобранного автомобиля. Петрову было жалко, что это не та машина, какую он однажды видел на улице, у той машины спереди был блестящий олень с рогами, которого так и хотелось оторвать и положить в карман.

Самое интересное в этом автомобиле с оленем было то, что на самом деле Петров не видел его на улице, Петров увидел его по телевизору, а потом ему приснилось, что он увидел его на улице, причем во сне шел дождь и Петров был одет в свой желтый дождевик, и у Петрова на всю жизнь осталось воспоминание, что в тот момент, когда он увидел оленя на капоте, на олене лежали редкие круглые капельки воды, а по капюшону дождевика стучали капли, и звук капель был особенно отчетлив в замкнутом пространстве накинутого капюшона.

Петров вспомнил, что этой ночью ему приснилось, что он с какими-то друзьями плывет на плоту по гладкой воде, а плот раздвигает собой что-то вроде камышей, это было странно, потому что не было у Петрова пока друзей, с которыми он мог вот так вот плыть, они и во сне оставались неопределенными молчаливыми фигурами.

Был еще часто повторяющийся сон, видимо, навеянный каким-то фильмом про войну. Петрову снилось, что он смотрит в стереотрубу из окопа и видит чистое белое поле с редкими кустиками и далекими развалинами, во сне страшный холод, и, только когда Петрова окликают и подают ему зеленую металлическую кружку с чаем, тепло горячей кружки просачивается через перчатки, надетые на руки Петрова. На моменте с этим чаем Петров всегда и просыпался. Проблема с этим сном была в том, что человек, подававший ему чай, был в немецкой форме и Петров чувствовал к нему симпатию, как к своему. Проблема была еще и в том, что Петров, сколько бы отец ни объяснял ему, что немцы были плохие, что оба его деда и одна бабушка воевали против немцев, все равно испытывал положительные чувства к людям в черной или серой форме (тем более что «наши» на телеэкране тоже были в серой форме, а людей в черной хоть как-то можно было отличить от других). Еще Петров просто не верил, что дедушки его могли где-то воевать — один из дедушек и говорить-то толком не мог и передвигался по комнате с палочкой, какое там воевать, второй же просто как-то не совпадал с тем образом солдата, какой нарисовался в воображении Петрова, и вообще как бы отрицал, что участвовал в войне. «Да что там рассказывать-то?» — отвечал он, когда отец просил подтвердить Петрову, что дед — настоящий солдат. «Я только и помню, что или мерз, или промокал, или жарко было, и все время нужно было куда-то идти и что-то копать», — говорил дед и как бы только укреплял подозрения Петрова, что дед никакой не солдат, а отец зачем-то все это придумывает.

Кроме сна про снежное поле и стереотрубу, была еще пара повторяющихся снов. Один из них, тоже, видно, навеянный каким-то военным фильмом и симпатиями к людям в черной форме, заключался в том, что Петров зачем-то стрелял в голову человека. Это был не целиком даже сон, а вкрапление в остальные сны, после этого вкрапления Петров не просыпался, а сон шел своим чередом. Другой сон, от которого его подкидывало на кровати, заключался в том, что Петров внутри сна видел себя лежащим в коляске, кто-то кричащий набегал на эту коляску и ронял ее вместе с Петровым. Вот это было по-настоящему неприятно.

Еще одна книга отца, которую Петров вытянул с книжной полки, была Петрову совсем непонятна, хотя и очень привлекательна обилием человеческих фигур и обилием картинок, причем если в остальных книгах картинки нужно было выискивать среди текста, в этой книге они были выделены в отдельную вкладку из другой, более твердой и белой бумаги, чем та бумага, где был текст. В этой вкладке были абсолютно волшебные картинки, никак не соотносившиеся с реальностью, в которой жил Петров, и поэтому они были особенно привлекательны.

На одной из картинок человек стоял на горе и рассматривал в бинокль обширную долину впереди, на небе горели над головой человека две очень ярких звезды, каких Петров в жизни не видел, на спине у человека висело очень длинное ружье, а рядом с человеком висел в воздухе округлый обтекаемый автомобильчик. От иллюстрации настолько веяло пустотой и неизвестностью, что зверю внутри Петрова хотелось завыть.

Еще одна картинка изображала огромный зал с толстыми высокими колоннами, заполненный построившимися войсками. Посередине зала лежала дорожка до самого горизонта, и по ней шли навстречу друг другу несколько человек.

Затем в книге были помещены две нарисованные иллюстрации и две фотографии, следовавшие одна за другой и вызывавшие в Петрове чистый восторг. Там бились на светящихся мечах две фигуры, одна в черном скафандре и черном плаще, а другая — в чем-то вроде акваланга. Там летела навстречу красным лучам маленькая ракета с четырьмя большими крыльями.

На одной фотографии был настоящий зеленый человечек с острыми ушами и пушистой лысиной, лысина была покрыта кожей вроде крокодильей, с такими же, как у крокодила, клеточками по шкуре, но сам человечек выглядел добрым. На второй фотографии тоже был зеленый человечек, но уже другой, его и человечком-то назвать было нельзя — это было огромное существо, растекшееся от собственной толстоты, покрытое тоже крокодильей шкурой, возле него сидела тетенька в купальнике с металлическими деталями на лифчике, а за ним стоял желтый робот с оранжевыми глазами и серым животом. Если это были куклы, то почему они выглядели как живые? Петров привык, что существуют кукольные мультфильмы, но в них никогда не было живых людей. Петров видел рыцарей, сражающихся на мечах, но мечи никогда не светились. Даже Петрову было понятно, что картинки какие-то космические, но в космосе люди в скафандрах никогда не сражались на мечах. Петров не пытался вникнуть во все это, его завораживало само остановившееся зрелище, не переставшее быть зрелищем от того, что было статично.

За разглядыванием книг Петров почти не заметил, как проснулись родители, он только краем слуха различил звон будильника. Причем этот звук для него пока ничего не значил, как не интересовало Петрова и назначение будильника, ему просто нравились круглая форма и его выпуклое стекло, Петрову нравилось, что он тикает громче, нежели часы отца и тем более часики матери. Пока время Петрова отмеряли родители, и Петров следовал тому, куда его тащили согласно часам — в садик ли, в поликлинику, укладывали ли спать, читая ему на ночь или включая пластинку с «Бременскими музыкантами» или с «Крейсером “Авророй”».

Все было настолько во власти родителей, что, даже когда зашумела вода в ванной, Петров не отметил про себя, что его скоро тоже поведут мыться, потому что это было на их усмотрение — мыться ему или нет. Также они решали, сколько времени он проведет в ванной, будет ли бултыхаться с плавающими пластмассовыми зверями, либо его быстро сунут в воду, протрут мочалкой, вытянут наружу и протрут уже полотенцем.

Петров услышал, как отец, ожидая своей очереди на мытье, кашляя, чиркнул спичкой на кухне, зажег газ и сигарету. Кстати, Петрова в отце больше всего восхищало не его умение всё объяснять, которое Петров часто ставил под сомнение, хотя и не говорил это отцу вслух, не его сила и размеры, не его умение читать, а то, как он пускал бархатные маленькие колечки табачного дыма. Еще Петрову нравился вид пивных кружек и запах самого пива, которое отец пил с друзьями в бане, Петров однажды путем скандала выканючил себе глоток этого пива, но вкус его был ужасен, и если, пока Петрову пива не давали, он скандалил от обиды, то когда хлебнул этой непонятной горькой бурды, разревелся от разочарования. Кстати, когда-то еженедельные походы в баню были не прихотью отца, а необходимостью, потому что жили они совсем в другом доме и переехали в этот дом с ванной совсем недавно, год назад, а до этого в доме не было не только ванной, но и газа, а была печь и была прачечная в подвале и туалет один на несколько семей, но Петров уже не помнил об этом.

Мать освободила ванную и сразу же, шлепая тапками и вытирая на ходу волосы, пришла в комнату Петрова, проверяя, как он там.

— О, так ты уже проснулся! — сказала она и полезла с поцелуями и нежным ощупыванием всего его тела, будто проверяя, не сломал ли он чего себе во время сна.

Петрову не нравилось, как ее холодные мокрые волосы лезут ему в лицо, и он стал мягко отталкивать ее обеими руками.

— Опять папины книжки достал. Он не заругается? — спросила она, не ожидая ответа и разглядывая себя в трюмо, которое тоже почему-то стояло в комнате Петрова. Если Петров ставил боковые зеркала трюмо друг против друга, то получался длинный коридор из уменьшающихся один за другим зеркал с многочисленными Петровыми, выглядывающими как бы из-за угла.

Мать была совершенно голая, но Петрову было все равно, он не особо пока отмечал, кто и как одет. Если бы его самого вывели голого на улицу в теплую погоду, он попросил бы, наверно, только ботинки. В той же бане, куда отец его водил, он отмечал только, какие здоровенные ножищи у друзей отца, потому что боялся, что поскользнется и его затопчут, еще он боялся, что кто-нибудь из друзей отца поскользнется и упадет прямо на него (кроме того, он опасался людей с полными тазиками, потому что его как-то раз без предупреждения окатили холодной водой). Неловко Петрову было только от величины огромных, коричневых материнских сосков, такого цвета, какого были пятна высохшей крови на его платке после того, как в садике у него пошла кровь из носа.

Мыть Петрова не стали, а переместили сразу на кухню. Петров попробовал сесть поближе к окну, но мать его оттуда отогнала, потому что почувствовала какой-то сквозняк со стороны улицы. Петров тоже чувствовал этот сквозняк и не понимал, как от слабого прохладного потока воздуха, слегка поддувавшего ему в шею, может что-то случиться. Было еще сумрачно, поэтому мать включила свет на кухне, отчего окно, покрытое льдом, перестало быть голубоватым от уличного полумрака и стало белым, отражая свет лампочки. Петров почему-то запомнил, что когда-то лампочка просто висела на шнуре, а теперь на ней был пластмассовый абажур, желтоватый изнутри и нежного зеленого цвета снаружи. Летом на кухню через открытое окно залетела оса и ползала там, шевеля брюшком. Что стало с осой, Петров не помнил.

Столик на кухне был такой низкий, что Петров, сидя на табурете, мог спокойно есть наравне с родителями. До этого был другой стол, иногда Петров ел там, встав коленями на табурет, пока однажды у него не соскользнул локоть со стола, так что до покупки этого стола он ел или у себя в комнате, за столом под лампой, или на коленях у родителей. На этом новом столе лежала новая зеленая клеенка в белую горошину и стоял электрический самовар. Носик самовара слегка подтекал, поэтому под носик предусмотрительно было подставлено блюдце. Чтобы клеенка не оцарапалась ножками самовара, под него была подстелена газета. Название газеты было коротким, из четырех букв (это Петров уже мог сосчитать), рядом с названием были нарисованы ордена и медали, Петров спрашивал у отца, зачем это, но, сколько отец ни объяснял, Петров так и не понял, как газету можно награждать медалями и зачем их печатать рядом с названием. У деда был орден и несколько медалей, но и это не убедило Петрова, что дед воевал, он завидовал тому, что у деда есть такие замечательные металлические раскрашенные штучки, прикреплявшиеся к одежде винтиками и булавками.

Мать положила Петрову кусок хлеба, немного винегрета на плоскую тарелку и налила ему чая в его маленькую пузатую кружку; когда пришел отец, она положила ему то же самое, только больше, и чай у отца был не в пузатой маленькой кружке, а в стакане, вставленном в подстаканник. Отец с матерью что-то переговорили о работе, а потом мать включила радио, а отец закурил. По радио читали радиоспектакль, где все время повторяли слово «Гаврош», Петров понял, что Гаврош — это какой-то мальчик, понял, что он собирал пули, но кроме того, Гаврош еще насвистывал, и Петров не понял, что такое насвистывать, и спросил у отца.

— Ну, это вот так, — сказал отец и посвистел какую-то мелодию.

Петров засомневался: то, что делал отец, называлось простым словом «свистеть», а в радиоспектакле говорили, что Гаврош именно насвистывал, наверно, это было что-то другое, какой-то другой вид свиста, иначе почему бы вражеским солдатам нужно было стрелять по Гаврошу.

Мать сказала, что в доме свистеть нельзя, а то не будет денег. Отец вздохнул.

— Ну что за глупости, — сказал отец, — свистеть нельзя только тем, у кого слуха нет совсем музыкального.

— Вот поэтому тебе и нельзя дома свистеть, — сказала мать.

После еды Петрова, нагретого чаем, начали одевать на улицу. Это было ужасно неприятно хотя бы потому, что Петрову и без того было жарко, а с каждым новым предметом, надеваемым на него, становилось еще жарче. Петрову стало плохо уже от вида красного колючего свитера, который на него собирались надеть, он всегда чувствовал что-то вроде жара и тошноты, когда видел этот свитер с белой полосой через живот, от того, что свитер был красным, он казался еще колючее.

— Да где он колючий-то, господи, — сказала мать, заметив недовольство Петрова, и прислонила свитер к своей щеке. — Нисколько он не колючий.

Она так всегда говорила про воду в ванной, говорила, что она не горячая, и для убедительности макала в воду свой локоть, а потом макала туда поджимавшего ноги Петрова полностью, и вода оказывалась сущим кипятком. Вообще, что бы ни говорила мать этаким игривым голосом, все оказывалось ужасным враньем перед какой-нибудь неприятностью. Перед тем как у Петрова брали кровь из пальца, она говорила, что это не больно, хотя уже один вид ревущих детей, выходивших из кабинета, и вид блестящей иглы в сжатых щепотью пальцах врача и резиновые перчатки и колбы с кровью, стоявшие тут же, говорили об обратном. «Ничего страшного», — говорила она, а затем у отбрыкивающегося Петрова брали соскоб из горла. Из-за этой ее веселости в голосе при каждом упоминании елки, на которую его, Петрова, записали, Петров начинал подозревать, что и елка окажется чем-то вроде длинной очереди, в которой они долго будут сидеть, ожидая приема в кабинет, или таким местом вроде детского сада, где опять будет толпа незнакомых детей, нужно будет спать днем и съедать шкуру вареной курицы.

— Как девочка прямо, — сказала мать после того, как Петров стал ежиться в красном свитере. — На холоде даже не заметишь, что он колется, это сейчас дома он колючим кажется.

Вот этого «как девочка» Петров тоже не понимал. Можно подумать, что он выбирал, кем быть. Но и это было не самое главное, буквально недавно одной девочке в детсадовской раздевалке, когда она стала точно так же ежиться в колючем свитере, ее мать вломила тумаков, как мальчику, так что особой разницы между мальчиками и девочками в том, как они должны себя вести, Петров что-то не наблюдал.

— Хорошая же кофта, — сказал отец, пытаясь ободрить Петрова, — похожа на форму наших хоккеистов.

Петров угрюмо посмотрел на отца, пытаясь понять, шутит он или нет. Петров не особенно любил хоккей, более того, если бы его спросили, чем отличается футбол от хоккея, а те оба — от художественной гимнастики или прыжков в воду, Петров не смог бы ответить. Поэтому вдохновлять его примером каких-то спортсменов было бесполезно. Петров не очень понимал волнений отца по поводу спорта, для Петрова телевизор существовал только, когда там шли мультфильмы, а все остальное время эфир занимали люди в одинаковых серых костюмах и занимались интересными только им делами, например, говорили или пели что-то со сцены, танцевали на сцене, танцевали на коньках, бегали за мячом. Петров не понимал, почему нельзя убрать из эфира все эти скучные передачи и оставить только мультфильмы, которые отец тоже смотрел с удовольствием, — тогда все были бы довольны. Кроме того, отец просто не мог знать, какая форма у «наших» хоккеистов, потому что телевизор был черно-белый — красный там невозможно было отличить от зеленого. Подстреленный красногвардеец или белогвардеец падали в серую траву и истекали серой кровью.

Родители и проснулись уже, и поели, а лица у них все равно были еще сонные и слегка чужие, а голоса хриплые и как будто сердитые. Мать бросила одевать Петрова и пошла одеваться сама, оставив пальто, валенки и шапку на отца, тот в свою очередь тоже не очень торопился хвататься за Петрова, оставил его в коридоре и пошел докуривать на кухню. Петров стал изнывать от жары под острым светом лампочки в коридоре, если Петров прищуривался, у лампочки появлялись радужные лучи, а если открывал глаза широко, то мог разглядеть нить накаливания, похожую на первую букву его имени. Когда Петров отвернулся от лампочки и уставился на светлые обои на стене напротив него, в глазах его заплясали чернильные скобочки, как после электросварки, на которую нельзя смотреть, но все равно все смотрят. Петрову нравились всякие штуки, связанные со зрением, например ему нравилось болтать рукой перед экраном телевизора, отчего казалось, что рук у него несколько, нравилось найти какую-нибудь точку на стене и неотрывно глядеть на нее, пока не начинало казаться, что все вокруг точки начинает плыть, так же было и с яркой звездой, иногда светившей в его окно: если Петров долго на нее смотрел, окружавшая звезду оконная рама начинала покрываться чем-то вроде тумана, а сама звезда становилась отчетливее. Именно поэтому Петрова занимала соседская собака с лохматыми бровями, он не понимал, как она вообще может что-нибудь видеть сквозь многочисленную шерсть на морде и вокруг глаз.

Отец успел покурить, успел вернуться и успел сунуть ноги Петрова в валенки (Петрова всегда забавлял вид его ног, обутых в шерстяные носки, — они были какие-то по-забавному округлые и толстые, поэтому Петров всегда усмехался, когда его обували), отец успел застегнуть пальто на Петрове, надел варежки на его руки, надел на него что-то вроде шерстяного шлема, который Петров вместо шапки носил осенью, сверху на шлем отец нацепил шапку, сделанную как бы из шкуры Чебурашки, которая крепилась к голове посредством резинки, крест-накрест захлестывавшейся под подбородком, а затем натягиваемой на темечко, успел отец и поднять воротник пальто Петрова и завязать под воротник шарф на два узла — сначала спереди, а потом, повернув Петрова спиной к себе — сзади, а матери все не было.

— Вы не опаздываете хоть? — спросил отец в сторону спальни, но ответа не было.

Отец заскучал стоять в прихожей и стал щелкать резинкой шапки Петрова, это не было больно, но надоедало, плюс к тому свитер по-особенному заколол нагревшиеся под одеждой плечи Петрова, это было смешанное чувство — что-то вроде слабых уколов и зуда. Петров пискнул и отмахнулся от отца. Отец щелкнул резинкой шапки еще раз и отвязался.

Мать вышла через некоторое время, когда Петрову стало казаться уже, что он сейчас просто сползет по ящику для обуви прямо на пол. Когда мать переступила через мстительно вытянутые ноги Петрова, чтобы взять свое пальто и отдать его отцу (на, подержи пока), Петров почувствовал запах ее духов. Мать села рядом с Петровым и стала застегивать сапоги. Молнии на ее сапогах были очень длинные, и неудивительно, что с ними всегда что-то происходило; первый сапог застегнулся нормально, а на втором молния стала заедать где-то посередине.

— Вот не хватало еще, сейчас еще разойдется, — сказала мать сквозь зубы.

Петров застонал, мать треснула его по губам, Петров решил разреветься, но, увидев ее совершенно бешеные глаза, чья злость только подчеркивалась тушью, передумал. Отец с материнским пальто под мышкой вальяжно удалился куда-то вглубь квартиры, а затем так же вальяжно вернулся. Пальто так же оставалось у него под мышкой, а в другой руке он держал плоскогубцы и свечку.

— Давай я уж застегну, — предложил отец, глядя на то, как мать осторожно двигает замок молнии туда-сюда, но никак не может сдвинуть его дальше середины лодыжки.

— Да уж застегни, — прикрикнула на него мать, — только не убей, как в прошлый раз.

— Да когда это было-то, — отвечал отец, откладывая плоскогубцы и свечку.

Материнское пальто снова оказалось на вешалке.

Плоскогубцы оказались рядом с Петровым, и он никак не мог удержаться от того, чтобы не заметить, что они похожи на крокодила. Взяв плоскогубцы в обе руки, Петров начал с трудом открывать и закрывать их. Косясь на то, как присевший отец мается с замком, Петров не мог не отметить, что вся ненужная забота о тепле сосредоточена только на нем, все эти многочисленные штаны, носки существовали только для него — Петрова. Мать нацепила одни только колготки под юбку — и ничего, не боится, что простудится и умрет. Отец, когда нацеплял две шапки на Петрова, тоже как-то особо не переживал, что сам ходит в одной только меховой шапке, которая даже уши не закрывает.

Момент, когда сапог все же оказался застегнут, а плоскогубцы отобраны из его рук, Петров упустил, Петров запомнил лишь, что отец попросил оставить ему конфет, а не съедать их все по дороге, и уже оказался в подъезде. Подъезд казался новым изо всех сил и до сих пор пах цементной пылью.

На улице мать сразу же натянула шарф на лицо Петрова, хотя было тепло. Большие снежные хлопья падали наискосок. В двух шапках, обе из которых закрывали уши, Петрову казалось, что на улице полная тишина, он слышал только, как что-то непрерывно шумит у него в ушах, слышал свое собственное дыхание, а больше не слышал ничего.

Мать долго тащила Петрова по каким-то тропинкам мимо невообразимо высоких деревьев и невообразимо темных домов. Петрову нравилось видеть, как снег, невидимый на фоне неба и другого снега, как бы выныривает из пустоты на фоне чего-нибудь более темного, промелькивает и снова исчезает в окружающей белизне, но не нравился пыльный запах шарфа, через который ему приходилось дышать, Петров незаметно спустил шарф одной рукой, освободив нос. Спешащая мать этого не заметила. Вообще, так идти Петрову нравилось, хождение с матерью отличалось от обычной ходьбы тем, что почти не нужно было идти самому, достаточно было поочередно поднимать ноги из мягкого снега, нападавшего на дорогу, а двигаться получалось как-то само собой.

Тропинка, полностью заметенная снегом и заметная в сугробе только тем, что на месте ее была этакая впадина, вела очень близко к трехэтажному дому, так близко, что можно было заглянуть в окошечки подвала, одно за другим. Везде в окошечках горел свет, где-то видны были трубы, где-то — лоток с картошкой. Одно окошко было разбито, оттуда пахло сухим песком и паром, а сама оконная рама была покрыта инеем.

— Там кто-то живет? — спросил Петров, но не услышал ответа матери.

Петров не особо мог определить, сколько они шли, утомиться от обилия одежды он успел еще дома, а после этого все остальное время было уже неважно. Они встали наконец под козырек остановки. Тут же, рядом с ними, стоял дядька в черном пальто и с такой же черной елкой, опутанной веревкой по всей длине, стояли несколько женщин и стояла довольно большая девочка, державшая в руках что-то вроде короны, слепленной из чего-то похожего на ту тонко нарезанную фольгу, которой была украшена елка у Петрова дома. Рядом с девочкой стояла женщина и держала в руках интересную плоскую сумку — вместо ручки у сумки был крючок, как у вешалки.

— Че, повезла жениха на бал? — спросила женщина у мамы и кивнула в сторону Петрова, женщина говорила очень громко, поэтому Петров слышал ее даже через две шапки и звук собственного дыхания.

Петров на всякий случай насупился — он не любил, когда над ним непонятно шутили.

— Ой, Оль, привет, — спохватилась мама. — Ну. Повезла. А вы костюм взяли? А мы нет. А надо было?

— Да не надо было ничего! — женщина махнула рукой, свободной от сумки, и как-то подалась телом в сторону девочки. — Эта вот захотела. Радуйся, что пока твоему ничего не надо. Я задолбалась полночи блестки к платью пришивать. Это еще неизвестно, где мы переодеваться будем.

Женщина повысила голос в последнем предложении, видимо, пытаясь как-то обидеть девочку, но та рада уже была, что у нее есть корона.

Из мелькающих в воздухе снежных хлопьев выехал троллейбус и, покачиваясь на один бок, стал высаживать немногочисленных пассажиров, и, опять же покачиваясь на один бок, стал пассажиров запускать внутрь. Там было очень светло, светлее, чем дома на кухне, и очень холодно, холоднее, чем на улице. На улице Петров не замечал пара от своего дыхания, а в троллейбусе заметил и попытался попускать дымные колечки, представляя, что курит, но у него ничего не получилось.

— Прямо вытрезвитель, — сказала мама своей подруге.

Петрова посадили на скользкое сиденье рядом с окном и хотели посадить рядом с ним девочку, а девочка взбунтовалась, желая так же сидеть у самого окна, что было странно, потому что окна были замерзшие и через них все равно ничего не было видно. Лед на окнах был такой толщины, что Петров не смог процарапать его ногтем. Петров попробовал протаять его рукой, но рука замерзала быстрее, так что Петров только наделал полуоттаявших отпечатков по низу окна, которые быстро замерзли и стали гладкими на ощупь. По примеру девочки Петров начал дышать на стекло, чтобы проделать себе глазок во льду. Девочка, заметив, что Петров следует ее примеру, посмотрела на Петрова с превосходством.

Мама и ее подруга уселись через проход от Петрова и стали обсуждать, кто что купил к новогодним праздникам. Мама стала рассказывать эпопею про то, как она доставала зеленый горошек, что им очень повезло, что огурцы и капусту они засолили еще с осени. Икру привез дядя с Дальнего Востока, и банку с ней еще не открывали, берегли и опасались, как бы к Новому году не получить сюрприз. Мамина подруга стала рассказывать про варенье из кабачков и розовых лепестков. Мама в свою очередь вспомнила, что кто-то отравился вареньем из лепестков розы, а мамина подруга стала утверждать, что они уже попробовали и никто не отравился. Обе они схватились за тему отравления и закономерно друг для друга, но не для Петрова, перешли на обсуждение грибов. Мама любила собирать грибы и ягоды, Петров помнил, как они таскались по лесу, по ужасной духоте и жаре, вокруг были сплошные комары, мама мазала Петрова каким-то одеколоном, но он не особо помогал, а только пах настолько сильно, что у Петрова кружилась голова и он перестал чувствовать запах хвои, а чувствовал только запах одеколона. Мама поругивала Петрова за то, что он все время чешется, но как было не чесаться, если все время его кто-то кусал. Комары лезли в нос, в рот и жужжали в ушах. Петров боялся, что какой-нибудь комар залезет ему в ухо и не сможет вылезти. Мамина подруга не любила собирать грибы. Она стала рассказывать многочисленные случаи, когда люди умудрялись травиться грибами всей семьей.

— Да я в деревне выросла, — говорила мама, — я никогда не перепутаю. Тем более если одни только белые собирать, то трудно ошибиться.

После грибов, травивших людей, мама и ее подруга перешли на обсуждение своих мужей, которые, по их словам, отравляли им жизнь. Они и перешли с грибов на мужей соответствующе.

— Да что грибы, — сказала мамина подруга. — Мой иногда — чистый мухомор. Водки какой-то набрал на праздники, как будто у нас семья из восьми человек. Ведь знает, что здоровья у него максимум на чекушку, а потом он вырубится, и всё. Только деньги зря потратил. Лучше бы что доброе купил.

— А я бананы достала, еще зеленые, положила их дозревать, — пожаловалась мама. — Мой уже три штуки втихушку сожрал. И тоже возится с водкой своей, а ему первого на работу. И оттуда тоже небось придет на рогах. Или в гараж упрется сразу, а там у них вообще дым столбом будет стоять. Одно хорошо, он патронов для шипучки достал, намешаем Сережке морс — порадуется.

Была у них дома правда такая штука, похожая на термос, которая могла превратить что угодно в газированную воду, Петров с отцом даже чай делали газированный, но газированный чай оказался не очень, мать только накричала на них, что зря потратили патрон. Радости отца по поводу алкоголя Петров, как и мать, тоже не разделял, но уважал, как что-то сакральное, непонятное пока для него. Однажды он попробовал приобщиться к этой тайне, тяпнув рюмку водки со стола, пока гости не видели, потом был пробел в памяти, не такой, какие бывали у него обычно, когда Петров просто отвлекался на все и потом забывал, нет, это был какой-то особенный пробел, будто Петрова вообще не существовало и не на что было отвлекаться, а следующее, что Петров помнил, когда включилось сознание, — это как он послушно блюет в таз и ему очень плохо. Водка, кстати, оказалась на вкус просто какой-то сладковатой водицей, Петров не понял, почему взрослые, выпивая ее, ухают и торопливо хватают соленые огурцы из тарелки. Петров решил, что это тоже что-то вроде игры, что так просто надо делать, и всё.

Женщины снова перешли от мужей к продуктам, выясняя, где и что достали. Мать сказала, что будет заправлять салат «Зимний» не майонезом, а сметаной, потому что не хочет головной боли, мамина подруга сказала, что из Прибалтики им привезли копченую колбасу и теперь у нее самой поубавилось головной боли, и пускай жировой комбинат теперь хоть сгорит вместе со своим майонезом, который почему-то именно в городе, который его производит, невозможно купить. Разгоряченные переживаниями, мама и ее подруга сняли варежки, мама заметила какой-то интересный лак на ногтях подруги, та сказала, что ездила на юг этим летом — там и купила у цыган. У обеих женщин были одинаковые рыжие меховые шапки, а пальто были одинакового фасона, если бы мама с подругой как-то исхитрились сесть спиной к Петрову, он не смог бы сразу отличить мать от чужой женщины.

— А ты смотри, какую я прическу себе сделала, как в календаре! — сказала мамина подруга и аккуратно сняла с себя шапку. — Как у актрисы…

Она назвала фамилию, которая Петрову ничего не говорила. Мама повыясняла, где подруга так хорошо подстриглась, а потом они стали обсуждать кино. Мама сказала, что посмотрела хороший фильм «Дюма на Кавказе», а ее подруге очень нравился «Осенний марафон» (там Леонов и настоящий иностранец играет — да, да, я в «Кинопанораме» смотрела). Мама безо всякой связи стала расспрашивать, как подруга съездила на юг, та стала объяснять про путевку в санаторий и про хорошие местные вина, про то, что даже шампанское оттуда на Новый год привезла и сберегла до зимы, но потом муж уронил на шампанское молоток и прибил разом три бутылки.

Петров еще не умел как следует считать и привык, что его садят в транспорт и высаживают безо всякого его участия в процессе, но остановок, что они проехали, было немного, а женщины уже успели обсудить очень многое, прежде чем, спохватившись, не цапанули за руки своих детей и не выволокли их наружу под продолжавшийся снегопад.

Снова слегка изгибалась между сугробами тропинка, заметенная снегом, но уже утоптанная некоторым количеством людей. На улице стало заметно светлее. По тропинке шли не только мама, ее подружка и ее дочь, но видно было, что несколько человек идут впереди них и еще несколько — позади. В основном это были взрослые с детьми, а были и дети постарше, которые шли сами, но для Петрова это были все равно что взрослые.

Женщины и по пути до клуба продолжали разговаривать, причем плохо слышали друг друга и все время переспрашивали. Петров отвлекся на открытую калитку катка, который сначала казался просто длинным сплошным забором, когда же в заборе открылся промежуток, Петров увидел несколько человек, катающихся на коньках. Петров предпочел бы не идти в клуб, а тоже вот так вот покататься, ему даже не понадобились бы коньки, он смог бы скользить на ботинках или на животе. Везде уже погасли фонари, а возле катка фонарь еще почему-то горел.

За катком стояла снежная горка, с нее уже катались двое детей чуть больше Петрова. Петров заупирался и запритормаживал, пытаясь подтянуть мать к горке, но куда там. Мать просто дергала Петрова каждый раз, когда он пытался остановить ее, и волокла его дальше, даже вроде бы ускоряя шаг.

— Да пускай скатится пару раз! — заступилась за Петрова мамина подруга, заметив его телодвижения.

— И так уже опаздываем! — бескомпромиссно отрезала мать.

— Да куда там опаздываем! Пока все соберутся, это же дети. Со всего района пока сползутся.

Мать не вняла ни молчаливой мольбе Петрова, ни уверениям подруги и потащила Петрова дальше, в обход большой снежной поляны, посреди которой прямо из сугроба как бы рос памятник, еще не очень большой, как бы тумбочка белого цвета с чьей-то головой сверху. Петров не верил в то, что растет сам, и не задавался вопросом, откуда же он появился, но зато видел уже много памятников разного размера и по аналогии с геранью в горшке, и по аналогии со взрослыми и детьми, по аналогии с соседской собакой, которая вымахала до невообразимых размеров за такое короткое время, что Петров не мог поверить, что это одна и та же собака, сам себе придумал и верил, что памятники растут. Он видел много памятников, рассованных по городу, и думал, что сначала появляются такие вот, вроде тумбочек с головами, затем у них появляются руки и ноги, а в конце они все разрастаются до памятника Ленину на площади. Для Петрова такая эволюция памятников была настолько очевидна, что он даже не спрашивал у отца, так ли оно на самом деле.

Наконец они стали приближаться к клубу, который был им нужен (а точнее, был зачем-то нужен матери), Петров догадался, что это то самое место, потому что туда стекалось еще некоторое количество людей с детьми. Петрову не нравились такие здания, состоящие словно из одного сплошного окна вместо стен, — Петрову казалось, что это не совсем надежно и что крыша может упасть, его утешило только то, что елка, похожая на ту, что стояла в большой комнате, была на улице, однако не успел Петров утешиться, как мать затащила его внутрь клуба.

Внутри была прорва людей, в большом фойе бегали и скользили по каменному полу дети. Вокруг Петрова была непонятная суета, его куда-то потащили, посадили на лавку, скользкую, как троллейбусное сиденье, и пока он смотрел на выключенные игровые автоматы в углу, на фонтанчик посреди холла, на очередную белую каменную тумбочку с каменной женской головой рядом с фонтанчиком, пока слушал, как отдается эхо многочисленных голосов в большом пространстве от пола и до потолка, Петрова раздели и переобули в сандалии, и Петров остался в шортах, колготках и колючем свитере. Мамина подруга и ее дочь куда-то делись, осталась только мать, тоже каким-то чудом переодетая в платье, расстроенно озирающая обилие детей, одетых в маски, цветные шляпы, детей с лисьими и заячьими хвостами на копчиках.

Мать спросила, не хочет ли Петров в туалет. Петров в туалет не хотел. Когда Петров видел столько людей, перемещающихся туда и сюда, он хотел только одного — сидеть в углу и не отсвечивать. Мать потащила его в какой-то темный коридор, гораздо более широкий, чем коридор дома, и стала стучать попеременке во все двери — нигде не открывали. Двери тоже были не такие, как дома, они были в два раза выше и в два раза шире домашних, по крайней мере, Петрову так казалось из-за полумрака и эха, что вызывал мамин стук костяшками пальцев.

Почти в конце коридора, где уже начиналась лестница наверх, между двумя дверями висел красный ящик со стеклом вместо крышки, на стекле были нарисованы две большие красные буквы, неизвестные Петрову, внутри ящика лежала толстая тряпка, сделанная как бы из мешка для картошки и уложенная как удав или змея (так по представлению Петрова сматывались змеи, когда собирались отдохнуть).

Мать прошла со своим стуком по одной стороне коридора и решила вернуться в большой зал, предварительно обстучав двери на другой стороне. Одна из дверей сама подалась внутрь под ее стуком, и мать затащила Петрова в образовавшуюся щель.

Несмотря на то что двери были большие и помещения за ними должны были быть большими, вроде спортзала, комната, куда Петрова затащила мать, была очень маленькая, даже меньше домашней комнаты Петрова. Другое дело, что потолок в этой комнате оказался очень высоким, Петров даже не представлял, как в этой комнате меняют лампочки, он попытался мысленно взгромоздить табурет на стол, а отца — на табурет, но все равно, кажется, дотянуться до ламп было бы невозможно. Лампы, кстати, в комнате были не как дома, а как в садике — не круглые, вроде груш, а длинные, вроде палок, вроде тех светящихся мечей из отцовской книжки. Лампы были забраны белой решеткой, и это только добавляло для Петрова вопросов по их замене. От ламп исходило ровное гудение, как от холодильника.

Комната была маленькая, но еще меньше места оставляли высокие коричневые шкафы. Три шкафа были со стеклами, вроде отдела в «стенке», что стояла в большой комнате у Петрова дома, где хранили всякие рюмочки и красную вазу, подаренную отцу за ударный труд. Здесь никаких рюмочек не стояло, а были уложены на полки многочисленные бумажные папки. Несколько почетных грамот были наклеены на стекла изнутри. Четвертый шкаф в дальнем углу стоял без стекол и без одной дверцы, было видно, что в шкафу висит голубое пальто.

Совсем уже мало места оставлял стол, стоявший прямо посередине комнаты. Людям, которые сюда приходили, только и оставалось, что передвигаться между столом и шкафами. На столе в несколько стопок были сложены те же серые бумажные папки, может, стояло еще что-то, но Петрову не было видно оттуда, где он находился. Большей частью Петров наблюдал столешницу снизу.

Спиной к двери сидела за столом какая-то женщина в черном свитере с белыми ромбами и разговаривала по телефону — Петров видел гладкую красную трубку в ее руке. Женщина, возможно, решила, что пришел кто-то из ее знакомых, и даже не обернулась.

— Да? — смеялась женщина. — Вот прямо на шесть рублей и накупил? Зато на всю жизнь теперь хватит.

Мама терпеливо ждала, когда женщина закончит разговаривать, но все равно раздраженно вздыхала во время этого разговора. Петрову было почему-то неловко за мать, он не понимал, почему она злится, сам он стоял спокойно, а женщина им никак не грубила.

Увлекшись разговором, женщина слегка завалилась в сторону, опершись на локоть, в трубке слышался шум, было слышно, что кто-то говорит возмущенным голосом, а женщина только посмеивалась. От того, что она наклонилась вот так вот, ее кофта слегка задралась в одну сторону, так что в небольшой зазор между кофтой и шерстяной юбкой стало видно, что под кофтой у нее ничего нет. Женщина не была толстой, однако стул под ней скрипел очень жалобно, когда она пошевеливалась, как под тетей Петрова, когда они ездили к ней в гости в Москву. Кроме воспоминания о скрипящем стуле у Петрова остались от этой поездки вполне материальные сувениры: красный пластмассовый полый гном из-под подарка с конфетами — здоровенный гномище почти в половину самого Петрова — и макет Царь-колокола, куда Петров засунул двухкопеечную монету, отчего безголосый колокол обрел звук.

— Да ну, мам, ну что ты так переживаешь? — говорила женщина. — У меня как раз всё в порядке, а за него не переживай — как-нибудь, куда-нибудь уж поступит, куда он денется? Не поступит — так в армию сходит, может, хоть там из него человека сделают такого, какой тебе понравится наконец. Странно только, что он на физмат собирается, он же лирик, да и на филфаке девчонок больше — это ему должно нравиться.

Разговор продолжался еще некоторое время, женщина успела перевалиться на другой локоть и все утешала кого-то по телефону, несколько раз говорила «ну ладно, пока», и мать вся подбиралась, как для прыжка, но разговор снова продолжался, хотя женщина и поглядывала на часики на руке, мама, в свою очередь, тоже поглядывала на часы каждый раз, когда на них смотрела женщина.

Женщина наговорилась, положила трубку на рычаг и, словно не замечая Петровых, потянулась на стуле, вызвав в его деревянных костях отчаянный хруст и треск, затем тяжело вздохнула и обернулась. Увидев, что в комнате совсем не те, кого она предполагала увидеть, женщина торопливо стала одергивать кофточку и даже почему-то вскочила, обернувшись к маме.

— Здравствуйте, — сказала мама, не скрывая ядовитости в голосе, — не подскажете, может, здесь где-нибудь костюмы для детей выдают?

— Я не знаю, — растерянно сказала женщина, — я что-то про это не слышала, чтобы где-то тут костюмы детям выдавали. Я вообще не отсюда.

— Ну, это хамство, — сказала мама твердым голосом. — У кого можно узнать про костюмы?

— Ну я правда не знаю, — сказала женщина, и в ее голосе появилась кроме растерянности еще и какая-то беспомощность. — Я же говорю, я здесь не работаю.

— То есть как по телефону жужжать — вы здесь работаете, а как начальство найти — нет? Так, что ли? — спросила мама, и женщина покраснела. — Где мне найти начальство ваше?

— Завклубом сегодня на выходном, — проблеяла женщина.

— А кто не на выходном? — надавила мама. — Хахаль какой-нибудь ваш местный, который вас сюда притащил?

Мать сдавила руку Петрова, будто уже душа этого местного хахаля.

— Может, секретарь на месте или зам, — сказала женщина, — но они на втором этаже.

— Спасибо, — ответила мама, причем по ее голосу было понятно, что она не благодарит, а как-то оскорбляет своим спасибо, таким «спасибо» мать награждала Петрова, когда он случайно разбивал кружку или тарелку или падал в лужу.

Мать, часто дыша, как от обиды, потащила Петрова на второй этаж. Там был такой же коридор с многочисленными большими дверями, мать требовательно стучалась в каждую дверь. За одной из дверей были девочки во всем белом, завидев Петрова, державшегося за руку матери, они почему-то завизжали, и закрыли дверь с той стороны, и, кажется, даже приперли ее чем-то. За еще одной дверью был мужчина с большой белой бородой и накрашенными щеками.

— Какой директор, вы с ума сошли? — спросил мужчина вместо ответа на вопрос матери.

Где-то в глубинах клуба, словно из подземелья, доносились музыка и песни.

— Здравствуй, мальчик, ты был послушным в этом году? — сказал мужчина, заметив Петрова на прицепе у матери, с Петровым мужчина заговорил совсем другим голосом, нежели с матерью, эта перемена в его голосе так напугала Петрова, что он шарахнулся от двери, едва не уронив мать.

— Убедительно, — похвалил мужчина сам себя и захлопнул дверь.

Не найдя больше никого на втором этаже, потеряв кучу времени возле двери с золотистой табличкой, даже подергав эту дверь некоторое время, мать пошла на третий этаж. На площадке между вторым и третьим этажом стоял как бы снеговик, то есть туловище и ноги у снеговика были как у снеговика, а руки и голова у снеговика были как у человека, голову снеговика снеговик держал под мышкой. В другой руке снеговик держал сигарету и курил. Рядом со снеговиком стояла старуха с метлой, в юбке из каких-то грязных тряпок и тоже курила. Но это было еще ничего. Возле снеговика и старухи был еще и пионер с накрашенными ногтями. Пионер говорил женским голосом и пускал колечки, как отец.

— Семенчук, конечно, педрила редкостная, с этим даже не поспоришь, — сладостно смакуя ругательство, говорил пионер. — Он, по-моему, себе гримерку выбил не для того, чтобы в роль входить, а чтобы конфет из своего дедморозовского мешка домой натырить.

— Чего ты хотела? — отвечал на это снеговик. — Завклубом — его сестра двоюродная или тетка.

— Ой, — сказали все три персонажа хором, когда увидели мать и Петрова, а снеговик зачем-то еще добавил слово «пардон» после того, как все ойкнули.

— Вы зрительный зал ищете? — услужливо поинтересовалась старуха с метлой. — Так вход вон там.

Мама начала спрашивать про костюмы, снеговик, пионер и старуха запереглядывались в недоумении и стали объяснять, что ничего про это не слышали.

— И вообще, зачем вам костюм, — примирительно заметил снеговик, — он у вас и так как хоккеист выглядит, только шлем найти.

— Вот шлема как раз и нет, — пожаловалась мама.

— Да ерунда, — сказал снеговик, — и так сойдет, идите уже в зрительный зал, а то спектакль пропустите.

Говоря это, он зачем-то примерил голову снеговика на голову Петрова, Петров послушно стерпел это. Снаружи голова снеговика выглядела сплошным снежным шаром с обязательной морковкой вместо носа. Петрову сразу понравилось, как была раскрашена морковка, как настоящая. Изнутри оказалось, что сквозь голову снеговика все прекрасно видно, потому что она была сделана будто из какой-то марли, просвечивающей изнутри, Петров ощупал свое новое лицо, отстоявшее на некотором расстоянии от настоящей его кожи, — шкура снеговика казалась картонной, она была очень легкая, Петров смог бы носить такую целый день и не устал бы, только нужно было сделать голову поменьше, а то она болталась у Петрова на шее.

Мать как-то сразу успокоилась после разговора со снеговиком, она привела Петрова в темную большую комнату с огромным количеством кресел, села на одно из них, ближе к проходу, и посадила Петрова к себе на колени, сказала, чтобы он не шумел.

Сначала Петров не понял, куда нужно, собственно, смотреть. Зрительный зал был такой, что Петров видел только сплошные головы взрослых и детей, торчащие там и сям над креслами, он видел сплошное поле голов, расставленных в шахматном порядке, только он ухватывал какой-то промежуток между головами, как кто-нибудь сдвигался и закрывал Петрову обзор. Да что говорить, прямо перед креслом, где сидел Петров с матерью, занял место человек в большой шапке, а рядом с ним сидел кто-то в большой маске с ушами, которая должна была изображать какого-то зверя, но поскольку человек в маске ни разу не обернулся, а в зале было темно, Петров так и не понял, что это за зверь. В принципе, вариантов было немного — лиса или волк. Если бы это был медведь, у него были бы круглые уши, а у маски были треугольные. Мать сказала не шуметь, но в то же время в зале шумели. Где-то вдалеке несколько человек очень громко разговаривали между собой, обсуждали, где найти украденную елку, и никто не говорил этим людям, чтобы они замолкли. Зал иногда начинал смеяться в ответ на глупости, которые говорили те люди, что разговаривали впереди, Петрову тоже хотелось рассмеяться, следуя стадному инстинкту, но он сдерживал себя, потому что самому ему было вовсе не смешно.

Затем Петров понял, что люди впереди изображают что-то вроде мультфильма, но не нарисованного и не кукольного, как он привык, а с живыми людьми. Это Петрова заинтересовало. Одни люди в костюмах зверей и пионерки искали елку, другие люди, среди которых был знакомый Петрову снеговик, пионер и, как он теперь понял, Баба-Яга, елку прятали, чтобы испортить какой-то праздник. Иногда вытаскивались зачем-то на то место, где все они то и дело появлялись, то пенек, то избушка. Петров был бы не против, чтобы у него дома была такая же, он представил, что мог бы в ней спать, как в палатке, и выглядывать в окно. Основная проблема спектакля казалась Петрову несколько надуманной, потому что, судя по нарисованному заднику, все дело происходило в еловом лесу, где елок, подобной украденной, очевидно, было просто завались. Петрова подмывало крикнуть это тупым людям, так суетившимся из-за дерева, но присутствие матери убавляло в нем уверенности в допустимости такого поступка. Вообще, Петров, говоря спортивными терминами, болел за снеговика, который был ему знаком, и пионера, который умел пускать дымные колечки, он не понимал, почему, собственно, елка должна принадлежать пионерке и зверям (зверей освещали фонарями откуда-то снизу, и Петров с легкостью определил в них зайца, волка, лису и медведя). Иногда пространство, на котором действовали эти шумные люди, закрывалось большими малиновыми шторами. В то время когда впереди что-то начинало происходить, шторы висели слева и справа, так вот звери и пионерка умудрились заблудиться между двумя этими шторами. Баба-Яга спела веселую песню, насылающую на пионерку и зверей буран, но вместо бурана к пионерке и зверям выбежали девочки в белых платьях и стали танцевать, а затем предложили проводить и пионерку, и зверей к елке. Петров просто онемел от такого предательства. То есть ему и так нельзя было говорить, но обычно всё, что происходило вокруг него, озвучивалось какими-то словами в его голове, вроде «Медведь пошел туда, пионерка заговорила», а тут пропали даже и эти слова.

Финальную часть спектакля Петров пропустил по причине мрачных раздумий, кроме того, все герои, оказавшись вместе, начали о чем-то спорить, затем вдруг и снеговик, и Баба-Яга, и пионер признали, что они были плохими, и стали каяться перед залом, умоляя их простить. Петров почувствовал, что его предали еще раз, поэтому, когда пионерка стала спрашивать зал, заслуживают ли они прощения, и давила при этом на звук «р», пока не дававшийся Петрову, сам он произносил что-то вроде «ы» вместо «р» (Пр-р-ростим их, р-р-р-ребята?), и все закричали «Да-а-а-а-а», Петров закричал «не-е-ет», и мать толкнула его в спину, и он тоже закричал «да-а-а-а-а», но не с таким восторгом, с каким кричали остальные.

— А теперь, ребята, пойдем в зал, к спасенной елке! — предложила пионерка, и все сразу стали подниматься со своих мест, а в зале включили свет и заиграла мелодия «В лесу родилась елочка», а шторы закрылись, но было видно, что за ними кто-то двигается, потому что штора волновалась.

Большие дети побежали из зала по проходу между кресел, затем неторопливо пошли взрослые без детей, от которых дети только что убежали, и взрослые с такими детьми, как Петров. Среди этих взрослых мать как-то углядела свою подругу, тащившую дочь за руку, хотя та была довольно большой, чтобы так идти, тоже ухватила ее за рукав, и они стали толкаться в дверях среди других людей, пытаясь выйти наружу. Дочь маминой подруги была недовольна тем, что ее не отпускали, и смотрела на Петрова с отвращением.

Они вышли на свободное пространство, затем прошли немного среди разрозненных людей и снова стали толкаться в дверях, пока не оказались в большом зале, посреди которого стояла здоровенная, почти как на улице елка. Руку Петрова сунули в руку дочери маминой подруги, и мамина подруга стала говорить девочке, чтобы та помогла Петрову. Девочка послушно потащила Петрова в толпу детей, собиравшуюся возле елки. Петров испугался, что потеряется, и начал оглядываться, ища мать в толпе взрослых, собравшихся у стены, она заметила, что он беспокоится, и показала ему знаками, что всё в порядке, чтобы он шел и не боялся. Петрову не хотелось к елке, он увидел, что стена, возле которой стоят взрослые, украшена мозаикой — огромной головой Ленина, смотрящей на улицу, за Лениным развевалось красное знамя, а за знаменем угадывался крейсер «Аврора», Петрову хотелось разглядеть и потрогать камешки мозаики, но девочка крепко держала его за руку. Несмотря на то что вместо одной стены в этом большом зале было окно, состоявшее из больших стекол (а за ним было еще такое же окно, а между двумя этими окнами были насыпаны камешки, как в аквариуме, и стояли фикусы и одна пальма), в зале все равно было сумрачно.

Девочку, которая держала Петрова за руку, окружили другие девочки, видимо, ее знакомые.

— Ой, а это братик твой? — спросила одна из них.

— А как его зовут? — спросила другая.

На Петрове поправили колготки, одернули свитер и поцеловали, пока он смотрел в пол и удивлялся, как в малиновый камень, которым пол был облицован, вделали белые камешки, так что камень теперь походил на копченую колбасу.

— У него такие ресницы длинные, — сказала одна из девочек. — Больше, чем у меня, наверно.

Девочки стали по очереди приседать возле Петрова, а остальные в это время прикидывали на глазок, длиннее у Петрова ресницы или нет.

Девичье развлечение прервала опять музыка, снова мелодия «В лесу родилась елочка». Музыка началась внезапно и не с самого начала, а так, будто несколько первых тактов было упущено, эту потерю попытались компенсировать громкостью, и толстый мужчина с большой белой бородой, в синей шубе до пола, блестевшей вышитым узором, пробовал привлечь внимание детей, перекрикивая мелодию. В одной руке у мужчины был посох, такой витой, что Петрову он напоминал эмблему аптеки, в другой руке у мужчины был большой мешок из блестящей ткани, отороченный сверху белым мехом. Музыку убавили, и мужчина начал заново. Он говорил в стихах, поэтому часть того, что он говорил, была упущена Петровым, а часть он понял так, что мужчина всех приветствовал и спрашивал, хорошо ли они учились и слушались ли родителей; все кричали «да», но Петров в школе еще не учился и ощутил себя слегка чужим на этом празднике. Ему стало немного жарко от того, что мужчина мог подойти к нему и начать спрашивать про оценки. Петров забеспокоился, что его могут выгнать. Но оказалось, что мужчина интересуется оценками опосредованно, чисто для проформы, по типу, как спрашивали, например, у Петрова родственники, как у Петрова дела и как у него здоровье, и смеялись, если он начинал что-нибудь отвечать.

На руках у мужчины были рукавицы в цвет шубы, взяв посох под мышку, мужчина стал тыкать рукавицей в сторону детей, подзывая к себе тех, чьи костюмы понравились ему больше всего, и награждал конфетами из своего мешка. Самому Петрову понравился мальчик в серебристом костюме космонавта и серебристом шлеме — на нем было три красные первые буквы имени Петрова и одна Петрову неизвестная. Девочки, знакомые дочери маминой подруги, зачем-то сгрудились позади Петрова и подталкивали его вперед, к мужчине. От мужчины не укрылось это подталкивание, и он сказал страшным голосом:

— А это что за маленький хоккеист? Почему он скромничает? Ну-ка, иди сюда!

От этих слов у Петрова чуть ноги не подкосились, девочки продолжали подталкивать его в спину, и он робко подошел к мужчине.

— А где твой шлем и перчатки? — строго спросил мужчина.

— Не знаю, — прошептал Петров, потому что и правда не знал, где его шлем и перчатки.

— Ты, наверно, потерял их во время драки с канадцами! — пояснил мужчина залу (немногочисленные дядьки, подпиравшие стену с мозаикой, одобрительно рассмеялись).

— Нет, — шепотом сказал Петров, который знал, что драться нехорошо.

Мужчина сунул руку в мешок и с задумчивым видом пошарил там, пока не выудил наружу не конфету, а целую шоколадку. Петрову это понравилось, но ему все равно казалось, что он обманывает этого человека, потому что кофта, что была на нем, вовсе не была костюмом.

— Вот, — сказал мужчина, — самому маленькому — самое большое.

Весь зал радостно загудел смехом. Все вокруг вообще были какие-то слишком веселые, всех почему-то веселило присутствие в зале с елкой. Петров вернулся к девочкам, но не знал, что делать с шоколадкой — она была слишком большая, чтобы съесть ее тут же, как делали остальные дети со своими конфетами. Петров не любил шоколад, ему нравилось в шоколаде только то, как шуршит фольга под бумажной этикеткой, еще ему нравилось распечатывать шоколад и тихонько рвать фольгу — она тогда издавала тонкий металлический звук, приятно отличающийся от звука, например, рвущейся бумаги. Петров сжимал шоколадку в руках, пока не подлетела мать и не забрала ее наконец, к облегчению Петрова.

Когда с награждением костюмов было покончено, мужчина стал вызывать к себе детей, которые знали какой-нибудь стишок или песню про Новый год. Дети постарше и поувереннее повалили к мужчине пачками, пели не по одному, а хором, кто-то пел «Маленькой елочке», кто-то «В лесу родилась», кто-то пел и то и другое и каждый раз получал по конфете в конце исполнения. Петров не пел и не читал никаких стихов, потому что про Новый год ничего не знал.

Затем все окружили елку, а мужчина оказался внутри этого круга, между елкой и детьми. Дети должны были вытянуть руки вперед и убирать их, чтобы мужчина, обегавший вокруг елки под веселую мелодию, не хлопнул их по рукам. Петров вообще не стал вытягивать руки, так как был не уверен в своей координации движений. Те, кто не успел увернуться от рукавиц мужчины, должны были потанцевать перед елкой; Петров мысленно порадовался, что его миновала сия чаша, тем более что одна девочка даже расплакалась, когда ее подвели к елке, Петров не понял из-за чего, но сообразил, что раз девочка плачет, то причина у нее для этого есть.

После этого танца мужчина начал спрашивать, кого еще не хватает возле елки. По мнению Петрова, народу было достаточно, однако дети стали кричать, что не хватает Снегурочки. Стали звать Снегурочку, причем она не отозвалась с первого раза, и надо было каждый раз кричать громче прежнего. Петров заподозрил, что имя этой Снегурочки как-то связано с тем, из чего она сделана, то есть из снега, и поэтому она не отзывается, чтобы не растаять в теплом помещении. Когда же Снегурочка все же вышла после того, как ее позвали три раза, и Петров увидел обычную тетку в голубом пальто, Петров решил, что она просто сидела где-то в туалете, и еще предположил, что она, может быть, просто глуховата, как его дед, которому нужно орать на ухо, чтобы он хоть что-то услышал. Петров решил, что мужчина сейчас начнет орать тетке на ухо, как все ее тут заждались, но мужчина продолжил говорить своим обычным, несколько устрашающим голосом.

Снегурочка стала удивляться, что елка, стоящая в зале, никакая не праздничная, а обычная, мужчина стал разубеждать ее в этом, говоря, что елка украшена и всё в порядке, но Снегурочке этого было мало, она хотела новогодних огней и стала просить, чтобы дети поуламывали елку зажечься. «Ну нет», — подумал Петров, с которого уже хватило криков, когда он по слогам звал Снегурочку, и, когда все закричали «Елочка, зажгись», он из упрямства промолчал. Этот его трюк, к его же удивлению, оказался раскрыт.

— Кто-то, видно, не сказал, кто-то, видно, промолчал, — проницательно заявила Снегурочка, отчего Петров проникся к ней невольным уважением, и, когда его попросили покричать еще раз, он покричал.

Но снова ничего не сработало, Снегурочка опять повторила свою мантру про промолчавшего, и Петров во время очередного крика стал с подозрением всматриваться в соседние лица, чтобы узнать, кто молчит. Тут на елке зажглась красная звезда, и по ветвям ее побежали огоньки. Петров знал, что это горит гирлянда, но удивился, что ее можно включать еще и таким способом, а не просто втыкать в розетку.

Он стоял, задрав голову к еловой верхушке: на елке дома тоже была звезда, но обычная, пластмассовая, без лампочек, Снегурочка же в этот момент предлагала всем собраться в хоровод и походить вокруг елки. Так получилось, что в хороводе Петров оказался по соседству со Снегурочкой. Петров уже знал, что и пионер, и снеговик, и Баба-Яга, и мужчина с бородой и посохом — актеры. Он предполагал, что и тетка в голубом пальто — тоже какая-то актриса, но, когда она оказалась рядом, Петров увидел, что лицо и руки у нее совершенно белые, таких не бывает у людей. Снегурочка взяла Петрова за руку, рука у нее была ледяная, Петров с ужасом и восхищением смотрел на нее все время, что они шли вокруг елки, он ждал, когда Снегурочка начнет таять и разваливаться у него на глазах. Из всего утра, полного событиями, он запомнил в итоге только эту ее бледность и эту ее руку с такими тонкими костями, что Петрову казалось, что его пальцы гораздо толще, чем у нее, хотя это, разумеется, было не так.

ГЛАВА 4
ПЕТРОВА СХОДИТ С УМА

Петрова не помнила, сколько их у нее было. Если бы она оглянулась на свою жизнь глазами нормального человека, то ужаснулась бы, что даже первый уже исчез из ее памяти или перемешался с остальными настолько, что она не только не помнила первого, но и даже не помнила, в какое время дня и в какое время года у нее с ним это произошло. Когда она смотрела вокруг, ей казалось, что на самом деле это не ее глаза, ей казалось, что она просто сидит в голове человека и смотрит через его глаза, как через окно, что вокруг существа, которых она не привыкла видеть в своем прошлом. Люди, по ее мнению, должны были выглядеть по-другому — как, она точно не помнила, но только знала, что по-другому. Среди этих новых людей и в этом новом теле ей приходилось изображать человека, как человека представляли эти окружающие существа, называющие себя людьми. Петрова удивлялась, как тихо теперь в том месте, где она живет. В ее прошлом были только непрерывно гудевшие, окружавшие ее языки пламени, которое не обжигало ее и будто бы даже не давало света, но при этом было, несомненно, пламенем какой-то бесконечной пропасти. Раньше, до того как она попала в это тихое место, всё вокруг нее, как она помнила, состояло именно из пламени, даже существо, которым она была, и существа, которые ее окружали, которых она считала людьми, были из огня.

Тишина — единственное, что нравилось ей в этом мире по-настоящему. С одной стороны, в любом, даже самом шумном месте этого мира все равно было тише, нежели в самом тихом месте мира, откуда она пришла, с другой стороны, тишины Петровой было все равно мало, поэтому она выбрала местом работы самое тихое место, какое только можно было представить. Именно в библиотеке или дома, когда были закончены все дела, она наконец как-то начинала понимать людей и даже любить их. Она переставала видеть людей, которые с ней работали, или же сына и мужа как некие подвижные и разговаривающие куски мяса, ей не нужно было изображать любовь к ним, она и правда начинала чувствовать что-то вроде симпатии, что-то вроде заботы, что-то вроде жалости к ним, и ей хотелось о них заботиться, чтобы они подольше не начали гнить, ей становилось тревожно и за сына, и за мужа, что с ними может что-нибудь случиться, что она может пересолить еду, и тогда им будет неприятно. Особенно ей стало беспокойно за сына, когда пропал мальчик из его параллели, ушел куда-то с коньками — и бесследно исчез.

Петровой было интересно, передались ли ее качества и ее взгляд на людей ее сыну или нет. Иногда она понимала, что безумна, что, скорее всего, не было никаких языков пламени и людей, состоявших из огня, может, она просто ударилась где-то головой, и с ней произошло умопомешательство. Добровольно сдаваться психиатрам она не хотела, потому что считала, что прекрасно себя контролирует и ни разу ничем не выдала себя.

По-настоящему сумасшедшей она считала свою начальницу, к которой как ни заглянешь — все она вяжет какие-то свитера и шапочки, ни на одной из семейных фотографий начальницы (а та щедро показывала фотографии сотрудникам) она не видела, чтобы кто-то надел свитер, который она связала, начальница и сама их не носила, а только распускала, если у нее не было ниток под рукой, и начинала вязать по новой. Через ее руки проходили все новые журналы по вязанию, что появлялись в библиотеке.

Еще у них работала Алина. Алина перещеголяла в безумии и Петрову, и начальницу. Перейдя черту тридцатипятилетия, она стала переписываться с каким-то сидевшим уголовником, потом приютила его у себя, когда он вышел из застенков, познакомила с детьми от первого брака, и все было вроде бы нормально, но совсем недавно Алина пришла на работу в темных очках. «Зашибись», — подумала Петрова.

Все в библиотеке охали и ахали, Алина говорила, что ударилась, все делали вид, что поверили ей, но, конечно, никто не поверил.

Вообще, разговоров об этом бывшем заключенном и перипетиях жизни с ним было столько, что самой

Петровой незачем было даже что-то расспрашивать. Она была у них на свадьбе и даже что-то там им пожелала, подняв бокал, и даже сказала «Горько!». Она знала, где и до какого часа он работает, как он выглядит, как, например, знала все о читателе, специализировавшемся на эротических романах и учебниках анатомии (тот работал сторожем в школе). Грубость мужа Алины заинтересовала Петрову, ей захотелось познакомиться с таким грубияном поближе.

В тот же день, что Алина появилась на работе с фингалом, Петрова скаталась к проходной его завода и постояла у него за спиной в очереди киоска, пока он покупал алкогольный коктейль, прежде чем сесть на маршрутку до дома. Она и в маршрутку села позади него, глядя на его бритый затылок. Ей нравилось, какие у него широкие плечи, как от него пахнет стандартным таким дезодорантом в синем баллончике, который обычно дарят мужьям на 23 Февраля.

Петрова отстала от него только на остановке, но не отказала в удовольствии посмотреть вслед, пока он шел через небольшую, поросшую кустиками рощицу до дома. Походка у него была как у безобидного увальня, из тех, что извиняются, когда наступают кому-нибудь на ногу, открывают дверь перед женщиной и все такое. Петрова даже могла поверить, что Алину правда никто не бил, что она правда ударилась дома.

Вообще, одержимость Петровой походила на холодную спираль, двигавшуюся у нее внутри, где-то в области солнечного сплетения. Спираль появлялась сама собой, от каких-то внешних впечатлений, совершенных каких-нибудь глупостей и глупостями же и заканчивалась. Однажды весной, при виде кактуса, цветущего красными цветами на библиотечном подоконнике, спираль заполыхала внутри Петровой с такой силой, что казалось, будто спираль вовсе не холодна, а горяча; Петрова тогда натворила дел в далеком от своего дома подъезде, куда случайно забрела и встретила пившего пиво мужичка на площадке четвертого этажа. Ей было очень неловко за тот раз, она его запомнила в череде других оттого, что обычно как-то планировала свои действия и присматривалась к будущим мужчинам попристальней, чтобы не было потом так стыдно, чтобы не думать потом о разбитой чужой семье, плачущих детках и собаке, которую некому будет выгуливать; такие моменты накатывавшего стыда были Петровой тоже не чужды.

Каждую неделю у них в библиотеке собирался небольшой литературный кружок. Петровой казалось, что там все такие же, как она, психопаты. К людям, работавшим в библиотеке, люди, собиравшиеся в кружок, относились как к мебели. Они здоровались с персоналом библиотеки, но выглядело это так, как если бы для того, чтобы пройти в свой зальчик, им нужно было переступить через низкую оградку у входа, а Петрова чувствовала себя этой оградкой, ей казалось, что членам кружка было бы удобнее, если бы ее вообще не было. Это было Петровой неприятно. Ей самой не очень нравилось задерживаться на работе ради этих кружковцев, но один из них был родственник начальницы, а начальница заявляла, что для отчета такая дополнительная работа с населением смотрится неплохо.

При всей своей к ним неприязни Петрова чувствовала жалость к этим людям. Они излучали энергию бесполезности, безвестности и амбиций. Была у них в кружке какая-то иерархия, такая же бесполезная и жалкая. Какой-то старичок был у них за главного, он всегда говорил первым, были люди помладше — мужички и женщины лет под пятьдесят. Видимо, возраст как-то сказывался на том, что кружку приходилось делать перерывы каждые пятнадцать минут, чтобы сходить покурить на библиотечное крыльцо и сбегать в библиотечный туалет.

Не в силах ничего изменить, Петрова с грустью наблюдала, как они затаптывают желтый паркет актового зала. Они пользовались трибуной, оставшейся еще с советских времен, и микрофоном, поэтому, когда они что-то читали, Петрова слышала их бубнение из своего кабинета.

Их библиотечная подсобка с кипой журналов по вязанию на тумбочке, с облезлым диванчиком возле стены, с электроплиткой, которая стояла в углу, но лет десять уже не работала, потому что у нее перегорела спираль, с древним пузатым холодильничком, дребезжавшим так, что чашки библиотекарей на столе начинали позвякивать друг об друга, казалась комнатой в коммуналке. Вообще ничего не говорило о том, что это рабочее помещение, где иногда проводись совещания и разбор каких-то тихих библиотечных невысоких полетов.

Вообще, диванчику у стены было столько лет, что, по признаниям заведующей, которая только выглядела чопорной, они с мужем зачали на нем двух первых детей, а дети у заведующей сами были возраста Петровой. Когда Петрова стала встречаться с Петровым, да и после свадьбы тоже, они последовали примеру старшего поколения и, как бы метя территорию, перезанимались сексом почти в каждом из помещений библиотеки, включая сцену в актовом зале (в уютном уголке между роялем и трибуной, под портретом Льва Толстого, причем взгляд его с тех пор казался Петровой не суровым, а сожалеющим, что он не имел возможности к ним присоединиться).

На одном из празднований 8 Марта, впрочем, к разочарованию Петровой, выяснилось, что они с Петровым не одни такие уж и фантазеры, что почти все библиотекари в тот или иной момент своей работы прошли через это, потому что просто грех или идиотизм не воспользоваться таким большим помещением с таким обилием всяких темных углов.

Петрова не помнила, что читала в детстве, точнее, помнила как факт, но сами ощущения, что она держала вот такие книги в руках, листала их вечером, отсутствовали напрочь, поэтому каждый раз во время литературного собрания она брала какую-нибудь детскую книгу из библиотеки и с интересом листала ее, иногда с увлечением даже зачитывалась. Словно пытаясь вернуть себе что-то, она как бы воссоздавала атмосферу детского домашнего чтения: неторопливо заваривала чай в электрическом чайнике, вырубала верхний свет, включала настольную лампу, лезла в холодильник за печеньем и под говор из соседнего помещения, чем-то похожий на вечернюю ссору соседей, садилась за книжку.

Петрова задавалась целью перечитать всего Крапивина, но он писал быстрее и книги его выходили стремительнее, чем она осиливала очередную, поэтому она взялась за писателей, чей творческий путь был уже окончен и прочно зафиксирован могильной плитой. Она прошлась по Майн Риду, по Дюма, по Конан Дойлю, по Вальтеру Скотту, по Садовникову, перечитала всего Носова и Чуковского, включая такое произведение, как «Бибигон». Она прочитала (потому что ей понравились иллюстрации) то, чего не могла прочитать в детстве, например серию про Дороти, больше всего ее в этой серии потрясла история принцессы Озмы — что-то подобное она видела в каком-то советском фильме, где шахматы и простой советский школьник противостояли игральным картам, и еще был, кажется, польский или чешский фильм про разнополых близнецов, выдававших себя друг за друга во время каникул.

Был у них в библиотеке как-то тематический вечер Корякова, о котором Петрова и слыхом не слыхивала, но, когда увидела, вцепилась и перечитала всего. Она читала это, представляя, что она — обыкновенный советский школьник, и все равно прониклась удивительной ненавистью к одному из героев повести «Остров без тайн» — образцовому пионеру, этакой самоуверенной мрази, мечтавшей стать капитаном ледокола. Скорее всего, неприязнь к нему происходила у Петровой оттого, что сын ее походил скорее на отрицательного героя повести, какого-то зашуганного пионерчика, и как бы ни было мало сочувствие Петровой к близким, оно все равно имело место. Положительный пионер был командиром и не знал сомнений, таких людей, безоговорочно верящих в то, что они делают, Петрова тоже не любила, прямо-таки что-то нехорошее разгоралось внутри нее, когда она читала про твердый взгляд и уверенный голос, клеймящий что-нибудь в восторге от собственной правоты.

Повесть Корякова «Парень с космодрома» Петрова читала почти с садистским удовольствием, она знала, обо что звезданет всех этих юных мечтателей шестидесятых, думавших, что они уже будут колонизировать Луну. Она знала, как и в каких условиях они будут доживать оставшиеся годы, и, читая эти их уверенные слова и наблюдая уверенные поступки, едва ли не смеялась от радости. Она испытывала патологическую жалость, что Коряков уже умер и не может написать «Парень с космодрома 2», про жизнь героев в девяностых. Вообще, на такую небольшую повесть там было как-то слишком разбросано трупов, Петровой это было особенно заметно. Была девушка, залепившая пощечину парню за то, что он назвал Хемингуэя «стариной Хэмом», и героически погибшая при пожаре. И был летчик-испытатель, появившийся в повести сразу в виде почетного мертвеца с орденами и с оркестром.

Массу времени Петрова потратила на то, чтобы прочитать альманахи «Мира приключений», вот от них она почему-то была в полном восторге. Она почти не могла сочувствовать, но понять и представить себя в роли советского ребенка могла вполне. В моменты чтения она почти раздваивалась. Одна Петрова с увлечением читала советскую фантастику самых разных авторов, другая — видела себя со стороны в комнате со старенькими обоями. Этой второй Петровой почти жаль было, что железный занавес не дал попасть в библиотеку зарубежным фантастическим журналам и книгам шестидесятых-семидесятых годов, чтобы сравнить, так сказать, устремления масс людей по ту сторону. Да, что-то переводили и издавали, но издавали наиболее интересных, а Петровой хотелось почитать какое-нибудь убожество в затертой бумажной обложке. Английский Петрова знала не очень хорошо, но сомневалась, что какой-нибудь убогий американский или английский писатель обладал бóльшим словарным запасом, чем она. Она могла представить, что сама с трудом владеет русским языком, но даже того запаса ей бы хватило на множество советских фантастических повестей и рассказов.

В этот вечер Петрова читала «Королевство кривых зеркал» и «Путешествие на Утреннюю Звезду». Интересно было, что, шарясь в книгах Губарева, Петрова нашла еще две книги про Павлика Морозова его же авторства, но читать их как-то не захотела. С «Путешествием на Утреннюю Звезду» Петровой все было понятно, сказка — и сказка, способ путешествия по космосу был совершенно глупый, герои глупые, но хотя бы не вызывавшие раздражения Петровой. Если бы сняли фильм, тоже бы получилось весело и до сих пор его бы с удовольствием пересматривали. В «Королевстве» же Петрову смущал тот факт, что Яло была, собственно, сама из этого королевства; была в книге какая-то нестыковка, все время смущавшая Петрову и не дававшая ей прочитать сказку спокойно, хотя, возможно, просто неудовлетворенность уже копилась в Петровой, не давая ей читать внимательно, но еще не проявляя себя совершенным безумием.

Может, это чай ее успокаивал, тогда как принесенный и питый до этого несколько дней каркаде что-то разжигал своим цветом и вкусом. Чай был обычный, какая-то там «Принцесса Нури» из самых дешевых. Печенье, которое ела Петрова за чтением, тоже было обычным, но в бумажной упаковке и вощеной бумаге; такое печенье и вафли в таких упаковках неизвестно почему будили внутри Петровой что-то человеческое. Дело было не только в упаковке, дело было еще в самом печенье: оно было не из тех, что делали теперь повсеместно из песочного теста, так что оно рассыпалось на мелкие крошки прямо во рту, а такое чуть более твердое, вроде «Шахматного», которое вроде бы любила та девочка, внутри которой теперь Петрова находилась.

Литературный клуб выдерживал обычно время, за которое Петрова успевала три раза разогреть и снова остудить чайник, а в этот раз или она увлеклась поеданием печенья, чтением и чаепитием, то ли поэты задержались, но заваривать чай Петровой пришлось пять раз. Она не хотела смотреть на часы, чтобы не портить себе настроение, она знала, что уже довольно поздно, по тому, как смешались сумерки за высоким окном, и по тому, что люди перестали ходить по улице, идя с работы, в магазин или выгуливая собак в пятнах уличных фонарей (именно почему-то в этих пятнах собаки присаживались, чтобы справить свои дела, и выглядело это для Петровой всегда как сольная оперная партия).

На всякий случай она позвонила себе домой, чтобы убедиться, что сын уже вернулся из школы и не попался в руки какого-нибудь маньяка или не угодил под машину.

Сын был дома, но подошел не сразу, достаточно долго гудки трепали нервы Петровой, а воображение ее рисовало нехорошие картины сына на операционном столе, хотя она прекрасно знала, что случись что — ей сразу бы позвонили.

— Играешь? — спросила она, когда сын откликнулся.

Сын не стал отвечать, а сам спросил, долго ли она еще будет на работе.

— Я не знаю, — сказала Петрова, — там опять этот литературный кружок.

На стене в подсобке висело небольшое квадратное зеркало. Петрова посмотрела на себя и подумала, что если бы Губарев написал «Королевство кривых зеркал» про нее, то все до сих пор с трудом произносили бы ее имя наоборот; она и сама с ходу не могла это сделать, и, пока сын неохотно рассказывал по ее приказу о своих школьных делах, она по слогам, мысленно ставила свое имя вверх ногами. «Асинылрун» — вот что у нее получилось.

Сын получил тройку по математике, и Петрова почувствовала удивительное уныние от того, что именно про тройку и именно по математике прочитала за все свое сидение при литературном кружке столько раз, что сама уже чувствовала себя героем литературы, второстепенной абстрактной матерью, которая должна пилить сына за трояк, обещая отлучить его от каких-либо земных благ, или должна устало вздохнуть, смиряясь с успеваемостью своего ребенка. Кстати, у Крапивина образ матери был так развернут со всеми запахами этого образа и теплыми руками, что Петрова была бы в ужасе, если бы Петров-младший относился к ней с таким инцестуозным рвением, у нее бы мурашки побежали по спине, если бы она узнала, что сын к ней, например, принюхивается или как-то по-особенному остро переживает ее прикосновения.

Продолжая роль литературной матери, Петрова сказала, чтобы сын сначала делал уроки, а уже потом играл или смотрел телевизор. Как обычная мать Петрова хотела, чтобы, когда она вернется с работы, самой можно было заняться чем-нибудь, кроме объяснения сыну правил математики или русского языка, или помощи ему в уроке труда, в склеивании какой-нибудь картонной хреновины на новогоднюю тематику. Литераторы не заставляли ее участвовать в своих игрищах, но уставала Петрова от их околачивания в библиотеке почему-то больше, чем в остальные дни. После их вечеров Петрова не хотела ничего, кроме как лежать перед телевизором, листать каналы, чтобы ее никто не трогал.

За чтением, за разговором с сыном, за разглядыванием себя в зеркале Петрова не заметила, как голоса в зале постепенно смолкли. В подсобку аккуратненько постучали. Это был кокетливый, несколько игривый стук главного по литературному кружку — седого круглого старичка с добрыми глазками и мягким голосом. Петрова не сомневалась, что в свое время он прекрасно пользовался для обольщения и взглядом, и голосом, и умением писать стихи. (Саму Петрову стихи оставляли равнодушной абсолютно, однако она видела, какое производят впечатление какие-нибудь поздравительные стишки на других работниц библиотеки.) Главный по литературному кружку еще продолжал всячески заигрывать с Петровой, словно проверяя, не все ли эротическое обаяние высыпалось из его тела. Может, на кого-то другого это и могло подействовать, однако Петровой казалось, что главный по литературному кружку просто кривляется, как старая обезьяна за стеклом зоопарка. Петрова научилась распознавать кружковцев по стуку, тем более что стучались в ее кабинет после окончания занятий всего три человека: вот этот вот старичок, затем просто взрослый мужчина в белом свитере — его стук был не кокетливый, а твердый, лицо его, покрытое бородой, было сурово (Петрова не сомневалась, что если бы ей удалось его раздеть, в штанах у него было бы что-то похожее — такое же суровое, серьезное и одинокое, может быть, даже тоже в белом свитере и читающее стихи), — и гибкий юноша, худой, но с такими широкими бедрами, которые не могли скрыть мешковатые джинсы, что казалось, что он способен к деторождению — юноша стучал в дверь замысловатым стуком, в котором Петрова не сразу распознала ритм из песни «Все идет по плану».

— Да-да, — откликнулась Петрова на стук.

Старичок сунул в кабинет свою большую голову и, пошарив взглядом по углам, сказал, что они уже всё. Он прямо в процессе заглядывания уже наматывал клетчатый шерстяной шарфик на свою шею.

— Ну, тогда я тоже пойду, — сказала Петрова с облегчением в голосе, которое не пыталась скрыть, и прямо перед старичком села на диван и начала переобуваться из библиотечных кроссовок в зимнюю обувь — она не могла понять Алины, которая весь рабочий день щеголяла в сапожках.

Старичок ушел, а в подсобку заглянула сторожиха-пенсионерка. Вообще, в том, что Петрова или еще кто-нибудь из персонала библиотеки оставались на работе в дни литературного кружка, была отчасти и вина сторожихи. Она запаниковала, когда узнала про то, что чужие люди будут тусоваться в помещении после закрытия библиотеки, она подняла скандал, заявляя, что ни за что не отвечает и, если кто-нибудь из кружковцев сломает стул, или свалит люстру с потолка, или что-нибудь сломает, украдет или подожжет, она будет ни при чем, еще она боялась чужих людей, она закрывала туалет на ключ и никого туда не пускала. Образумить ее удалось только тем, что кто-нибудь из библиотекарей должен был скучать в течение полутора часов в подсобке и как бы следить за порядком.

Петрову радовало только то, что подсобки сторожа и библиотекарей были в разных комнатах, иначе она бы сошла с ума, потому что иногда сторожиха приводила с собой внука, поскольку в ее семье были какие-то проблемы или сторожиха просто считала, что эти проблемы существуют и без ее круглосуточной опеки внук вырастет уголовником и наркоманом. Видя зашуганного тихого мальчика лет трех, слыша краем уха, что мальчика водят в воскресную школу, что он молится вместе с бабушкой, Петровой хотелось свернуть сторожихе шею и забрать мальчика к себе.

— Устали небось за сегодня? — спросила сторожиха у Петровой таким льстивым голосом, словно Петрова была участковым врачом или работницей собеса.

— Да нет, не сильно, — ответила Петрова. — Может, книжку внуку возьмете? Почитаете ему на ночь.

— Так он уже спит, — сказала сторожиха как о чем-то само собой разумеющемся.

Брови Петровой удивленно дрогнули, едва ли было еще даже полседьмого.

— Зачахнет он с вами, — сказала Петрова честно.

— Да что же зачахнет? — удивилась сторожиха. — В тепле да тишине.

Петрова не могла понять, откуда берутся такие сутулые женщины в косынках, юбках, кофтах, носках как бы из мешковины, она не верила, что это не какое-то волшебство, не могла же эта женщина и в молодости ходить совершенно так же, это было невозможно, потому что так у нее не было бы ни детей, ни внуков — от нее убегал бы в ужасе любой, даже самый невзыскательный мужчина, как-то ведь она очаровала своего будущего мужа и продержала возле себя какое-то время. Существовала, конечно, вероятность, что в религию бабушка ударилась уже на старости лет, а до этого успела как следует гульнуть, но Петрова не верила, что так можно было перековаться; даже у нее самой, вроде бы успешно маскирующейся под нормальную женщину, и то проскакивали какие-то эпизоды, раскрывавшие ее истинную натуру. Как-то такой эпизод произошел прямо в библиотеке на глазах у всех: пьяный муж пришел тиранить заведующую детским отделом, а Петрова слегка намяла ему бока и пошатала парой нежных крюков слева и справа, а потом с трудом изобразила отвращение от вида его крови, капавшей на паркет большими каплями, и досаду за сбитые костяшки на кулаках. Все тогда удивились, стали расспрашивать, не занималась ли Петрова боксом, но Петрова отговорилась тем, что подсмотрела все это в кино и это у нее получилось случайно.

Попрощавшись со сторожихой, имя которой Петрова даже не старалась узнать, подождав зачем-то, как та замкнет высокие дубовые двери на два оборота длинного ключа, Петрова сошла с крыльца и отправилась к троллейбусной остановке, чтобы потом спуститься в метро, выйти на «Площади 1905 года», пересесть в двадцать шестой трамвай и доехать до дома окончательно.

Любовь мужа к троллейбусам Петрова не разделяла, она не любила, что тройка или семерка могут долго стоять в пробке на Малышева, а потом опять же стоять в пробке на Гурзуфской, она не переносила, как троллейбус, пощелкивая усами, дергался туда-сюда, как медленно выползали из него пассажиры, как в нем было или невыносимо холодно, или невыносимо жарко. Троллейбус, правда, довозил почти до дома, а с трамвая нужно было идти чуть дольше. Иногда еще трамвай приходилось долго ждать, но и с троллейбусами была такая же ерунда, даже хуже: троллейбус уже мог быть виден в дорожной катавасии, толкаться где-то возле светофора, на перекрестке Малышева с 8 Марта и все не мог сдвинуться с места, а трамвай если уж шел, то шел.

Неудобно был расположен магазин возле дома. Никак нельзя было зайти в него по пути с работы, нужно было делать крюк до него, а потом уже возвращаться домой. Зато меланхоличные продавцы и охранники и не менее меланхоличные кассиры Петровой нравились. Ничто не сбивало их с толку, никогда Петрова не слышала, чтобы они скандалили. Петрова подозревала, что они пьют перед работой что-нибудь седативное или курят траву всем коллективом. Видя их расслабленные позы, видя, как они неторопливо расставляют товары или беседуют между собой, Петрова удивлялась, как еще само собой, вызванное общим настроением, не играет в магазине регги. Там было, конечно, как-то грязновато и натоптано на полу, и павильончики: ремонт мобильных телефонов, киоск по продаже дисков, магазинчик цветов — несколько заслоняли свет из окна, но заметно это было только летом или весной, а зимой Петрова все равно ходила в магазин только вечером, когда неоновый свет внутри был сильнее фонарей снаружи. Пару лет уже одна и та же лампа над холодильником с мороженой курицей помаргивала, но ее никто не менял. Мороженое мясо всегда оказывалось таким, будто его уже сначала слегка размораживали, а потом снова замораживали, и так несколько раз, отчего вид у кусков мяса был слегка оплавленный.

Петровой не совсем нравилось задерживаться на работе, зато это искупалось тем, что в магазине в более поздний час было меньше людей; она не очень любила толкаться в проходах между полками, не любила уворачиваться от тележек с посаженными внутрь детьми, не любила цепляться за углы корзинок, не очень любила, когда очередь была больше чем два человека. Не устраивало ее только то, что возле весов с овощами невозможно было дождаться в это время фасовщика, и поэтому нужно было брать уже упакованные в пластик овощи, которые не всегда были свежими. Те, которые можно было взвешивать, тоже были не ахти какой свежести, но из них можно было выбрать овощ поновее.

Бродя между полками, Петрова заранее сердилась на сына за несделанные уроки, и за невымытую посуду, и за то еще, что он прошлым вечером возжелал омлет с помидорами, луком и жареной колбасой, которые сама Петрова не любила, поэтому нужно было приготовить сразу два ужина — себе и ему.

С этой сердитостью, заранее даже немного злая, Петрова пришла домой. Петров-младший, услышав, как не очень весело проворачивается ключ в замке, предусмотрительно не стал выходить из своей комнаты сразу, но, просчитав, видимо, что мать могла рассердиться еще сильнее, если ее не встретить, все же вышел, когда Петрова уже вешала пальто.

Оказываясь дома, Петрова сразу начинала включать повсюду свет — темноты она не любила, тогда как и бывший муж, и сын электричество экономили. Для своих восьми лет Петров-младший вел себя слишком по-стариковски, Петровой это не нравилось.

— Сидишь как в подземелье, — проворчала она после поцелуя (от его виска пахло шампунем, а значит, он уже вымылся, и в этом тоже было что-то взрослое, отпугивавшее Петрову), — отнеси пакет на кухню.

Петров поволокся с пакетом, тяжеловатым для него, в сторону кухни, там, даже не включив света, он почти швырнул его на пол.

— Осторожно, там яйца, — запоздало предостерегла Петрова. — Сам же просил и не помнишь.

Эта квартира, в которой она с сыном жила, была той же планировки, что и квартира мужа, доставшаяся ему от деда-ветерана, от этого у Петровой возникало ощущение раздвоения, какой-то вибрирующей реальности, даже обои на стенах если и были не такие же точно по рисунку, но как-то совпадали оттенком. Двоюродный брат Петрова достал плитку в ванную и сантехнику по дешевке в обе квартиры, и Петрова по рассеянности иногда путалась, в чьем доме она находится.

Даже стиральные машины и там и там были одинаковые «индезиты», в чьи круглые отверстия Петрова не глядя совала свои вещи в быструю стирку после каждого рабочего дня, оставляя на потом только свитер, потому что он был шерстяной.

Не найдя в ванной халат, Петрова сама сходила в спальню, сразу включив там и свет, и телевизор (пульт кинула обратно на середину кровати): выкликать сына из ванной с просьбой принести ей ее вещи Петровой было уже неловко, потому что сыну было уже все-таки не шесть лет, хотя дверь в ванную она, повзрослев и пожив в браке, закрывать так и не привыкла — раньше, до брака, она это, конечно, делала. В любой момент любому из членов семьи могло приспичить, и если Петров-старший еще мог как-то потерпеть, то заставлять Петрова-младшего страдать возле двери Петрова не могла.

До ванны Петровой казалось, что она не способна ни на какую готовку и уборку, она думала, что просто упадет и не поднимется, с трудом сдержалась, чтобы при виде кровати просто не завалиться на нее и уже не вставать до утра — отчасти виной этому были неудобные ботинки, от которых невероятно уставали ноги, — но, посидев в горячей воде, Петрова очухалась. Во всем получасовом сидении в ванне самого мытья было минут на пять, все остальное время Петрова валялась в горячей, постепенно остывающей воде и смотрела на полиэтиленовую шторку без единой мысли в голове.

Ванна расслабила ее настолько, что Петровой не захотелось поорать на сына за грязную тарелку, вилку и стакан не в раковине даже, а рядом. Пустая бутылка из-под «Пепси» стояла так вообще прямо на обеденном столе. Если бы Петрова зашла на кухню до того, как побывала в ванной, она бы призвала Петрова-младшего к ответу, и заставила бы выбросить бутылку в урну (там, кстати, был невынесенный мусор), и проконтролировала бы, как сын моет тарелку, и вилку, и кружку, может, заставила бы перемыть, если бы ей что-нибудь не понравилось.

Услышав, как зашумела вода в раковине, а значит, опасность миновала, Петров-младший появился на кухне и сел за обеденный стол, уткнув нос в телефон и играя во что-то. Петровой не хотелось спрашивать, что это за игра, она не разделяла восторгов сына по поводу телефонов других детей и игр в этих телефонах. Будь она по-прежнему злой, она посоветовала бы ему почитать лучше книжку. Может, она даже отправила бы его за какой-нибудь книжкой из домашней библиотеки или спросила, что ему задали читать, и заставила бы читать вслух, портя настроение и себе, и ему.

Петрова знала, конечно, что любовь к чтению — далеко не показатель будущего жизненного успеха, вот, например, они, библиотекари, что они получили через свою любовь к чтению? Или ее муж, который любил читать с самого детства, рисовал, но был при этом обычным автослесарем? И все равно при виде детей, прибегающих в библиотеку, Петрова чувствовала зависть к их родителям. Иногда и завидовать-то вроде было нечему, некоторые дети были одеты хуже, чем Петров-младший, выглядели какими-то недокормленными, и все равно Петрова завидовала. Они с мужем перебрали множество способов, чтобы привить сыну любовь к чтению: они читали ему на ночь, они подсовывали ему любимые книги (особенно старался почему-то Петров-старший, который очень хорошо помнил, что любил в детстве), они сами постоянно читали, показывая ему живой пример, — ничего не срабатывало. Со скрипом Петров-младший прочел «Гарри Поттера», может, осилил бы еще, но книги выходили не слишком быстро. Зато от компьютера и от телефона Петрова-младшего невозможно было оттащить. Она понимала, когда кто-нибудь из сотрудниц начинал упрекать своих детей в том же самом. Ее тоже бесил разговор с рассеянно отвечающим из-за монитора, или уткнувшимся в телевизор, или пялящимся в телефон сыном. Ладно, интерес к играм на приставке или компьютере еще можно было понять, все-таки было там что-то цветное, что-то взрывалось, что-то происходило, но что интересного могло быть в черно-белой игре на телефоне, Петрова не понимала и не хотела понять.

И хорошо бы Петров-младший проявлял хотя бы какие-то эмоции, играя даже в компьютерные игры, — так нет, Петров-младший и в какие-то веселые детские игрушки, вроде «Симпсонов: сбей и беги» и «Сайлент Хилла» (от некоторых моментов которого, а особенно от заглавной мелодии, у Петровой пробегал мороз по спине) играл с одинаково равнодушным выражением мордочки, как будто везде был экранчик телефона, просто другого размера, а на нем была всё те же «Змейка» или «Тетрис»; да что говорить, некоторые дети на «Змейку» и «Тетрис» реагировали живее, чем Петров на сюрпризы «Сайлент Хилла». Петровой казалось, что, пусти она черепаху на клавиатуру, та и то повела бы себя веселее. Петрову утешало только одно: таких детей в классе Петрова-младшего было несколько штук, то есть он, по крайней мере, не один был такой, чтобы считать его совсем уж странным, значит, была какая-то тенденция в развитии детей с появлением всей этой техники в последнее время.

У Петрова-младшего были даже друзья, точнее, один друг, они и ходили друг к другу в гости, чтобы сидеть рядом, молчать и во что-нибудь играть. Петрова надеялась, что Петров-младший и его друг как-то бесятся в ее отсутствие и просто стесняются скакать при родителях. У друга Петрова-младшего наступал как будто паралич голосовых связок при виде Петровой, так что он не мог сказать даже «здравствуйте», но когда родители этого мальчика спросили на родительском собрании, как там их сын себя ведет, Петрова с честным лицом ответила, что сын их очень вежливый и вообще пускай приходит почаще. Родители мальчика сказали, что куда уж чаще, они и так вроде бы только что не ночуют вместе.

Трудно было заподозрить столь разных детей в столь одинаковом темпераменте. Петров-младший был темноволосый, казавшийся загорелым даже зимой, весь какой-то удлиненный, с большой головой на длинной шее, а его друга, белоголового и мелкого, до сих пор иногда принимали за дошкольника, он просто по конституции обязан был быть шустрее, но нет — так же тихушничал и скромничал, как Петров-младший. Петрова не представляла, как они существуют в шумной школе и шумном классе, среди других нормальных, все время двигающихся детей. Когда Петрова приходила с сыном в поликлинику, остальные дети носились по коридору или в нетерпении шевелились рядом с родителями, смотрели и громко отсчитывали, сколько еще перед ними человек осталось. Петров-младший сидел, как его посадили, и в очереди с ним было совершенно спокойно, но невыносимо скучно.

Произошло два замечательных случая именно в поликлинике, когда Петровой дети особенно понравились. Один раз она сидела с Петровым в очереди в физкабинет, в довольно поздний час, когда почти никого уже не было в коридоре и один мальчик, лет десяти, болтая ногой от скуки, долбил по ножке кушетки. Этот стук не раздражал никого, кроме одной женщины, приведшей на прием сына лет шестнадцати, она всячески раздраженно вздыхала, и от каждого ее раздраженного вздоха прямо-таки бальзам злорадства лился на душу Петровой, наконец женщина не выдержала и заорала на пацана, говоря, чтобы он прекратил, потому что ее ребенок болеет (она потыкала в залившегося краской подростка). Мальчик смерил ее взглядом и стал стучать еще громче, женщина рванулась к пацану, но Петрова уняла ее пыл, сказав из-за книжки, что если она сейчас не сядет, то тоже заболеет, как и ее сын. Мальчик, почувствовав поддержку, зачем-то пересел к Петровой, но стучать перестал.

Еще был случай, когда Петрова тоже читала в больничной очереди, к ней с другого конца коридора подошла девочка, закрыла ее книгу, посмотрела на обложку, чтобы прочитать название, и покивала головой с понимающим «А-а-а», а потом сказала: «А у меня вот что» — и показала свою книгу, какое-то толстое фэнтези с драконом на обложке. Петрова только и смогла, что рассмеяться в ответ на ее нахальство и желание пообсуждать прочитанное.

Петрова подозревала, что внутри Петрова-младшего сидит совершенно тот же зверь, что и внутри нее, но не могла спросить об этом напрямую, чтобы не показаться сумасшедшей в глазах собственного ребенка, который мог начать ее элементарно бояться. Петрова не знала, какой она была в детстве, не помнила, о чем она тогда думала и какие поступки совершала, поэтому ей не с чем было сравнивать. Она почти точно знала, что ее никто не насиловал и не махал хером перед ее носом в переулке между школой и домом, знала, что дома ее не били, мать и отчим не давили на нее морально; почему этот пазл безумия так сложился у нее в голове и сложился, или складывается, или сложится тот же пазл в голове ее сына — Петрова не знала, и это ее почему-то мучило. Хотя в том, что она сама делала, она почти не видела ничего плохого, по крайней мере в те моменты, когда холодная спираль крутилась в ее животе. Такой же ерунды для сына она не хотела.

От своего мальчика ее мысли неожиданно прыгнули к чужому мальчику, который, неверно прочитав отчество на ее бейджике, когда она замещала сотрудницу в детском отделе, назвал ее «Нурлыниса Хатифнаттовна» (хотя Петрова была Фатхиахметовна). Петрова подозревала, что никто из работниц библиотеки не назовет ее правильно по имени-отчеству, все со времени, сколько Петрова осознавала себя в этом теле, звали ее Нюра, а когда вышла замуж, то часто звали по фамилии. Вредный пенсионер, вчитавшись в ее бейджик, вообще с горечью сказал про понаехавших и что скоро русских вообще не будет.

При том что Петрова людей не очень любила и нравилась ей в основном библиотечная тишь, симпатию к тем людям, с которыми она работала, Петрова все же ощущала. К той же заведующей библиотекой нельзя было не проникнуться какими-то чувствами, потому что это был уникальный человек из прошедшей эпохи, каких уже не было, несмотря на то что вроде бы появилась свобода передвижения и по стране, и за ее пределы. Заведующая родилась в деревне и была из первого поколения деревенских, кому беспрепятственно выдали паспорта, она строила Нефтеюганск, она строила нефтепровод, при этом она еще и училась, она жила во Владивостоке и Калининграде и одно время заведовала библиотекой чуть ли не в Заполярье. Кроме того, именно через нее Петрова, тогда еще выпускница института, познакомилась со своим мужем.

Заведующая жила неподалеку от Петровой, тоже в Ленинском районе, и предложила подкинуть Петрову (тогда еще не Петрову) до дома на автомобиле мужа, который катался неподалеку по своим делам. Петрова согласилась, но муж не мог сразу везти их домой, а должен был еще заехать отдать какой-то долг своему знакомому в гаражи; как водится, сразу мужчины расстаться не могли, а стали о чем-то перетирать, в их разговор вступила и заведующая, Петровой стало скучно сидеть в машине, потому что было очень жарко (все это происходило в августе), и она тоже вышла. Заведующая заметила паренька возле одной из машин, смуглого то ли от загара, то ли от масла, крутящего гайки под капотом, и сразу стала сватать ему Петрову, хотя знала Петрову всего две недели. Для тогдашней Петровой весь процесс этого сватанья напомнил то, как ее мама водила свою кошку на случку к соседскому коту, и звери только шипели и выли друг на друга весь вечер, а потом кошка зачем-то стала метить все углы в своем доме. Первый взгляд Петровой на своего будущего мужа был полон растерянности и враждебности. Петров был младше своей благоверной на три года, и Петровой казалось, что он никак не подходит на роль того, с кем можно прожить всю жизнь. Несмотря на всю тогда уже проступившую мизантропию, Петрова все равно имела в виду какой-то идеал в будущем, с которым она собиралась завести ребенка и как-то совместно существовать. Она ожидала, что человек, которого она как бы полюбит, к которому она будет изображать любовь, будет почему-то старше нее, но никак не младше. Петров поначалу вообще показался ей совсем уж молодым, совсем каким-то несерьезным, хотя вроде бы и не шутил, не болтал и был вообще как-то больше замкнут.

Старший товарищ Петрова тоже стал всячески подталкивать его к знакомству ободряющими словами про то, что трахаться с одними только машинами с утра до ночи — вредно для здоровья, что рукоблудие — не выход, что надо уже что-то решать и становиться серьезными. Петров смотрел на него совершенно дикими глазами, отчего казался Петровой идиотом, однако, как выяснилось после, именно в те дни какая-то девушка терлась возле Петрова, сообщая, что беременна именно от него, и все было для Петрова как в тумане, и он непрерывно упрекал себя за то, что сошел с верной дороги онанизма на тропу случайного секса. Ситуация с девушкой в итоге разрешилась тем, что беременность оказалась каким-то глупым трюком, а Петрова осталась.

На первых свиданиях Петрова думала, что ей подогнали какого-то аутиста, Петрова не сильно любила поговорить, но ее новый дружок говорил еще меньше, а те немногие слова, что она произносила, пропускал мимо ушей. Они молча гуляли в парке, молча сидели в кино, похрустывая попкорном, молча сидели в пиццерии, после чего фантазия Петрова иссякла. «Господи, какой ты жалкий», — хотелось иногда сказать Петровой, но через год она с удивлением обнаружила, что уже замужем за этим человеком, что этот человек сует ей какие-то цветы на праздники, что они живут вместе и им нисколько не скучно друг с другом. Ни один другой мужчина, по мнению Петровой, не мог так спокойно переживать вспышки ее гнева, когда она была не в себе, а именно спокойствия в ответ на дикость ей требовалось более всего. Петрова испугалась за мужа, когда случайно сорвалась и порезала ему руку, поэтому она решила с ним развестись и жить отдельно, когда на нее накатывало, и жить вместе, когда ее отпускало. Конечно, вспышки иногда рождались независимо от нее, не всегда их можно было контролировать от начала и до конца, но чисто статистически у мужа было больше шансов остаться в живых, когда Петрова не терлась рядом с ним, а была где-то в стороне.

Он и на требование развода отреагировал в своем репертуаре: ничего не стал спрашивать, что для Петровой было бы невыносимо, не стал скандалить, не показывал, что страдает, а может, и не страдал вовсе. Сын тоже вроде бы принял все как должное, не стал, как в кино, придумывать себе друзей, видеть мертвецов, впадать в депрессию и думать, что это он во всем виноват, успеваемость у него не упала, а осталась такой же средней, как он сам; Петрову это немного задевало, она хотела, чтобы сын все равно переживал за их семью, как-то показал, что он что-то чувствует.

Лишь изредка в их семье что-то вспыхивало, вроде спички в кромешной темноте. Однажды они смотрели по телевизору что-то новогоднее и при этом с Джоном Траволтой и какими-то собаками, смотрели молча, только сын посмеивался изредка, и Петров вдруг стал вспоминать, что как-то ходил на новогодний праздник, и там его взяла за руку Снегурочка, и рука у Снегурочки была правда холодная, как у настоящей. Сын сидел рядом с Петровым и вдруг почему-то уютно привалился к нему. У Петровой вдруг подкатил к горлу слезный ком, она потихоньку ушла в ванную, закрылась (что они делали крайне редко), включила воду и, пытаясь рыдать как можно тише, закрывала себе рот ладонью, но так получалось еще хуже, она была как бы сама себе ребенок и пыталась остановить себя, но только распаляла рыдания этими попытками успокоить.

Петрова так и не поняла, что именно ее так разволновало.

Все то время, что мысли шевелились внутри Петровой, она не стояла на месте, а готовила еду. Со своим ужином она решила особо не заморачиваться, а просто пожарить картошки, и всё. Только что пожаренную картошку Петрова любила, а разогретую — уже нет. Но Петрова никогда не могла точно рассчитать, сколько картошки ей понадобится, чтобы и хватило, и чтобы картошка эта потом не сохла в холодильнике, сначала оберегаемая на тот случай, если появится голодный бывший муж, который, кстати, мог иногда заглянуть, рискуя жизнью, заползти среди ночи после работы, внезапно соскучившись по ней и сыну. Иногда картошку или какой-нибудь салат, тоже приготовленный с запасом, или сваренный рис приходилось выбрасывать. В такие моменты Петрова чувствовала почему-то некий укор, исходивший откуда-то изнутри, вспоминалась отчего-то бабушка, до сих пор смахивавшая в ладонь хлебные крошки, и журнальное интервью с итальянским режиссером, который рассказывал, что лишь в шестидесятые отметил, что может спокойно купить из еды все, что нужно для нормального обеда, а до этого, от начала войны, все время чувствовал какое-то недоедание, а иногда и вовсе голодал.

Сын не голодал, не переживал войну и ее последствия, но иногда казалось, что голодает, что пережил нечто в своей жизни такое, что не позволяет ему смотреть на еду спокойно. Всегда во время готовки он совал руки и отъедал то кусочек теста для пирога, то капустинку для салата, сырой фарш, но особенно любил сырые овощи: всякие морковки, картофель, лук, баклажан. Петрова что только ни делала: давала ему витамины, проверяла на глисты, водила к эндокринологу, — но Петров-младший, казавшийся Петровой нездоровым своей стройностью, граничившей, по ее мнению, с дистрофией, был здоров. Петрова еще могла понять его пристрастие к сырой моркови, ладно, вроде бы все дети любят сырую морковку, ладно, некоторые еще, в порядке эксперимента, могут съесть кусок сырой картофелины, ну, капуста еще иногда привлекает детей — всё. Но Петров ел и сырой лук, как Буратино. И ел куски сырого мяса, как кот; Петрова и отгоняла его, как кота, потому что от мяса можно было подцепить каких-нибудь паразитов и сальмонелл, и бог знает, что еще антисанитарное могло твориться на бойне, чтобы скраситься потом до безопасного состояния термической обработкой.

Пока Петрова чистила картошку, Петров-младший еще сидел, глядя в экранчик телефона, однако Петрова отметила уже, что он как-то все же навострил уши. Когда Петрова стала нарезать картошку соломкой, тут-то сын и полез к разделочной доске и к сковороде, на которой уже шкворчало масло, он вылавливал оттуда еще не начавшие жариться куски картофеля и совал их в рот.

— Господи, — несколько раз повторила Петрова, — я же тебе йогурт купила, ну елки-палки.

Поедание картошки прекратилось, только когда Петрова закрыла ее аллюминиевой крышкой — та быстро нагрелась, и поднимать ее голыми руками было уже неудобно.

Петрова стала нарезать колбасу для омлета, сын полез и в колбасу, было видно, что ему нравится так баловаться, что еще ему нравится вид колбасы, нарезанной кубиками, и то, как они возникают из куска колбасного батона под руками Петровой. Он по-прежнему смотрел в экран телефона и тыкал большим пальцем в кнопки, а другой рукой лез на разделочную доску. Колбасу можно было есть и сырой, поэтому Петрова не возражала, иногда лишь предлагала не готовить ему омлет, а просто кинуть в миску и колбасу, и лук, и разбитые сырые яйца — пускай Петров-младший ест так.

Сын улыбался и отрицательно мотал головой, не отрывая глаз от телефона.

Сбросив колбасу в масло, Петрова стала шинковать лук, удивляясь бессмысленности этого занятия. Петрову-младшему было все равно, как лук нарезан, мелко ли, либо кусками покрупнее, он, кажется, даже любил, если покрупнее, но Петрова почему-то резала, руководствуясь собственным вкусом.

Она одновременно шинковала лук и вспоминала, как познакомилась с Петровым, и при этом наблюдала руку Петрова-младшего, шныряющую за луковыми обрезками. Петрова подумала, что еще в прошлом году руки у Петрова-младшего были совсем другие, такие, как у дошкольника, толстенькие, с ямочками на месте суставов, когда он выпрямлял пальцы, ладони у него были квадратные. Теперь же руки у него стали похожи на руки Петрова, с такими же длинными пальцами, какие-то костлявые, даже слишком костлявые, кисть вытянулась, будто Петров-младший только и делал весь год, что занимался на пианино. И ступни у него стали здоровенные, размер его обуви всего на несколько пунктов отличался теперь от размера обуви самой Петровой. Когда Петрова видела, как сын ходит по дому, ей казалось, что он ходит в ластах. Даже запах у него изменился: раньше он пах или мылом, которым его вымыли, или той грязью, которая на него налипала за день на улице, в детском саду, а затем в школе, теперь у него появился какой-то свой особенный запах, которым пахло у него в комнате. Эти сыновьи метаморфозы если не пугали Петрову, то доставляли ей неудобство. Она начинала чувствовать себя нормальным человеком, одной из библиотечных женщин, которые, обсуждая детей, всегда скатывались в разговор о том, какие дети были хорошие, когда были маленькие. Умом она понимала, что ничего хорошего в этом не было, что нужно было постоянно следить, чтобы с ребенком что-нибудь не случилось, что сам ребенок не мог поесть, не мог прибрать за собой, не мог разогреть себе еду, нужно было все время кувыркаться вокруг него в припадке материнского инстинкта, но сама сердцем чувствовала эту глупую тоску по тому времени, когда сын мог наесться всего одним маленьким стаканчиком йогурта и обрадоваться самой простой игрушке, стоящей копейки, когда он приходил к ним в спальню утром и лез целоваться, когда не мог уснуть без света — вот по этому всему, хотела Петрова или нет, все равно тосковала.

Сын совал руку под нож и доигрался. Сердце Петровой запоздало ёкнуло, когда она услышала хруст и увидела, как сын молча отдергивает руку от разделочной доски, потом Петрову слегка отпустило, когда она поняла, что не отрезала сыну палец, а просто хрустнул кусок лука, и увидела, что сын отвлекся наконец от телефона и смотрит на косой порез, из которого большой каплей выступила кровь и остановилась, поблескивая, как ягода.

Холод шевельнулся у Петровой в солнечном сплетении. Она вдруг как будто приобрела сразу и рентгеновское зрение, и возможность видеть микроскопические детали. Она физически почувствовала, как зрачки ее слегка расширились от вида крови. Она физически ощутила все пять слоев сыновьего эпидермиса — от рогового до базального, как и под каким углом их рассек нож, ощутила и увидела поврежденные мелкие кровеносные сосуды, увидела и почувствовала, как нервные клетки корчатся, посылая сигнал в мозг, в молниеносной чехарде чередуя химическую реакцию с электрическим импульсом. Она увидела, как адреналин, вкинутый в организм надпочечниками, сократил сосуды в его животе, в руках, ногах и на коже, при этом кровеносные сосуды, ведущие в мозг, наоборот, расширились. На миг Петрова увидела, что сын ее вовсе не один из людей, а просто химера, составленная из кишечника, донельзя усложненного эволюцией, который жил своей жизнью, и спинного мозга, который тоже существовал в каких-то других, не человеческих понятиях, а жил какой-то программой, составленной миллионы лет назад. Она увидела миллионы бактерий, шевелящихся на коже сына, в чешуйках ороговевшей кожи, непрерывно сыпавшейся с него, как иглы с засыхающей елки.

Сын не замечал, что Петрова замерла над ним, он просто молча смотрел на порез так и эдак, пытаясь не капнуть на пол кровью, копившейся на пальце. Петрова обнаружила, что по-прежнему держит в руке нож, и осторожно положила его на раковину.

— Доигрался? — спросила она сердито, но с некоторой радостью от своей правоты, потому что уже не раз предупреждала его, чтобы он не совал руки к разделочной доске, когда она готовит.

Сын, опять же молча, обошел Петрову стороной, неся свой порезанный палец наотлет, балансируя выступавшей кровью, при этом вид у него был серьезный и несколько даже гордый, будто он нес не порез, а подушечку с орденами. Он сунул руку под тонкую струйку холодной воды. Петрова с все усиливавшимся холодом в животе смотрела, как кровь, не сразу смешавшись с водой, присутствовала в воде как некая фракция, вроде остатков ржавчины в только что отремонтированном кране, похожая на маленьких красных червячков, которыми отчим кормил своих рыбок, или на акварель, смываемую с кисточки в свежем стакане воды. Кровь красиво заворачивалась в водяной плоскости на дне раковины, прежде чем кануть в слив, а на границе между сливом и раковиной замыливалась, как взгляд импрессиониста.

Чтобы отвлечься, Петрова стала увлеченно ворочать картошку на сковороде и принялась дошинковывать лук. На вопросительный взгляд сына она ответила, что наклеит пластырь, когда кровь остановится. Сын смотрел, как она бьет яйца в миску, наливает туда молоко и взбивает омлетную смесь венчиком. Он то выключал воду над пальцем, чтобы проверить, прекратилось ли кровотечение, то снова включал ее и, хотя кровотечение прекратилось, он совал палец в воду, унимая жжение в порезе. Раза четыре он обмакнул указательный палец другой, уцелевшей руки, в омлетную смесь, и в каждый из этих четырех раз Петрова замечала: «Ты опять?» А сама косилась на ранку сына, пытаясь казаться равнодушной, хотя порез с отставшей белой кожей и этакой интимной краснотой внутри выглядел особенно трогательно и нежно.

Нож больше не был нужен, Петрова на всякий случай убрала его в ящик стола и прислушалась к себе. Блеск лезвия, перед тем как ящик захлопнулся, породил короткую фантазию, в которой сын был наклонен над раковиной с перерезанным горлом, а вода была включена особенно сильно, поэтому Петрова оглядела кухню и на всякий случай убрала в стол еще и ножницы. Петрова поняла, что в этот раз ее пробрало как-то особенно сильно, она почувствовала, что грань между фантазией и реальностью тонка, словно стенка мыльного пузыря. Не имея возможности прикончить кого-нибудь, она компенсировала это тем, что положила руку сыну на загривок и как бы шутливо посжимала его шею двумя пальцами — большим и средним. Сын посмеялся, поежился, но не стал вырываться.

Петрова надеялась, что к утру ее отпустит, при том что никогда к утру не отпускало, она каждый раз в это верила, но уже неторопливо прикидывала, с кем ей пересечься. У нее уже было два кандидата: школьный сторож — любитель анатомии и де Сада — и уголовный муж Алины, махающий кулаками не по делу. Оба варианта вели к тому, что следующего придется оставить навсегда, потому что оба этих персонажа так или иначе имели отношение к библиотеке.

Чтобы отвлечься от холода в животе, Петрова села на кухонный табурет, дотянулась до пульта возле сахарницы и включила мелкий телевизор на полочке в углу. Телевизор установил Петров, потому что любил, чтобы везде, где он находился, что-нибудь звучало. Сын посмотрел на Петрову удивленно. Обычно, когда Петрова не было дома и сын порывался включить «ящик» на кухне, Петрова предлагала ему лучше взять книжку, а иногда не предлагала даже, а приказывала.

Петрова заметила, что руки у нее трясутся мелкой дрожью, и не только руки, само дыхание внутри нее вибрировало, как трансформаторная будка, от осознания того, что она только что чуть не натворила. Никогда еще мысль об убийстве не приходила ей в голову по отношению к близким. Она допускала, что может случайно покалечить мужа, потому что он был все-таки мужчина, но никогда она не думала, что сын ее тоже мужского пола, то есть организм ее до поры даже не помышлял об этом. Сын был для нее совершенно бесполым существом, вроде хомяка, и только сейчас она подумала, что он может вырасти, он на самом деле рос и взрослел, и теперь с этим тоже нужно было что-то делать, не могла же Петрова развестись и с сыном тоже, не могла же она уехать от них без объяснения причин.

— Сходи за пластырем, я заклею, — сказала Петрова сыну.

— А где он? — спросил Петров-младший.

— Ну в аптечке, где еще? — сказала Петрова.

— А аптечка где? — опять спросил сын, очевидно ленясь.

Петрова смерила его таким тяжелым взглядом, что Петров-младший потопал в гостиную, где в шкафу стояла пластмассовая аптечка, желтая от времени, с красным пластмассовым крестом на крышке.

Ни Петровой, ни Петрову не приходило в голову, что аптечки обычно от детей прячут, чтобы они не отравились какой-нибудь ерундой. Петрова решила поделиться этим наблюдением с Петровым, когда он появится у нее или когда она придет к нему.

Сын приволок бактерицидный пластырь и стоял рядом с пальцем наготове, пока Петрова орудовала вынутыми из стола ножницами, сначала неразумно повернув к сыну острия, а потом, заметив, в какой близости ножницы находятся к его фиолетовой фланелевой толстовке, к его шее, торчавшей из ворота, к его щеке, испещренной мелкими, невидимыми глазу капиллярами, отвернулась к столу и еще расставила локти, чтобы сын не сунулся и под ножницы тоже. Сын все равно встал сбоку и раздражающе наблюдал. Затем с укором наблюдал, как Петрова обматывает ему палец. Она, конечно, была виновата, но был виноват в порезе и он сам, о чем Петрова не стала молчать, она выговорила ему, что устала на работе, и принялась, всячески упирая на сослагательное наклонение, описывать, что было бы, если бы она случайно все-таки резанула поглубже, как пришлось бы вызывать «скорую» из-за дурости сына. Он все равно смотрел и нисколько не чувствовал своей вины.

Он уже даже ковырял пластырь, пока Петрова его отчитывала.

Потом они ужинали. Петрова притащила книгу и даже не запомнила какую — прочитывала строчку за строчкой и перелистывала, когда буквы на страницах заканчивались. Петров-младший, почуяв некоторую вину матери, понял, что выиграл просмотр телевизора на кухне, дотыкал до мультипликационного канала с труднозапоминаемым названием и стал, роняя часть еды на пол, смотреть «Тутенштейна» — мультсериал, в обычные дни бесивший Петрову до невозможности. Даже упоминание «Тутенштейна» сыном заставляло Петрову тихо закипать. Еще были в списке мультфильмов, которые она не переносила, «Джимми Нейтрон» и «Черепашки-ниндзя». Относительно других детей эти мультфильмы Петрову не трогали, но то, что их смотрел сын, с удовольствием посмеиваясь, Петрову бесило, ей казалось, что от просмотра этих мультфильмов Петров-младший тупеет. В «Черепашках-ниндзя» ее не устраивало то, что во всех бедах черепах так или иначе оказывался замешан вражеский ниндзя Шреддер, доходило до того, что черепашки, видя пасмурное небо над головой, говорили: «Как-то сегодня очень пасмурно, не иначе в этом замешан Шреддер». Когда она услышала такое, ей, в общем-то, интеллигентному человеку, хотелось заорать в голос: «Сука! Да что же вы такие тупые, может, это просто пасмурное небо!» Но опять виноватым оказывался Шреддер, и черепахам нужно было с ним бороться, в конце следовала битва четырех черепах против одного Шреддера, он, разумеется, убегал, грозя кулаком, и обещал вернуться.

Даже за книгой она не скрывала раздраженных вздохов, когда раздавалась характерная заглавная мелодия «Тутенштейна» — своеобразная этническая поделка, похожая на мелодию, которой волк из «Ну, погоди!» вызывал кобру из корзины, когда изображал факира. Петров-младший не стал искушать судьбу, а побыстрее доел ужин и ускакал к себе, оставив на столе грязную тарелку (Петрова опять раздраженно вздохнула, но сын ее уже не слышал).

Петрова, оценивая холод в животе, пытаясь унять его усилием воли, рассеянно вымыла посуду и за собой, и за сыном, вытерла мелкие ошметки омлета с пола и ушла к себе.

Размазывание ночного крема по рукам и лицу немного ее успокоило, она думала уже не о самóй холодной спирали, а о том, сколько все это может продолжаться. Очевидно, что вся эта ее неуловимость должна была прекратиться или ее усилием, или усилиями правоохранительных органов. Петрова говорила, что этот-то раз будет точно последним. Она злилась, что сын полез со своими руками, если бы не его кровь, неизвестно, когда бы ее еще процепило. Может, если бы она на самом деле отрезала ему палец и бегала бы, вызывая «скорую помощь», это ее как-нибудь отвлекло, может, это было бы настолько ужасно для нее, что спираль даже и не подумала лезть наружу из своего гнезда.

Петрова завалилась поверх одеяла и стала одновременно смотреть в книгу, слушать новостной канал, где раз за разом повторяли про самолет, рухнувший в океан где-то в Африке, про взорванный под Тель-Авивом автобус (и там и там показывали клубы дыма, почти одинаковые, густые, наклоненные влево). Замысловатые телевизионные заставки, которые мелькали вне фокуса ее зрения, походили на учебные пособия по геометрии, поясняющие сечения, отвлекали Петрову от книги, и она зачем-то начинала смотреть на свои голые ноги, торчавшие из-под халата, а потом снова возвращалась к книге, но опять просто прочитывала буквы на страницах и перелистывала. Если не считать того, что внутри нее крутилась холодная ерунда, от которой было невозможно избавиться просто так, было еще какое-то чувство неловкости во всем теле, будто Петрова лежала не на кровати, а в клетке, где невозможно было выпрямиться. Петрова попробовала лечь с книгой так и эдак, но телесная неловкость не проходила. «Ладно бы я на ногах весь день провела, так ведь нет», — недовольно подумала Петрова про саму себя. Затем Петрова поняла, что в комнате всего-навсего душно, и приоткрыла окно. «Вот так», — решила Петрова, когда до нее дошел первый сквознячок, с удовольствием забралась под одеяло и подумала, не надеть ли уже ночнушку. Затем под одеялом стало слишком жарко, а когда Петрова скинула одеяло, ее забило мелкой дрожью, но не той, какая была с ней на кухне, когда она глядела на кровь сына в раковине, а дрожью озноба; Петрова снова укрылась по самые глаза и какое-то время возилась, устраивая одеяло так, чтобы было теплее, и ожидая, когда дрожь пройдет.

«Ох, Морушка», — почему-то подумала она с восторгом.

Она уже представляла, как будет завтра ждать мужа Алины возле парка, какие будут там заиндевелые веточки, какие у фонарей будут особенно острые лучи от того, что она не выпьет жаропонижающее и будет температурить, как ей будет и холодно, и жарко на улице от температуры, пытающейся замедлить прорвавшийся в нее грипп. Как она пойдет в древесную тень за вышедшим из маршрутки мужчиной, пропустив его вперед шагов на десять, затем начнет к нему приближаться, чувствуя в носоглотке прекрасный жар, контрастирующий с холодом в солнечном сплетении, затем левой рукой достанет нож из своего кармана и два раза ударит мужа Алины в область сердца, а один раз — в шею, а затем толкнет его правым плечом в кусты возле тропинки, и он зашевелится в снегу, переживая последние минуты своей жизни, спираль сразу же исчезнет, как будто ее и не было, Петрова даже не оглянется, ну, может быть, разок и оглянется, и пойдет себе дворами на следующую остановку, чувствуя такой жар, будто вернулась наконец в тот огонь, откуда пришла.

ГЛАВА 5
Петрова успокаивается

Утром Петрова поняла, что ни о каком походе на далекую остановку, ни о каком ожидании человека на этой остановке не может быть и речи. Петрова чувствовала себя так, словно не спала эту ночь, а таскала тяжести, ей даже снилось, что она таскает чугунные чушки, похожие на хлеб в магазине, только раза в два длиннее. При этом ни разу за ночь она не встала, чтобы заварить себе «Антигриппин» или хотя бы выпить парацетамола, потому что просто не могла подняться. Единожды ей приснилось, что она таки набралась решимости, добралась до комнаты и даже открыла аптечку, но в аптечке все время попадались не те таблетки, так что поиск нужного лекарства превратился в гриппозный кошмар, в бесконечное перебирание таблеток, которое и преобразилось потом в таскание чугуна. Петрова вспомнила, что на каждом длинном чугунном кирпиче были выдавлены буквы, которые, по логике нагретого мозга, должны были изображать название какого-нибудь лекарства, они и изображали, но это всегда был то левомицетин, то нечитаемая белиберда. Петров рассказывал, что его другу, когда друг грипповал, снилось, что он на уроке геометрии чертит почему-то треугольники. Самому же Петрову, как он говорил, снилось, что он держит на указательном пальце что-то очень мелкое и пытается разглядеть, и в то же время видит, что стоит на огромном поле, плоском до самого горизонта, а вместо неба над ним — огромное лицо, не лицо даже, а один огромный глазище, или даже не так, не глаз даже, а чернота, которая угадывается как чернота зрачка наклоненного над ним глаза.

Почти все то время, от самого пробуждения до того, когда нужно было будить сына в школу, Петрова проторчала в душе, пытаясь то согреться, то охладиться.

Мысль о грядущем убийстве, впрочем, не оставила ее насовсем. Петрова еще надеялась, что, напринимав лекарств, она будет в силах удовлетворить холодную спираль в животе, которая никуда не делась, между прочим. Поэтому за завтраком, когда Петров-младший доедал свой несчастный, доставшийся, можно сказать, с кровью, омлет, а Петрова пила разбавленную кипятком и пахнущую лимонами микстуру, она сказала сыну, чтобы он ночевал у отца, и объяснила это тем, что болеет и не хочет никого заразить. Она, кстати, оговорилась и вместо «заразить» сказала «зарезать», и сын одобрительно рассмеялся над этим.

Петрова вспомнила, что за вчерашним приключением не только разрешила сыну смотреть телевизор на кухне, но и не проверила его уроки. Тут же был распотрошен собранный ранец, и Петрова стонала над тетрадями сына, над его крупным, наивным почерком и наивными ошибками, которые уже бесполезно было исправлять, глянула в дневник, где тройки перемежались четверками. На дневнике были наклейки с «Трансформерами», и Петрова обстонала их тоже. На задней стороне обложки было написано крупными буквами «Петров — лох», и Петрова вслух повозмущалась, почему сын обклеил дневник спереди, вместо того чтобы заклеить эту надпись. Она подумала, что это потому, что надпись на задней стороне обложки не столь уж неправдива, но решила это не произносить, потому что ей было грустно за сына.

Раньше, чем сын успел обуться, появился его бледный, кротко-короткий друг, судя по короткому звоночку в дверь, до звонка он дотянулся прыжком. Петрова вежливо предложила ему чай, печенье, но он лишь краснел в ответ и мотал головой, отказываясь от всего. На голове его была замечательная ушанка — сделанная из какого-то синего непромокающего материала, с фальшивым белым мехом на лбу и внутренней стороне ушей; Петрова спросила, где они купили такую замечательную шапку (у Петрова-младшего была просто вязаная красная шапочка), но бледный друг не знал — наводящими вопросами, на которые можно было отвечать только молчаливыми кивками и помотаваниями головой, Петрова выяснила это у него.

Она проследила из окна, чтобы дети вышли и двинулись в сторону школы и чтобы никто из маньяков за ними не увязался. Петров-младший знал про то, что мать следит за ними из окна, посмотрел на Петрову и помахал ей красной рукавичкой. Петров-младший и его друг двинулись бок о бок, но Петрова заметила, что сын снял рукавицу и показывает другу пластырь на пальце. «Вот крыса», — подумала Петрова, желая услышать, какими словами сын описывает произошедшее.

Оставшись наедине, Петрова померила себе температуру и выпила еще один стакан «Антигриппина», потому что ей показалось, что «Антигриппин» не действует. Он правда что-то не особо помогал — температура была тридцать восемь с половиной. Сидеть в библиотеке в таком состоянии представлялось невероятным. Ну, то есть можно было честно прийти и сидеть, распространяя заразу, но как-то не хотелось, когда была возможность этого не делать. Петрова позвонила начальнице.

— Не могла до Нового года подождать? — спросила та с деланой сварливостью. — Иди, конечно, на больничный, я не собираюсь в постели валяться по твоей милости под бой курантов. Это точно грипп, не какой-нибудь энтеровирус? Ходят тоже читатели, блин, с соплями, с кашлем, так и думаешь, ну вот какого ты приперся такой? Сиди дома. Ох. Это, считай, надолго ты зависла. Сын у тебя еще не болел, а значит, скорее всего заболеет, ты с ним на больничный тоже отпросишься.

Петрова стала уверять, что сын уже достаточно большой, что она не пойдет на больничный еще и с сыном, только тогда начальница отпустила Петрову с миром.

Петрова, мучимая насморком и кашлем, стала собираться в поликлинику и пыталась найти салфетки, чтобы вытирать ими нос. В доме салфеток не оказалось, а новые платки Петрова не очень любила, поскольку они оставляли под носом какую-то прямо кроличью красноту, и приходилось на платках выбирать чистое место, до которого еще не коснулся мокрый нос. Она всячески пыталась побороть насморк мятными каплями, которые, как и платок, ей не очень нравились: мята в них была настолько сильна, что свежесть в носу казалась ядовитой, а у еды и питья после них целый день был привкус эвкалипта. Она выпила средство от кашля с объяснимым уже привкусом эвкалипта и послевкусием очень дешевого белого вина, которое потом еще и начинало отрыгиваться чем-то таким сивушным, что даже и без гриппа, при обычном кашле, каком-нибудь не очень ядреном ОРЗ, не добавляло бодрости и веселья, а при гриппе расстраивало совсем. Самое ужасное, что Петров, болея пару лет назад и купившись на промоутеров на улице, приобрел этого средства от кашля сразу шесть упаковок, и теперь оно с запасом лежало в обеих квартирах, а выкидывать его было жалко, потому что оно, несмотря на чудовищный вкус, все-таки помогало.

В поликлинике таких, как Петрова, была уже целая очередь. Даже к самому окошку регистратуры пришлось стоять и ждать, затем ждать, когда найдут ее карточку, затем ползти на второй этаж по продуваемому лестничному пролету, украшенному плакатами о здоровом образе жизни. Повсюду были эти плакаты с прокуренными легкими, схемами, как правильно делать искусственное дыхание, бинтовать раны и накладывать шины при переломах. Петрова спросила, кто последний, и уселась на кушетку возле кабинета физиотерапии; когда оттуда выходили люди, до заложенного носа Петровой доносился запах озона, смешанный с запахом эвкалипта. Коридор был длинен и сумрачен, освещен только какими-то сомнительными лампочками, когда мимо Петровой проходили люди, пол под кушеткой слегка колыхался. В одном конце коридора и в другом было по окну, в обоих окнах светало, но неравномерно: то окно, что было справа от Петровой, горело розоватым светом, а в том, что было слева, только что-то неубедительно синело, как будто там была больничная палата и проводили дезинфекцию ультрафиолетовыми лампами.

Петрова похлопывала себя своей карточкой по коленям и сидела, разглядывая наглядное пособие для тех, кто зачинает детей в пьяном виде, там были фотографии различных генетических уродств; оглядываясь вокруг, она видела кашляющих и сморкающихся людей, выглядящих немногим лучше фотографий мутантов на стене.

Часа через полтора, когда совсем уже рассвело, когда пара старушек прямо перед Петровой зашли «только спросить», она вползла наконец в кабинет терапевта. Терапевт сидела в марлевой повязке на лице, боясь что-нибудь подцепить от входящих. Терапевт не стала особо докапываться до Петровой, а сразу как-то поняла, что у нее грипп, и начала заполнять голубенькие бумажки на своем столе. Стул, на который Петрову пригласила сесть терапевт, стоял боком к врачу, лицом в стену, на которой был очередной плакат, где объяснялся процесс здоровых родов и родов не совсем здоровых, типа ногами вперед.

Стол терапевта был накрыт стеклом в размер столешницы, под стеклом лежали несколько открыток, грамота и черно-белая фотография, но только непонятно чья (женская, мужская, детская) — солнечный свет, падавший откуда-то сбоку, превратил верхнюю половину окна в сплошное сияние, похожее на сияние ядерного взрыва, так что казалось, будто там не улица, а еще один кабинет с софитами, нижнюю закрывала белая шторка из того же материала, из какого был сделан халат терапевта, солнечный свет давал блик через плечо доктора, и поэтому у фотографии под стеклом было видно только нижнюю половину — вязаный свитер, который мог принадлежать кому угодно.

Зачем-то была включена люминесцентная лампа прямо над головой Петровой, и настольная лампа по левую сторону от врача незаметно тлела в двойном дневном свете из окна и из-под потолка.

Уже прощаясь, терапевт сунула Петровой несколько рекламных брошюр, в которых освещалась с научной точки зрения роль иммуномодуляторов в профилактике простудных заболеваний, Петрова выбросила их все в урну возле выхода.

На улице Петрова долго отпыхивалась и откашливалась, потому что внутри сдерживала себя, как могла. У нее было чувство, что она вышла не из обыкновенного помещения над землей, а из какого-то подвала, почти бомбоубежища, где все было законсервировано еще с давних времен. Снаружи поликлиника выглядела не лучше, чем изнутри, — она тоже походила на что-то древнее, откопанное из пепла только недавно, казалось, если снова зайти внутрь, там будут замершие гипсовые слепки людей, как в Помпеях. Или статуя наподобие Лаокоона, только в роли душащего змея будет выступать змей Асклепия, а в роли Лаокоона и сыновей — пациенты.

Получив законное освобождение от работы, а точнее, от перспективы тащиться через весь город, Петрова ощутила некоторое облегчение в своем состоянии, и она подумала, что, возможно, к вечеру ее хватит на то, чтобы доехать до того места, где живет Алина. Главное было не завалиться в постель и не уснуть до того времени, иначе подняться будет невозможно.

Дома Петрова, чтобы как-то занять себя до вечера, взялась за генеральную уборку и стирку одновременно. Хватило же ее только на то, чтобы вымыть пол в паре комнат, разобрать брошенные как попало вещи в комнате сына и положить их в его же шкаф и загадать не забыть попрекнуть его этим. Также она прибрала на его столе и за компьютером, расставила по полкам его диски, убрала конфетные фантики с подоконника, заправила его постель, потом подумала, разобрала постель, поменяла постельное белье и заправила снова.

Потом она обнаружила, что лежит у себя в комнате и думает, не закончилась ли двухчасовая стирка, а подойти и проверить сил у нее уже не было.

В начале уборки она пооткрывала все окна и даже приоткрыла балконную дверь, чтобы проветрить помещение по заветам плакатов со стен поликлиники. Теперь же подняться и закрыть все это безобразие у Петровой не хватало решимости. Под одеялом она чувствовала жар, а стоило сквозняку дунуть хотя бы на высунутую из-под одеяла ногу, ее начинал трясти озноб.

Все же Петрова, обмотавшись одеялом и трясясь, как от страха, а отчасти и трясясь от боязни малейшего холодка, обошла с дозором свои владенья и снова прикрыла все форточки и балкон. (На ограждении балкона сидела синица и долбила клювом по какому-то мусору, прижатому лапой, но, увидев Петрову, фыркнула крыльями и сорвалась вниз, будто упала.)

По пути до спальни Петрова споткнулась об шнур пылесоса, который забыла убрать, и стала раскладывать его по частям на шланг, пластмассовую трубу, щетку, корпус и убирать все в пахший пылью стенной шкаф, где, помимо пылесоса, ютилась еще высокая стопка книг, которые, по совести говоря, давно нужно было выбросить, потому что это были не просто книги, а собрание сочинений Александра Дюма, попавшее в их дом неизвестным образом, никогда не читанное, плюс к этому собрание «Современного американского детектива» едва ли не семидесятых годов и три разрозненных тома В.И. Ленина (пятый, седьмой и тринадцатый), но рука библиотекаря не поднималась на книги, Петрова ждала, когда Петров или Петров-младший сподобятся совершить вынос книг наружу. Еще в шкафу стояли санки Петрова-младшего, на которых его когда-то возили в детский сад, на которых он должен был кататься, но они пылились и даже как будто немного покрылись ржавчиной от бездействия.

Разбирала Петрова пылесос, так и не сняв одеяло с плеч, единожды она мелькнула в зеркале гостиной, где выглядела как персонаж из фильма Германа про арканарскую резню, про который прочитала в журнале «Премьер» за девяносто восьмой, что ли, год, на фотографиях с места съемки все люди были тоже какие-то больные, убогие и в таких же плащах, похожих на матрасы. Вообще, пододеяльник был веселенькой расцветки, силившейся изобразить цветы на фоне водопада, но уже подвыцвел от стирок, и непонятно было, где у него лицевая сторона, а где внутренняя. Петровой в таком одеянии можно было прямиком направляться на германовскую съемочную площадку.

Упокоив пылесос в его склепе, Петрова решила больше ничего не делать. Счет выпитым кру́жкам жаропонижающего шел уже к пяти, а жар все не проходил, от этого телевизор в спальной говорил как бы сквозь вату, как будто Петрова накинула на него одеяло. На книгу сил у нее уже не оставалось, она хотела только лежать, смотреть в экран и дремать, задернув шторы. «Светобоязнь, как при бешенстве», — подумала Петрова, что развернулось у нее в целый параноидальный припадок: она стала вспоминать, не кусал ли ее какой-нибудь зверь, какая-нибудь кошка в гостях или собака на улице, потому что правда неделю назад бежала за Петровой болонка и цапала ее за ботинки, пока хозяин болонки, извиняясь, не утащил собачку прочь.

На спине лежать было неудобно, Петрова завалилась так, чтобы, приобнимая подушку, лежать на боку, слегка скрючившись в сторону телевизора, внутри которого сначала выхаживали больных львов, потом ловили крокодилов, а потом Петрова переключила на телеканал с советскими детскими фильмами и мультфильмами, и там уже не льва спасали, а наоборот, лев Бонифаций спасал от скуки африканских детишек, всегда как будто повернутых лицом к зрителю своими улыбками, а крокодила не ловили, а он сам пытался поймать слоненка за хобот.

Обнимая подушку, Петрова вспомнила вдруг историю библиотекаря из детского отдела, про то, как та гripповала, вырубалась в бреду и каждый раз находила под боком кого-то нового: сначала она легла, обнимая кошку, но проснулась уже, обнимая собаку, уснула, обнимая собаку покрепче, а проснулась, уже когда рядом с ней лежал ребенок, гревший об нее свою спину и переключавший от скуки каналы. Все тогда умилились этой истории, кроме Петровой, но Петрова не умилилась ей даже сейчас, когда ей самой было плохо, просто вспомнила ее, потому что оказалась в похожем положении.

Петрова уснула под песню «Ты гори, гори, мой костер», начинавшую фильм «Бронзовая птица», но снилась ей почему-то не птица, ей снился кортик — этим кортиком она собиралась порезать мужа Алины, но, подойдя к нему на темной аллее, выяснила, что зарезать его невозможно, потому что его нужно спасать, ибо он наглотался гвоздей. Во сне Петрова долго и мучительно вызывала «скорую помощь». У «скорой» был невыносимо длинный номер, состоявший из умопомрачительного количества цифр, а клавиши на телефоне все время менялись местами, так что оказывалось, что Петрова не набирает номер, а печатает СМС, Петрова копалась в меню, чтобы опять перейти к набору номера, но теперь не могла его вспомнить, наглотавшийся гвоздей муж Алины диктовал ей, она снова набирала номер, но путалась в клавишах, а муж Алины путался в цифрах, которые называл. Петрова вытянула себя из сна чувством возмущения от своей глупости и от глупости мужа Алины.

«Ну ведь ноль три же, елки-палки», — подумала она, видимо, не совсем проснувшись, потому что снова нырнула в тот же сон, чтобы набрать номер из двух цифр.

Внутри сна муж Алины был вполне здоров и про гвозди как будто забыл, вместо того чтобы вызвать врачей, он стал надиктовывать Петровой годовой отчет о проделанной работе в библиотеке, об охвате населения чтением, о проведенных мероприятиях, которые должны были завлечь новых читателей. Особо он давил на ознакомительную экскурсию из школы, когда Петрова объясняла небольшим читателям, где и как находить нужную книгу в каталоге, боясь, что дети, дорвавшись до каталога, растащат карточки по карманам. Описывая тогдашнее состояние Петровой, муж Алины перешел на цветистый язык восемнадцатого века, обильно сдобренный церковнославянизмами. Все это нужно было набирать на клавиатуре телефона с той же скоростью, с какой муж Алины произносил слова. Петрова, к своему удивлению, успевала, но, когда глянула на напечатанное, увидела только мешанину из символов, и в этой мешанине только одно слово можно было разобрать. Это было слово «елико», но она не помнила, чтобы муж Алины его говорил, она даже не помнила, что это слово значит. Муж Алины порывался проверить, правильно ли она написала отчет, Петрова врала ему, что правильно, однако телефон не отдавала, говорила, что отдаст посмотреть как-нибудь попозже, и всячески юлила, а муж Алины был на удивление упорен. Тут в сон подъехала «скорая помощь», и Петрова вспомнила про гвозди, проглоченные мужем Алины.

Она проснулась, с облегчением поняв, что годовой отчет давно готов, но сердце ее еще некоторое время билось тяжело и редко.

Она опять вернулась в сон, надеясь, что досмотрит, чем закончилась эпопея с проглоченными гвоздями. Внутри сна она, с присущей сну логикой, сообразила, что должна все-таки прикончить мужа Алины, но вокруг него было мучительно много врачей, его повезли в больницу, и Петрова, на правах подруги жены, увязалась за ним. Причем дороги до больницы в машине с красным крестом не было, просто реальность извернулась, как в кино, и Петрова начала искать больного по всем палатам, однако нашла только секретный проход из больницы прямо в библиотеку, где работала. Она поняла, что ей нужно всего лишь отлучиться ненадолго с рабочего места. Как на грех, к Петровой пришли родители друга Петрова-младшего, они говорили, что его тиранит мальчик из параллельного класса. «Это который пропал?» — спросила Петрова. «Да, да, — ответили родители. — Нам нужна его карточка, чтобы на него повлиять». Петрова уверяла их, что его читательский билет в детском отделе, если этот хулиган вообще читает, но они настаивали, что нужно поискать читательский билет среди ее читателей. Чтобы избавиться от неловкости, Петрова пробралась обратно в больницу и стала искать мужа Алины. В больнице было пусто и заброшенно, как будто больница вообще куда-то переехала. Казалось, что это был срочный переезд, потому что на полу валялись какие-то документы, кровати в палатах были не убраны, но еще с матрасами и постельным бельем, рядом с койками стояли капельницы на колесиках.

«Я проспала», — догадалась Петрова, снова проснулась и дотянулась до телефона — посмотреть, который час.

Петрова была вся мокрая от пота и первым делом направилась в душ, после него ей показалось, что чувствует она себя лучше и дышится ей как будто легче, это дало ей решимости быстро собраться и выскочить на улицу с ножом в глубоком кармане пальто и сумочкой через плечо. Если бы ее в тот момент увидела начальница, то заподозрила бы Петрову в прогуле.

Нож, который она взяла с собой, был, кстати, обычный кухонный, которым вся семья чистила картошку. Как говорил отчим Петровой: «Ерунда это все про специальные ножи, ну, конечно, можно ими дрова рубить и все такое, а чтобы человека грохнуть, ничего особо не надо. Если бы человека можно было только специальным ножом убить, откуда бы эти все пьяные новости про людей, которые поссорились, и в пылу спора один другого ткнул вилкой — и привет». Он, может, и не совсем был уверен в своей правоте, но правота эта подтверждалась Петровой практически. Вообще, не надо никаких ножей, пистолетов, другой ерунды, говорил отчим, боишься, что кто-то нападет, ты ответишь, а потом садиться придется за превышение, так носи отвертку в кармане, баб все равно не останавливают, пару раз ткнешь в рыло, человек успокоится, а тебя ищи-свищи, главное, не тычь десять раз в живот, десять раз в сердце, так сразу начнут или бабу искать, или маньяка какого, буквально пары раз хватит, а если человеку не судьба помирать, так хоть бензопилой его пополам перепили, он все равно жив останется. Вон в новостях показывали хозяйку цветочного киоска, ее наркоман десять раз ткнул ножом, так она его еще и задержала, а потом еще и интервью давала «Ермаку».

Петрова не испытывала никакого волнения от того, что собиралась сделать, она просто хотела убрать холод из живота, а для этого нужно было совершить ряд совершенно обыкновенных действий, не требующих особых навыков, по крайней мере, она так считала; она почему-то думала, что в убийстве человека нет ничего сложного, всегда это получалось у нее как-то естественно и спокойно, даже когда спираль в животе делала холод невыносимым, даже когда это было спонтанно.

Торопиться было особо некуда, температура на какое-то время отступила, и Петрова решила прогуляться пешком пару остановок, а то и вовсе дойти до центральной горбольницы и там уже пересесть на какой-нибудь транспорт до Онуфриева. На перекрестке с Белореченской Петрова зашла на открытый рынок и поглядела, нет ли там шапок, таких же, как у друга Петрова-младшего. Продавец навяливал ей вязаные шапочки, так что она еле отбилась, купив зачем-то пару носков. Мужа Алины Петровой не было жалко, а вот к торговцам на этом рынке, целый день, с утра до ночи стоявшим возле своих палаток, она испытывала искреннее сочувствие, она знала, что не смогла бы так пылиться под снегом, на таком морозе, попивая чай из термоса и выдыхая наружу беспомощный пар. В своих тулупчиках, надетых один на другой, в своих многочисленных штанах, с этим паром, с этим инеем на бровях и капюшонах продавцы рынка напоминали Петровой отчего-то застрявшие в снежной глуши паровозы из какой-то книги.

После рынка она зарулила в «Мак Пик» на углу и съела там половину бутерброда, только половину, потому что больше в нее не влезло. Кассиры закусочной разительно отличались от торговцев шмотками на улице, хотя по сути и те, и другие были работниками торговли. В закусочной на кассе стояла молодежь, нарочито позитивная, это слегка отпугивало привыкшую к спокойным библиотечным лицам студентов Петрову.

Неподалеку от нее в закусочной сидели бабушка и внук, похожий по возрасту на дошкольника. Внук по-взрослому шипел на бабку и почему-то утверждал, что она дура. Смотреть и слышать такое Петровой было невыносимо так, будто этой бабкой была она сама. Бабушка как-то спокойно и безропотно что-то отвечала внуку, а тот только разъярялся от ее слов, но шипеть не переставал, это было хуже, чем если бы он истерил и бесился. Рядом с внуком стоял скрипичный футляр. Заметив футляр, Петрова довообразила балуемого юного таланта с вежливыми шипящими родителями и вспомнила, как отчим, доведенный до отчаяния матерью и тещей, а также своей матерью, уходил курить на балкон, возвращался, а его начинали пилить по новой, он тоже орал в ответ. Петровой казалось, что лучше уж поорать и побить тарелки, чем шипеть по углам. После скандала отчим иногда заходил в комнату Петровой (это было, когда она еще училась в институте и жила у родителей), падал, отпыхиваясь, на кровать или стул и спрашивал Петрову:

— Ну ты хоть за меня?

— Да за тебя, за тебя, — сварливо говорила Петрова.

— Ну слава богу, — всегда говорил отчим, — мы единственные мужики в доме, нам надо вместе держаться.

Это была язва в сторону младшего брата Петровой, в то время старшеклассника, который собирался становиться кондитером. Младший брат с самого раннего возраста научился кривить такое же лицо при виде пьяного отчима, какое кривила мать, и часто присутствовал при семейных ссорах на стороне матери, но голос тогда еще не подавал — оказывал только молчаливую поддержку, а отчим пытался вытащить из него какие-то слова путем подначивания. Раньше, когда мать брала перерыв в ссоре, чтобы отдышаться, отчим успевал вставить пару колкостей в сторону сына, а в бытность брата выпускником напирал на выбор профессии: «Что скорчил рожу, поваренок хренов?», мать кричала: «Не лезь к ребенку, придурок, протрезвей сначала!» — и ссора закипала с новой силой. Петрова уже съехала от родителей, когда между отчимом и братом случилась короткая битва на кулачках. Мать позвонила Петровой на работу и описала так, будто произошла едва ли не поножовщина, хотя брат дал отчиму в челюсть, а тот стукнул ему в печень, причем на этом драка и завершилась. «Ну не его это — кулаками махать, — говорил потом отчим. — Может, это и к лучшему, что не его».

Можно было по-всякому относиться к отчиму, не слишком он был умный, не слишком начитанный, но она знала, что если ее припрет рассказать о том, что у нее творится в голове и чем она занимается в свободное от работы время, то рассказать это можно будет только отчиму. Она примерно представляла, что скажет на все это отчим, все эти его «ну ни фига себе» и «ну ты даешь, девка», но знала, что потребность выговориться у нее когда-нибудь все равно наступит, как наступили в свое время месячные, о которых замкнутая Петрова ничего не знала, и отчим, отсыпавшийся после ночной смены на заводе и разбуженный рыданиями Петровой, вынужден был объяснять ей с этими вот «ну ни фига себе» и «ну ты даешь, девка», что Петрова совсем не гибнет в страшных мучениях.

Холод в животе вытянул Петрову на улицу, так что она не дождалась развязки в сценке «Бабушка и внук». Да и нечего было ждать, бабушка была слишком кроткая для того, чтобы взорваться внезапным подзатыльником или грозным окриком и поставить маленького говнюка на место.

На улице начинало темнеть. Возле перекрестка, через дорогу, стоял малиновый катафалк, Петрова почему-то посчитала это хорошим знаком, она прошла мимо магазина «Кировский» и пошла вдоль длинного дома с малиновой крышей. Где-то здесь возле дороги, году в девяносто восьмом шла то ли реконструкция здания, то ли стройка, отгороженная от тротуара добротным деревянным забором с приделанным снизу деревянным настилом с крышей. Это было осенью, на дороге была огромная лужа, Петрова шла по настилу между забором и лужей, и двадцать первый автобус медленно въехал в эту длинную лужу — огромная волна, высотой едва ли не в человеческий рост, красиво окатила беспомощных пешеходов, которым некуда было деваться, и залила и Петрову тоже. Почему-то тогда все умытые из лужи только и могли, что рассмеяться, и Петрова тоже смеялась над чьим-то сложенным водой зонтиком и грязными мордами, и над ней тоже смеялись. Теперь все стали серьезнее, а прошло-то всего несколько лет. Это была осень как раз после дефолта, но его восприняли как-то весело, а теперь дефолта не было, приближался Новый год, а все ходили по улицам какие-то озабоченные. Вроде бы и одеты все были лучше, и лица были более сытые, чем в девяностых, а вот чего-то людям не хватало. Не хватало как будто какой-то суеты. Раньше городские жители были похожи на тараканов, потому что бежали на какие-то халтуры, спешили в какие-нибудь места, где можно было подешевле купить вещи и продукты, торопились на автобус так, будто это вообще последний автобус по этому рейсу, спешили вернуться домой, чтобы не пересечься в темном подъезде с каким-нибудь шальным наркоманом. Теперь все ходили по городу, как коты по квартире.

Все настолько изменилось, что Петрова не нашла цыган на остановке возле больницы. Вроде бы цыгане всегда были там, подлетали к пригорюнившимся провинциалам и не только провинциалам с очевидным «вижу, горе у тебя, дай погадаю». Раньше цыган была прорва, а милиционеры на остановке демонстративно смотрели в противоположную от них сторону. Цыганам не нужно было далеко ходить на работу, потому что их поселок примыкал почти что к больнице. Не было попрошаек, сидящих прямо на снегу, видимо, всех их разогнали вместе с цыганами. Большой павильон, где раньше торговали видеокассетами, торговал теперь дисками с играми и фильмами. Петрова давно не ездила в эту сторону, поэтому изменения были ей так заметны.

На остановке был еще киоск с мороженым, и люди покупали это мороженое и ели прямо на улице.

А вот автобусы нисколько не изменились, они были такие двойные, с резиновой гармошкой посередине, всегда было в этих автобусах не очень тепло зимой, а летом — невыносимо пыльно и жарко. Надголовники сидений были как бы изгрызены пассажирами. Вообще, автобусы имелись двух типов: совсем уж старые желтые автобусы, у которых резиновое покрытие на полу местами было протершееся и сквозь дыры в резине был виден металл корпуса (Петрова слышала в новостях, что одна женщина даже провалилась както сквозь этот потертый пол, но застряла где-то посередине между автобусом и проезжей частью), и еще почти новые автобусы, синие снизу и белые сверху, — эти были получше. Именно такой автобус, поновее, подъехал к остановке, из него вывалилась куча людей, потому что очень много пассажиров ехало именно до больницы, так что салон остался почти пустой.

Петрова проехалась до Онуфриева, разглядывая по пути обширные пространства вдоль улицы Бардина — с той стороны, где она сидела, был виден парк Чкалова, и все дома по этой стороне были отодвинуты от дороги довольно далеко. По другую сторону дороги было отстроено кирпичное здание с окном в виде большого креста, затем тоже были пустоты и пространства с гаражами, стоял в стороне от домов детский клуб. Зимой парк выглядел как чистое поле с редкими деревцами и редкими людьми, парк убирали от снега, и так, без сугробов, он смотрелся еще более пустынно. Ветер был такой, что мячик, брошенный мужчиной собаке (он выгуливал ее в парке, на глазах у всех пассажиров), улетел невероятно далеко и еще очень долго катился, подталкиваемый двигавшимся воздухом; собаку, чью шерсть вздыбило ветром, буквально дотолкало до мячика, зато обратно она бежала с трудом, разглаженная ветром шерсть превратила ее из лохматой собаки в гладкошерстную, в как бы гончую (хотя это был тупой золотистый ретривер). Сцену вращало вместе с тем, как Петрова двигалась в автобусе и слышала, как воздух трется снаружи об его обшивку, и подвисавшая в движении собака, проворачиваемая благодаря относительности движения, выглядела как спецэффект из «Матрицы».

Были еще две пары бегунов, чей пол и возраст скрывало расстояние до них и спортивные костюмы, как будто одинаковые что у мужчин, что у женщин. Те бегуны, которых ветер подталкивал в спину, кренились назад и, казалось, только перебирали ногами, словно притормаживая, чтобы их не унесло в самый дальний конец парка. Те же бегуны, что двигались ветру навстречу, наоборот, клонились вперед и вроде бы бежали, но это уже не походило на бег, а походило на некую ходьбу с высоким задиранием коленей и прыжками, это походило на некую пантомиму, походило на медленную езду на велосипеде без велосипеда.

На Онуфриева, когда все разошлись, Петрова осталась одна. Ей показалось, что так она будет слишком заметна, и перешла на другую сторону дороги, где автобус разворачивался и сажал пассажиров, которые собирались двигаться в сторону центра. На той стороне дороги, откуда Петрова ушла, стояла палатка, где продавали чебуреки, и, хотя Петрова знала, что жарят их бог знает из чего, жарят, может быть, целый день в одном и том же масле, пахло из этой палатки на всю улицу очень аппетитно, чадом чебуреков перебивало запах эвкалипта в ее носу и запах спирта, шедший изнутри Петровой.

Подъезжали автобусы и маленькие оранжевые маршрутки, оттуда выходили люди и неторопливо расползались кто куда. Она не видела, как люди выходят, транспорт загораживал ей обзор, она видела людей, только когда транспорт отъезжал, будто кулиса. Зато она видела, как люди садились в автобусы и маршрутки. В автобусы пассажиры взбирались, цепляясь за поручень на двери, аккуратно балансируя на льду обочины, чтобы не упасть, а в темноту маршруток ныряли, как в никуда, и сразу же пропадали. Петрова боялась, что пропустит приезд мужа Алины, хотя он и был достаточно крупным, чтобы не затеряться в толпе.

Стало темнее, зажглись фонари, пошел снег, но не сильный, едва заметный снегопад, похожий на снежную пыль, подвешенную в воздухе. Петров был прав насчет ее пальто, оно почти не грело. Даже люди, одетые потеплее, чем Петрова, и то ежились в своих пуховиках и шубах, разнообразно маневрируя возле ветра, так, чтобы он не дул им в лицо. Особенно заметно мерзла почему-то передняя сторона бедер и нос. Как бы Петрова ни вставала, ветер все равно начинал дуть ей именно в лицо.

От того, что Петрова остыла на морозе, насморк усилился, она уже не убирала платочки в карман или сумочку, а все время держала их в руках, жалея, что за весь день не удосужилась купить салфетки. Она могла еще зайти в ближайший киоск или хозяйственный магазин неподалеку, однако опасалась, что муж Алины подъедет именно в это время. Она боялась, что уже пропустила его, что все впечатления о нем были предвзяты, что он мог оказаться не таким уж и высоким, не таким уж широким и не такая у него могла быть походка вразвалочку, как запомнилось ранее Петровой. У него, в конце концов, мог быть выходной. Впрочем, спираль в животе редко обманывала Петрову и всегда приводила к людям в правильное время и в правильное место.

Петровой в этот день везло на всякий служебный транспорт, попадавшийся ей на глаза. Когда она вышла из «Мак Пика», она видела катафалк, когда стояла на Онуфриева, сначала, как бы расталкивая автобусы, неторопливо проехала посередине узкой проезжей части длинная пожарная машина, моргая мигалками невыразимо красивого синего оттенка. Внутри нее сидели люди, поглядывавшие на людей на обочине сверху вниз. Кстати, никогда Петрова не видела, чтобы пожарная машина летела по дороге, как в кино, всегда она ехала чуть быстрее автобуса, нагоняя панику крякалкой, сиреной и мигалками.

После пожарной машины молча проехал милицейский «уазик», и лица внутри «уазика» выражали скуку. Если пожарная машина укатила куда-то в сторону леса на краю города, где вроде бы и ничего и не горело, то милицейская поехала куда-то во дворы, отодвинув в две стороны людей на остановке, отодвинув и Петрову тоже. Автомобиль проехал настолько близко, что Петрова даже встретилась глазами и ободряюще улыбнулась одному из милиционеров на пассажирском сиденье из-за своего платочка, а он не изменился в лице, а лишь поправил серую кепку на голове, даже не поправил, а как бы проверил, насколько ровно располагается козырек. «Совсем уже охренели», — сказал кто-то.

За милицейской машиной, прямо след в след подъехала «скорая помощь». Тоже не было никаких мигалок и сирен. «Скорая» тоже растолкала людей и подалась куда-то дворами.

Петровой стало тревожно, не случилось ли чего с мужем Алины. Успокаивало только то, что милиция и «скорая» ехали совсем не туда, где жила Алина.

После «скорой» транспорт угомонился, и по улице проезжали только легковые автомобили — маршрутки и автобусы приходить перестали, отчего на остановке стала копиться толпа. И в этой толпе тоже не обошлось без внука и бабушки, внук не грубил, а все время пропадал среди стоящих людей, а бабушка звала его по имени: «Ихор! Ихор!», что было не похоже на имя, и, видимо, поэтому внук на него и не откликался, а даже напротив, отделился от толпы на некоторое расстояние и стал лепить снежки и бросать их сначала в стену киоска, пытаясь разбить одно из больших зеркал, которыми киоск был оклеен со всех сторон, а затем стал швыряться в проезжающие машины.

— Ихор! Ихор! — кричала бабушка еще более отчаянно, однако не пыталась ловить внука, тем более что на морозе снежки лепились не очень хорошо и рассыпались в воздухе, оставляя стрелы снежной взвеси, направленные в сторону дороги.

Пока бабушка шумела и возмущалась, быстро подъехала маршрутка, плотно и быстро заселилась людьми и так же быстро уехала. Бабушка звала внука все время, пока люди занимали места, а когда маршрутка уехала, собрала все силы, помогая себе гневом, поймала шустрого внука и стала бить в него, как шаман в бубен, гоняя его за руку вокруг почему-то Петровой. Бабушка говорила много слов, но Петрова разбирала в ее речи только знакомое ей уже слово «Ихор».

За всем этим наблюдал только высокий мужчина с портфелем, стоявший тут же, и мужчина, закрывавший на ночь киоск с чебуреками.

— Вы ему так почки отобьете, — крикнул продавец чебуреков через дорогу.

— Да я его вообще сейчас затряхну, — призналась бабушка и продолжила гонять его возле Петровой и выбивать из него плюшевые звуки, в ответ на которые внук только смеялся, потому что на нем было слишком много толстой и теплой одежды, а бабушка была слишком чахлой. Единственное, чего она добивалась, так это того, что голос внука слегка ёкал, как от икоты, когда она по нему стучала. Эта икота не прерывала его смеха.

Так же смеясь, он поднял глаза на озабоченную ожиданием Петрову и, так же смеясь, сказал, что у нее кровь.

Бабушка посмотрела на Петрову и охнула. Петрова подошла к киоску и посмотрелась в его зеркало. Она даже не заметила, как кровь, вытекая из носа и протекая по подбородку, накапала ей на пальто, она даже не почувствовала вкуса крови на губах. За все это стояние на морозе она так привыкла подтирать себе нос, что не обратила внимания, что платок наполовину черен от крови (в свете уличного фонаря кровь казалась именно черной, с алым отливом).

Она стала вытирать лицо снегом и прикладывать снег к переносице, а кровь не останавливалась.

— Я думал, у вас шарф на лице, — оправдываясь, сказал мужчина с портфелем, когда Петрова зачем-то оглянулась на него.

Платки, варежки, лицо Петровой — все было уделано ее собственной кровью, и только на пальто крови не было заметно, и на снегу возле Петровой было совершенно чисто, как будто кровь, капая в сугроб из ее носа, прожигала снег до самой земли и замыкала снег за собой.

Она почему-то увидела себя со стороны, как бы с крыши чебуречного ларька, как она стоит скрюченная и жалкая, горстями выбирающая из сугроба снег и прикладывающая его к лицу. Мужчина с портфелем зачем-то подошел к ней и бессмысленно стоял рядом, сочувственно наклонившись. Петрова косилась на блестящую застежку его портфеля, в которой имелось некое движение — причудливая, искаженная проекция шевеления, происходившего на улице.

Петрова сняла окровавленные рукавицы и посмотрела на свои руки, просочилась ли кровь на них, и ничего не увидела в желтом фонарном свете.

— Может, вам такси вызвать? — озабоченно спросил мужчина.

Петрова покачала головой.

— Я недалеко живу, — сказала она.

— Может, тогда вас проводить? — спросил мужчина.

— Да нет, всё уже, — ответила Петрова и поняла вдруг, что это «всё» относится не только к кровотечению, а и к спирали в животе тоже: видимо, спираль, сначала разбуженная видом крови, а потом удовлетворенная видом опять же крови, свернулась обратно.

Петрова затихла, прислушиваясь к себе и радостно дыша, она боялась вспугнуть то чувство освобождения, что ее настигло.

— У вас еще возле уха осталось, — подсказал мужчина.

— Да ерунда это уже, — отмахнулась повеселевшая Петрова.

Оказалось, что, помимо мужчины, бабушка с внуком тоже стояли рядом, просто по другое плечо Петровой, а поскольку она смотрела только на мужчину, они до поры оставались незамеченными. Внук по-живодерски вглядывался в черный платок Петровой.

— Варлокординчику дать? — спросила у Петровой бабушка, не дожидаясь ответа, она уже копалась в своем бауле, перекинутом через плечо. — Или клопелинчику?

Старушка была настолько стереотипной с этими ее оговорками, ужимками, оханьями, что безумной Петровой казалось, что старушка ненастоящая, что старушка переигрывает свою роль, вытаскивая из баула попеременно то пакет с документами, даже не один пакет, а пакет в пакете и еще раз в пакете, то завязанный пакет с ключами, большой кошелек со счетами за квартиру, маленький кошелек с мелочью, средний кошелек с лекарствами, откуда она стала доставать таблетки и, шевеля губами, вчитываться в надписи на упаковках, затем спохватилась, что не нашла кошелька с деньгами, и принялась искать его. Петрова при этом продолжала отказываться от лекарств.

Окруженная бабушкой, внуком и мужчиной (мужчина и бабушка поддерживали ее с двух сторон за локти), Петрова была посажена в автобус и поехала обратно. Мужчина ехал до метро, бабушка с внуком — до вокзала, Петровой нужно было выходить раньше всех, и по этой причине бабушка шумно переживала за Петрову, боясь, что та где-нибудь потеряет сознание, ее примут за пьяную, и никто не подойдет, чтобы помочь. Петрова устало уверяла, что ничего не потеряет. Внук, посаженный рядом с Петровой, вопросительно обтыкивал пальцем ее карман, куда были сложены рукавицы и нож, вот как раз нож его и заинтересовал, но он не мог понять, что это такое, потому что ткань пальто и рукавицы скрадывали форму ножа, а руку, которую внук пытался засунуть в карман и посмотреть, что же там такое, Петрова аккуратно отводила в сторону.

— Это у вас линейка там? — спросил внук. — А зачем?

— Я учитель математики, — соврала Петрова, — у нас так положено, линейку везде с собой таскать.

Она отвязалась от одного ребенка, для этого ей пришлось выйти одной остановкой раньше, и тут же на нее насел другой ребенок, на этот раз ее собственный.

Сын в кои-то веки воспользовался телефоном не как игрушкой, а по назначению. Петрова вообще еще не привыкла, что телефон у нее всегда с собой, кроме того, платить за него нужно было в центрах связи, для этого приходилось стоять в очереди, так что она пыталась экономить на телефонных звонках. Петрова вообще не очень понимала этот подарок от мужа. Сотовая связь была еще не везде и могла непредсказуемо обрываться в самых неожиданных местах. Например, в центре города, возле плотинки, связи почему-то не было, не было ее и в метро, и в библиотеку проще было звонить на стационарный телефон, потому что в районе библиотеки все, что было ниже третьего этажа, не поддавалось сотовой связи компании «Мотив». Петрова подозревала, что создатели компании «Мотив» специально назвались так, чтобы снять с себя всякую ответственность за происходящее с подключенными к ним телефонами, типа, мотив же — это что-то такое неуловимое, игриво витающее в воздусях.

За телефоном нужно было следить, чтобы он не разряжался, не потерялся, чтобы не забыть его где-нибудь, чтобы его не украли. Кроме того, в моду стали входить беспроводные гарнитуры для телефонов, и улицы наводнили персонажи со стеклянными от сосредоточенности глазами, разговаривающие как бы сами с собой, они начинали говорить внезапно, принимались смеяться или переживать, и Петрову это как-то нехорошо будоражило.

— Мама, можно я завтра в школу не пойду? — спросил сын, заехав для экономии денег и времени сразу с самого главного.

— С какой стати? — спросила Петрова, тоже не особо церемонясь.

— Мне плохо, — сказал сын, — у меня, наверно, температура. Я заболел.

Голос у него и правда был больной. Не такой страдающий, как если бы это была симуляция, а такой, что весь жар, накативший на Петрова-младшего, был слышен в телефонном микрофоне, когда он произносил гласные и шипящие.

— Ладно, я сейчас приду. Ты у папы? — спросила Петрова.

— А где мне еще быть-то? — спросил Петров-младший с претензией на то, что Петрова сама должна помнить, что отправила его к отцу.

— Ну попроси папу температуру тебе проверить, — сказала Петрова с претензией на то, что она у Петрова-младшего не единственный родитель. — Он дома вообще?

— Нету его, — сказал Петров-младший.

— А поесть-то там есть чего? — поинтересовалась Петрова и подумала, что этот вопрос должен был занять ее еще утром, когда она спроваживала сына переночевать в другом месте.

Сын в ответ раскашлялся сухим долгим кашлем, Петрова вторила ему кашлем влажным и снова почувствовала, что в носу у нее что-то захлюпало, а в носоглотке запахло свежей кровью. Запрокинув голову, Петрова выслушала, что у Петрова дома есть еда, но только колбаса и пельмени, а Петров-младший хотел чего-нибудь попить, чего-нибудь вроде сока и съесть чего-нибудь вроде йогурта или мандаринов. «Вот прекрасно, я сейчас попрусь в магазин», — подумала Петрова едва ли не с восторгом от того, как она, окровавленная, будет шарахаться по супермаркету.

Из магазина Петрова шла, прислушиваясь к тому, как ведут себя мелкие сосуды в ее носу, она представляла, что они у нее вроде тонких хрустальных трубочек, может быть, даже покрытые какой-нибудь мелкой гравировкой снаружи, изображающей переплетающиеся травы, перемежающиеся цветочками. Магазинный пакет хлопал ее по ноге. Запах подпорченного лука был в магазине так силен, что перебил запах эвкалипта и крови в носу Петровой, всю дорогу до дома она подносила рукав к лицу и нюхала, проверяя, не въелся ли этот запах в ее пальто, хотя это не имело значения, потому что пальто все равно нужно было стирать.

«Странно, машина на месте», — подумала Петрова, увидев автомобиль мужа на стоянке. — Может, уже приехал».

Первое, что она сделала, когда вошла, это разулась, прошла на кухню и переложила нож из кармана в стол, затем сунула рукавицы и пальто в стиральную машину, поставила режим для стирки шерсти, и уже оставалось только насыпать стирального порошка и нажать кнопку, но тут она услышала шуршание пакета на кухне и пошла проверять, как там сын.

Сын, чуть более хмурый, чем обычно, ковырялся в покупках и разочарованно разглядывал стаканчик с вишневым йогуртом — вкус вишни Петров-младший не любил и продолжал шарить в пакете, пытаясь найти что-нибудь, что ему бы нравилось. Петрова помнила, что сын не любит вишню, но только когда сын был рядом; в магазине у нее в памяти возникала смутная ассоциация «сын-вишня», реклама сока «Фруктовый сад», и это ее запутывало, ассоциацию эту можно было трактовать двояко, поэтому она каждый раз покупала вишневый йогурт, который потом съедал Петров, и какой-нибудь любой другой, который съедал Петров-младший.

Петрова с удовольствием пощупала сыну лоб и с удовольствием ощутила его жар, пока что не отличавшийся от жара ее собственного; ей нравилось, когда сын был горячий, если бы это не угрожало его жизни, она была бы не против, чтобы он всегда был такой, с температурой нагретого на солнце кирпича и с поблескивающими от жара глазами. Петров-младший нацепил на себя теплые вещи: свитер, ватные штаны и шерстяные носки — и простуженно дышал одновременно ртом и носом. Пластырь на его пальце стал совсем серый, но Петров-младший почему-то его не снимал.

Петрова сходила за аптечкой и перемерила температуру и себе, и сыну. Температура у них обоих оказалась почти одинаковая — тридцать девять, Петрова была горячее на одну десятую, но после кровопускания и прогулки чувствовала себя очевидно бодрее сына, который делано или вовсе не рисуясь, страдальчески шевелился на табурете, куда уселся, чтобы есть банан и жадно пить апельсиновый сок.

Она собиралась позвонить Петрову, выяснить, где его носит, но, скорее всего, его носило по его яме, а Петров не любил, когда ему звонили на работу. Если он был под машиной, ему нужно было бросать ключи, вылезать, снимать перчатки, осторожно пытаться забраться в карман дубленки, чтобы ничего не замарать литолом или машинным маслом, потом повторять все в обратной последовательности, причем под конец всегда нужно было находить нужный ключ, а он загадочным образом закатывался у Петрова куда-нибудь в карман или в кофр с ключами или оказывался на верстаке среди других ключей, поэтому заранее предвкушавший эти поиски Петров был не очень хорошим собеседником, он был даже несколько резок, когда ему звонили по пустякам, а вопрос, где его носит, мог вообще привести его в бешенство, которое он не выражал напрямую раздраженным воплем, как отчим, а начинал тягостно вздыхать незаметно для себя, и Петровой хотелось придушить его, когда он так вздыхал.

От Петрова-младшего не ускользнули огрехи в материнской внешности, он спросил, почему у нее на шее засохла кровь и почему у нее желтые руки. В желтом свете уличного фонаря Петрова не разглядела этой желтизны присохших к рукам эритроцитов и только на кухне увидала, что все это выглядит так, будто она окунала руки в марганцовку несколько дней тому назад, ладони от крови были на ощупь будто лакированные.

Петрова приняла душ, внимательно смывая с себя запах магазинного лука и ржавые пятна, она долго выковыривала из носа острый на ощупь кровяной песок, тут же таявший в воде, как соль, и косилась на молчаливую стиральную машину, стараясь не забыть, что ее нужно включить. Однако, так и не начав стирку, она переоделась в домашнее и пошаркала в тапочках в спальню, где посмотрела свежую страницу комикса, непонятного из-за того, что Петрова никогда не следила за сюжетом, а просто всматривалась в картинки, удивляясь тому, насколько нарисованное Петровым похоже на напечатанное где-нибудь в типографии. Петров рисовал черно-белые комиксы, но Петрову изумляло, как он точками разного размера, расставленными в шахматном порядке, передает, допустим, зелень листьев или блеск на металле. В спальне Петровой стало скучно, потому что температура начала ее отпускать, а по телевизору не шло ничего интересного, поэтому она пошла обходить квартиру в поисках сына, чтобы подоставать его и как-то развлечь себя этим.

Сын сидел за телевизором в гостиной и играл на консоли в какую-то гонку. Петрова предпочла бы, конечно, мрачное рубилово, что-нибудь из пострелушек, чтобы кишки летели на стены и все такое, но она подсела к сыну и стала спрашивать, есть ли у гонок режим на двоих, сын сначала отнекивался, потом включил этот самый режим, надеясь победить, но несколько раз проиграл, вылетая с трассы, а когда Петрова выбила его с дороги перед самым финишем, когда он почти выиграл, сын мрачно надулся и перестал отвечать на вопросы, есть ли что-нибудь, где он может выиграть, или есть ли что-нибудь, где можно играть не против друг друга, а что-нибудь, где можно вдвоем крошить электронных чудовищ или же людей. Затем она согласилась прокатиться на машинах еще раз и обещала поддаваться, чтобы сын выиграл, Петров-младший со скрипом согласился. И опять ему не повезло, потому что он разбил машину где-то посередине пути. Петрова не выдержала и рассмеялась, но отдала свой контроллер сыну, чтобы он смог отыграться на ее машине, тот поотнекивался для виду, но потом взял и очень долго раздалбывал машину Петровой об столбы и другие машины, потому что так сразу, как он разбил свою машину, расправиться с машиной Петровой у него не получилось.

Больная бессонница двух дней дала о себе знать — прямо на середине баскетбольного матча, которым сын сменил гонки, Петрову стало клинить. Она даже поймала себя на том, что выронила контроллер из рук, и при этом ей снилось, что она продолжает гонять по площадке поскрипывающих подошвами кроссовок баскетболистиков. От Петровой болезнь отступила, а в сыне грипп только начал как следует разгораться, и Петров-младший незаметно и для себя, и для матери залез под покрывало дивана и продолжал играть уже оттуда.

— Не, я всё, — сказала Петрова, не в силах сдержать зевоту.

Сын что-то разочарованно пробухтел. Петрова, собравшись с силами, приготовила сыну сразу две кружки жаропонижающего и поставила их на журнальный столик возле дивана, где он собирался спать. Если бы сын не болел, Петрова прогнала бы его в его комнату — а так ей было неловко и за порезанный его палец, и за то, что она уже выздоравливает, а он только начинает болеть, кроме того, она сомневалась, что он, болея, сможет пойти на елку в ТЮЗ, куда ему был куплен билет, и эту новость еще нужно было сообщить и както сгладить его будущее разочарование послаблениями на сегодня. Петрова знала, что сын, скорее всего, засидится за телевизором допоздна, что это не самый лучший режим для больного — будоражить горячую голову компьютерными играми и мультфильмами, но в том, чтобы сидеть возле его постели и следить, как сын болеет, Петрова тоже не видела смысла. То есть она, конечно, видела в кино, как матери сидят возле мечущегося в жару ребенка и горестно вздыхают, слышала истории в библиотеке о бессонных ночах, проведенных возле больных детей, но самой ей в те моменты, когда температурящий сын ворочался во сне, издавая всякие жалкие звуки, хотелось его добить, чтобы он не страдал. Петровой нравилось, как сын болел в раннем своем детстве, года в два, — с температурой под сорок он не валялся беспомощно, а наоборот, был игривее и бодрее, чем обычно, он не желал спать, а желал катать игрушечную машину по дому, гневно отбивался, когда его пытались уложить, сам одевался и раздевался, в зависимости от того, знобило его или бросало в жар.

После того как Петрова оставила сыну лекарства, она доползла до постели, и ее выстегнуло до утра, так что она проснулась, когда было уже светло, с ужасом стала собираться на работу, затем вспомнила, что взяла больничный, затем вспомнила, что сын тоже болеет, проверила, как он там на своем диване. А он как будто и не вставал, как будто и не выключал телевизор, а сидел под покрывалом и продолжал играть в баскетбол. Петрова снова померила ему температуру, которая как была на отметке тридцать девять, так на ней и оставалась, не сдвигаясь не то что на десятую долю, а даже не было малейшего колебания ни вверх, ни вниз. Это была температура тридцать девять из палаты мер и весов. Сын продолжал кашлять сухим кашлем, и этому кашлю, казалось, не было выхода. Сын попросил задвинуть шторы, как будто сам не мог этого сделать.

Петрова позвонила в поликлинику и вызвала участкового педиатра. В ожидании его она поняла, что проголодалась, и принялась варить суп, на который накупила продуктов еще вчера (она думала накормить сына бульоном, как всегда делали люди с больными в кино и книгах), затем вспомнила про то, что закинула вещи в стиральную машину, а включить ее забыла. Вообще, ее обуяла жажда что-нибудь делать, при том что в руках и ногах была этакая воздушная легкость и слабость одновременно. Она перемыла полы и отскоблила желтое пятно в раковине на кухне, образовавшееся от подтекающего крана, капавшего одинокой тяжелой каплей раз в две минуты. Петрова уже много раз намекала, что Петров должен починить кран (бесит же это капанье, как пытка).

К пришедшему врачу она вышла, пахнущая хлором «Доместоса», вытирающая руки полосатым бело-синим полотенцем, похожим на скомканный флаг Греции, и в памяти ее всплыл разговор двух студентов, точнее, то, как один из студентов говорил другому, что Запад перенял римскую культуру, а Россия — греческую, со всей ее ленью и разгильдяйством.

Педиатром была бывшая ученица той же школы, где учился Петров, он говорил, что во время учебы в школе она была просто звездой со своим пятым размером груди, затем в случайном разговоре с заведующей библиотекой выяснилось, что участковый врач приходится заведующей двоюродной племянницей, что племянница эта до сих пор не замужем, никогда не была и детей у нее нет, она была в курсе развода Петровых, и это делало ее в глазах Петровой этаким почти родственником, почти другом семьи.

Вид у врача был слегка загнанный и несколько взъерошенный: гриппован не только Петров-младший, и ей пришлось основательно побегать по району, отчего она выглядела так, будто запила несколько таблеток кофеина банкой «Адреналина».

— Ну и где наш больной? — спросила врач, повесив пальто и разуваясь.

Петрова показала направление, а сама убежала на кухню, где у нее пережаривались лук и морковь. Словно боясь, что что-нибудь опять случится, Петрова шинковала лук не тем ножом, которым порезала палец сына, а тяжелым ножом для резки мяса, с дырочками в лезвии, чтобы мясо не прилипало. Лук и морковь и не думали еще становиться золотистыми, а просто кипели в масле, будто варясь. Стоило только как-нибудь отвлечься, и они с легкостью, в одно мгновение могли превратиться в угольки. Это была какая-то магия. Петрова убавила огонь и под кипящей кастрюлей с бульоном, и под сковородой с луком и морковью и пошла посмотреть, как сын справляется с ролью больного.

Сын, видимо, чувствовал себя бодро, и думал, что уже не заслуживает быть на больничном, и пытался побольше хрипеть, когда щупавшая и слушавшая его стетоскопом врач просила его то дышать, то не дышать.

— Не балуйся, — сказала ему врач, — просто дыши как дышишь, в школу я тебя все равно не отправлю.

Пока врач слушала сына со всех сторон, Петров-младший, кажется, косился в ее декольте, а Петровой было неловко, что он такой.

Врач махнула Петрову-младшему рукой или просто махнула рукой, словно разочаровавшись в его состоянии здоровья или разочаровавшись в своей жизни, подвинула стаканы на журнальном столике к краю столешницы, выложила туда свои бумажки и стала что-то на них писать. Петрова, кстати, никогда не заглядывала в то, что написали врачи.

Как-то незаметно вылезло из-за туч солнце, вроде бы, когда Петрова начинала готовить суп и ставила стирку, солнца еще не было, и когда встречала врача — тоже. А перемешивала морковь и лук на сковороде, уже щурясь от яркого света, который делал видимыми подлетающие над сковородой пылинки масла и воды.

Петрова ускакала на кухню проверить лук — он уже зазолотился, но оставлять его на горячей сковороде, даже с выключенным газом, было уже нельзя, лук начал бы чернеть, Петрова сразу бухнула в кипящий суп все содержимое сковороды, и бульон, который до этого не выглядел бульоном, а выглядел просто мутной кипящей водой с картошкой и серым мясом внутри, сразу похорошел. Бульон выглядел бы еще лучше, если бы Петрову не выморозила цена томата, и она бы купила один и пережарила еще и его.

Врач деликатно покашляла в прихожей, намекая, что ей что-то нужно. Ей нужно было помыть руки. Увидев работающую стиральную машину, врач спросила, не стукнет ли ее током, когда она сунет руки под струю воды. Петрова сказала, что стукнет, если только взяться одной рукой за стиральную машину, а второй взяться за кран. Они разговорились про заземление, Петрова рассказала, что ее брат заземлил машину, как полагается, но уже через неделю к нему стали ходить соседи снизу с жалобами, что водопроводные краны колотят их током, что старушку с первого этажа отбросило в ванну ударом электричества, когда она кинула мокрое полотенце на сушилку. Сын зачем-то заглядывал в приоткрытую дверь и равнодушно подслушивал их разговор.

В прихожей было светло от солнца и белого светильника. Петрова не решалась выключить светильник, чтобы не показаться замороченной на экономии домохозяйкой. Врач зачем-то приобняла Петрова-младшего за плечо и стала давать советы по лечению от гриппа, которые мало того что Петрова выслушивала от врачей каждый год во время очередной эпидемии, так эти советы каждый год еще и повторяли по телевизору, и плакаты с этими советами висели в поликлинике как раз напротив двери терапевта. Обнятый Петров-младший какое-то время послушно стоял возле врача, но было видно, как его напрягало то, что врач трепала его по плечу. (При виде этого Петрова сама чувствовала, как свитер скользит под ее рукой по его коже, и почему-то ощущала что-то вроде ревности и чувства собственности, которую без спроса трогала врач.) Потерпев несколько минут, Петров-младший незаметно выскользнул из-под руки врача, а та продолжила советовать с пустыми руками, затем незаметно как-то пересела на полочку для обуви и стала надевать сапоги, Петрова предупредительно взяла ее пальто в руки, чтобы сразу подать, как только врач поднимется.

Тут как раз в замок входной двери сунулся ключ и ввалился Петров, трезвый, но пока еще не уверенно трезвый, с собой он втащил запах мороза, освежив запах мороза, который притащила с собой врач, а также запах бензина, которым от него пахло даже после ванной, будто он весь был им пропитан, словно они в гараже пили этот бензин, и обтирались им с ног до головы, и пользовались как шампунем, а вместо фена подставляли голову под выхлопную трубу. В руках у Петрова была большая бутылка «Колы». Петров выдохнул приветствие, точнее, спросил сына: «Что? Заболел?» — с некоторым веселым злорадством и распространил по воздуху непередаваемый выхлоп вчерашней попойки, рухнул на полочку рядом с врачом, так что та даже икнула и с сочувствием посмотрела на Петрову. Старательно сопя, Петров развязывал шнурки на ботинках, а Петрова смотрела на лицо врача, почему-то замершее, словно в ожидании того, что Петров начнет скандалить, и Петровой хотелось рассмеяться.

Петрова отправила сына из прихожей, чем вроде бы только подогрела подозрения врача о грядущем скандале, но врач все равно не торопилась уходить, а стала давить на то, чтобы Петровы аккуратнее обращались с лекарствами во время гриппа. Петров наконец разулся, снял дубленку и слушал врача, облокотившись на Петрову, сопя, как во время развязывания шнурков, и не очень трезво качая головой. Кроме запаха бензина от него исходил запах, похожий на запах формалина, и какой-то еще непонятной отдушки. Когда врача удалось сплавить, Петрова спросила, где Петров ночевал, но он только промямлил что-то в ответ и полез в ванну. Из стиральной машины как раз начала сливаться вода, перемешанная с кровью Петровой. Однажды Петрова прирезала в переулке какого-то мужика, видимо, гипертоника, потому что из него хлынул на нее буквально фонтан кровищи. Петрова прибежала домой, а у Петрова был выходной, и он шарился по всему дому, не зная, чем себя занять, у него могли возникнуть вопросы по поводу розовой воды из стиральной машины, и Петрова сунула к заляпанной куртке розовые колготки сына, которые как раз должны были полинять. Вместе с курткой погибло несколько белых вещей, погибло не безвозвратно, однако носить их уже можно было только дома.

Когда Петрова вышла на работу после больничного и новогодних праздников, то узнала, что муж Алины таки допрыгался. Его зарезали в тот же день, в какой его хотела прирезать Петрова. Он, как обычно, вышел на своей остановке, пошел в киоск за алкогольным коктейлем, то ли неудачно пошутил с другим посетителем киоска, то ли задел его плечом и нагрубил, но, в общем, тот догнал его в парке возле дома и единожды ткнул ножом под ребра. На беду обидчивого владельца ножа в этом же парке в это же время выгуливал овчарку не простой какой-то собаковод, а собаковод, действительно угоравший по служебному собаководству, то есть собака у него брала след, барьеры, сторожила сумку, ходила рядом без поводка, ждала его возле магазина и выполняла команду «фас». Собаковод увидел, что муж Алины упал, в руке нападавшего что-то блеснуло, с удовольствием натравил своего зверя на нападавшего и вызвал милицию и «скорую помощь». Машины милиции и «скорой» приехали молниеносно: они находились буквально через дорогу, потому что за двадцать минут до этого их вызвали как бы на изнасилование и жестокое избиение, а на самом деле на обычную семейную шумную склоку, которая разрешилась примирением и отказом писать заявление, как только выяснилось, что мужу за то, что приписывала ему жена, грозило лет шесть, а так долго без скандалов именно с ним она не могла.

Быстрое прибытие «скорой», впрочем, не спасло мужа Алины, и он умер по пути в больницу. Алина очень горевала и обвиняла сотрудников библиотеки в том, что они относились к нему предвзято, что подумали про него плохо, когда увидели ее с фингалом, а ведь она на самом деле ударилась о торец открытой двери, когда спешила на кухню к выкипающей кастрюле.

Услышав эту захватывающую своим драматизмом и глупостью историю, Петрова равнодушно подумала: «Упс».

ГЛАВА 6
Петров тоже не подарок

Сергея Петров знал еще с начальной школы, буквально с первого класса, со второго сентября. Так получилось, что в конце лета родители разменяли квартиру. Петров успел познакомиться только с несколькими ребятами во дворе, но в основном Петров с мамой бегали по магазинам, покупали одежду на осень и зиму, отстояли длиннющую очередь за школьной формой (потом мама все это подгоняла по размерам Петрова и без конца шила), бегали за канцелярскими принадлежностями, и Петрову непонятно было, зачем они бегают вместе с мамой, когда она может справиться с этим одна.

Класс был составлен из бывшей группы детского сада, дети там давно уже были знакомы между собой и на первой же перемене стали обсуждать какие-то свои дела, а Петров, оставшийся без собеседника, вышел в коридор. Туда же вышел и еще один мальчик — мелкий блондинистый пацан, похожий на дошкольника, — и спросил, не смотрел ли Петров мультфильм «Чебурашка идет в школу», что было актуально для них обоих. Петров смотрел, они разговорились и познакомились. Сергея тоже перевезли из другого района, поэтому он тоже никого не знал в классе. Петров проводил этого мальчика до дома и позависал у него в гостях до вечера. Так они и стали ходить друг к другу в гости и дружили до самого окончания школы и дальше, когда Петров ушел в автосервис, после того как его не взяли в армию из-за плоскостопия, а Сергей поступил на филфак.

Все было хорошо в Сергее, кроме его предощущения собственного величия. Он почему-то решил, что станет великим писателем. Не просто писателем, а именно великим. И это еще можно было списать как-то на юношескую дурь, которая должна была пройти со временем, но Сергей не только был уверен в своем будущем грядущем величии, но почему-то решил, что слава придет к нему только после смерти, что черновики романа, который он писал, родственники пошлют в редакцию какого-нибудь журнала, там обязательно начнут ковыряться в этих черновиках и только тогда поймут, кого они потеряли. Было бы неплохо, если бы Сергей озвучивал свои мечты при родителях — они бы мигом вправили ему мозги или послали куда-нибудь, где его переубедили бы с помощью специализированного лечения, но нет, этими прекрасными мечтами он делился только с несколькими друзьями, а те, в свою очередь, доказывая самим себе, какие они прекрасные друзья, молчали в тряпочку или считали, что все это просто пустые разговоры.

Родители всячески подпитывали интерес Сергея к жизни и доказывали, что если он не будет лучшим во всем, чем занимается, то от этого не будет никакого толку, в школе они отчитывали его даже за четверки в дневнике — почему-то именно от каких-то отметок зависел будущий успех Сергея, хотя вроде бы миллионы примеров доказывали обратное.

Роман, который писал Сергей, был, по сути, «Лолитой», переложенной на местные реалии, и теоретически должен был шокировать читателя тем, что девочка, описываемая в романе, была не двенадцатилетней, а восьмилетней. На этом шок заканчивался и начинались безобидные волочения и душевные переживания главного героя, которые, несмотря на попытки откровенничать про способы мастурбации, описания различных частей тела главной героини, рядом не стояли с тем, что творилось на улицах города и области. Кроме того, Сергей, по мере ознакомления с университетской программой, бросался писать то как Тургенев, то как Толстой, то как Достоевский, потом у него в романе началась довлатовщина из мелких, как бы смешных историй, а Петров вынужден был все это читать. Роман периодически торжественно уничтожался в костре на заброшенной стройке. Петров не помнил, чтобы роман когда-нибудь продвигался дальше третьей главы и дописывалась ли третья глава до конца вообще. В романе была масса подспудных смыслов и аллюзий, которые Сергей не ленился объяснять безграмотному Петрову, но смыслы и аллюзии были с каждой новой версией романа разные. В последнем варианте начала, в двух главах и начале третьей, главный герой сначала брился и собирался в редакцию газеты, а его всячески гнобил отец, похожий на быка.

Но и это все было безобидно, если бы Петров не был тупым юношей с пунктиком на дружбе и чести и бог знает чем еще, если бы не было песни «Море встает за волной волна» (которая Петрову нравилась) и все такое.

Был же у Петрова и совсем другой товарищ, с коим они рисовали бесконечный комикс про некого селянина, которому на коровник упал космонавт, и селянин, взяв с собой космонавта, стал искать справедливости и материальной компенсации сначала в сельсовете, потом в области, но ему предложили подняться на космическую станцию и судиться на месте (это было, кстати, фэнтези: селянин и космонавт принадлежали к разным расам — космонавтам и селянам, а были еще пролетарии, военные, телелюди и лунные маги, до которых можно было добраться только посредством лунного лифта). С этим другом проблем не возникало. Они оба не знали, зачем они рисуют, планов издать этот эпос у них не было, а сил и времени они тратили на это рисование столько, будто это была их вторая работа.

Сергей выписывал несколько толстых литературных журналов и покупал в киоске «Литературную газету», он говорил, что все очень плохо, что писать никто не умеет. Что литературные премии дают не тем (не ему), но сам послать хоть что-нибудь из написанного не решался. Петров предлагал ему отправить в журнал хотя бы главу из романа, выдав ее за рассказ, но Сергей и главу мог править до бесконечности, убирая видимые только ему огрехи, добиваясь, как он говорил, «музыкальности». Дело было в том, что он был прекрасным студентом и прекрасным учеником и усвоил, что великие писатели очень тщательно работали не только над романами, но даже над коротеньким стишком могли трахаться, переводя кучу бумаги и чернил. Эта мифическая работа зачем-то крепко засела в голове Сергея, он представлял ее как-то по-своему, так, какой эта работа, возможно, никогда не была. Он планировал умереть до выхода своего романа, однако при этом как будто готовил себя к будущим интервью, к неким встречам с читателями, где он смог бы пожаловаться на тяжелый труд романиста, доказать, что не всякий способен заниматься этим делом.

Еще Сергей вел дневник, где описывал свои напряжения на почве вспахивания литературы. Он дал почитать этот дневник Петрову, и тому пришлось сидеть еще и над дневником. Всю свою откровенность Сергей вывалил в роман, поэтому в дневнике не было ничего, кроме манерной печали за свою бездарность и описаний умственной борьбы с сюжетом и словесными оборотами. Описание литературного процесса глазами Сергея было столь же печальным, жалким и безрадостным, как Гёте в дневниках Эккермана, и сам Эккерман в глазах Эккермана, и сама судьба Эккермана (Петров как раз перед тем, как Сергей дал ему свой дневник, чтобы занять голову, прочитал «Разговоры с Гёте», найденные в отцовской библиотеке). Петров не понимал, почему вообще Сергей тратит время на литературу, в руках Сергея литература выглядела как не очень сильное, чтобы не пораниться, самобичевание перед зеркалом, как тайное переодевание в женскую одежду без выхода в свет.

Вот именно это Петров и высказал Сергею после того, как прочитал его дневник, еще он добавил сгоряча, что если бы Сергей уже просто подкатил как-нибудь к своей двоюродной сестре, которую так тщательно описывал в романе, в этом и то было бы больше толку, чем в литературном томлении по ней и вываливании этого всего на головы друзей. Сергей сказал, что это вовсе не двоюродная сестра, а литературный образ, и отнес две главы в журнал «Урал».

Историю о своем походе, который показался Сергею полным позора и унижения, Сергей рассказал со всей максимальной безжалостностью к себе, но Петрову было интересно выслушать его, потому что он никогда не бывал в редакциях журналов и газет и не знал, как там все устроено. Петрову было вообще удивительно, что вот есть в их городе журнал, где работают люди, которые отбирают рукописи, как-то их редактируют, а потом из этого всего получается толстая книжка в бумажной обложке, и ее потом рассылают по библиотекам и газетным киоскам, почтальоны разносят ее по почтовым ящикам, кто-то ждет журналов каждый месяц и прочитывает их.

Сергей мог послать свои главы по почте, но посчитал нелепым слать бандероли из города в тот же город, тем более что доехать до редакции не составляло труда. Гораздо труднее было зайти внутрь помещения и спросить, куда идти дальше, потому что люди (как казалось Сергею) сразу начинали смотреть заинтересованно и с издевкой (и ты тоже в писатели решил податься?). Сергей с час ходил вдоль улицы Малышева, разглядывая киоски и магазины, пока наконец не набрался решимости. Сергей говорил, что ему в конце концов стало стыдно таскаться по улице с толстой кожаной папкой под мышкой.

Рукопись, кстати, тоже была предметом стыда Сергея. Он убил на нее кучу времени, перепечатывая на машинке, проверяя на опечатки, но все равно боялся, что с рукописью что-то не так, что рукопись недостаточно толстая, как-нибудь не так оформлена и именно из-за оформления никто ее публиковать не будет, Сергей даже купил две какие-то особенные скрепки для рукописи, чтобы листы не разлетелись и лежали ровно, уголок к уголку.

Перед походом в редакцию Сергей подстригся, надел костюм, побрился, надушился и тщательно почистил ботинки, хотя ботинки и так были относительно чистые, потому что на улице был декабрь и мараться им особо было негде, свое клетчатое пальто Сергей вычистил щеткой.

На первом этаже была турфирма, там Сергею подсказали, что нужно подняться на четвертый этаж. Еще на трех был шум, люди курили на лестничных площадках и стряхивали пепел в кадки с пальмами и фикусами, а на четвертом стояли только чугунный медвежонок и тишина. Сергей потыкался в разные двери своим вежливым стуком, но только в одной комнате ему ответили — в этой комнате, похоже, и собралась вся редакция, собралась будто специально, чтобы поглазеть на смешного литературного новичка. Сергея вместе с рукописью сплавили мелкому седому старикашке, который без энтузиазма принял кучу бумаги и сказал, что можно зайти или позвонить через неделю.

Как только Сергей оказался на улице, ему сразу же захотелось вернуться обратно, забрать рукопись и не возвращаться туда никогда больше. Идея шокировать читателя маленькой девочкой уже не казалось Сергею такой забавной, как до этого. Переборов себя, Сергей уехал домой. Всю неделю у него было что-то вроде приступов, когда он то сгорал от стыда, что отдал написанное в редакцию, то думал, что ему позвонят и скажут, что он гений. Иногда ему казалось, что все настолько плохо, что из редакции позвонят и скажут, чтобы он вообще больше не писал и обходил редакцию стороной.

Через неделю он повторил поход, повторил даже нерешительное хождение по улице Малышева с той лишь разницей, что никакой папки под мышкой у него не было и он точно знал, куда идти. Он почему-то уже был уверен, что никакой публикации не будет, и не видел смысла в том, чтобы выслушивать критические замечания седого старикашки.

Ужас оказался еще и в том, что когда Сергей все-таки взошел на четвертый этаж и робко влез в редакционную дверь, потея от предчувствий своего разгрома, его уже забыли, и Сергею пришлось напоминать, кто он такой, какую рукопись притащил, про что она вообще, а седой старичок глядел на него как на чужого и на голубом глазу утверждал, что он занимается не прозой, а поэзией. Потом разом как-то все припомнили Сергея, в очах старичка зажегся ехидный огонь (который, может, был и не ехидным, а просто показался таким самому Сергею), он быстро нашел рукопись и уволок Сергея в другую комнату.

Там, грустно вздыхая, как бы сочувствуя Сергею в том, какой тот неумеха, стал рассказывать, что рассказы Сергея вторичны. Буквально по абзацам старичок умело разгадывал подражание Сергея тому или иному писателю, Сергей, будто это могло что-то исправить в уже написанном, внимательно следил за пальцем старичка на буквах и согласно кивал, потому что и сам видел свою прозаическую нелепость.

— Ну, вот есть же у вас и хорошие места, побольше бы таких, — сказал старичок.

Он показал на кусок текста, где главная героиня шла и болтала с одноклассником, случайно заправив юбку в колготки, пока собиралась с последнего урока, физкультуры — настолько ей нравился этот мальчик и разговор с ним, что она не заметила своей оплошности, пока не дошла до дома. Еще старичку понравился фрагмент, где мать главного героя не выпускает отца главного героя вынести мусор, потому что подозревает, что тот, когда выйдет на улицу, пропадет на некоторое время и вернется уже пьяный.

Старичок стал рассказывать, что при журнале и при университете существуют литературные студии. Про таковые при университете Сергей и так знал, но там занимались в основном стихами. Кроме того, Сергей считал, что подобные упражнения — это просто потеря времени. Он что-то не слышал, чтобы великие писатели появлялись в результате занятий в литературной студии. Он считал, что литература — дело до определенного этапа очень интимное. (Что как-то не вязалось, конечно, с его желанием раздавать друзьям черновики романа после каждой новой попытки начать его писать.) Сергей пообещал старичку, что обязательно посетит какую-нибудь из студий, что не будет теряться, что обязательно занесет в редакцию рукопись, если у него появится еще что-нибудь.

Пару недель Сергей чувствовал себя раздавленным и растоптанным, т. е. чувствовал себя как главная героиня романа, облапанная главным героем. Сергей совсем хотел бросить писать. Потом он решил, что у него просто недостаточно жизненного опыта для того, чтобы создать роман, и решил набраться этого опыта и начать писать года через три, а уже потом умереть, оставив черновики.

Хорошо было людям в девятнадцатом веке, им не с кем было себя ежедневно сравнивать, кроме как с Александром Македонским и Бонапартом. Во время, когда жил Сергей, и даже чуть раньше, со всех сторон через радио и телевизор вываливались на него примеры писательского успеха, примеры чудовищного везения, совпадения читательского вкуса, проницательности литературного агента и провидения. Буквально только-только Сергей успокоился, начал писать роман про сантехника, занимающегося живописью, пробивающего себе дорогу в предвзятом мире искусства, как телевизор бухнул ему на голову телесюжет о присуждении литературной премии его ровеснику, почти ровеснику, а точнее, пареньку лет девятнадцати. Паренька объявляли новым Бёрджессом, уже купили права на экранизацию его рассказов и пророчили ему большое будущее.

К этому добавилось еще то, что один из преподавателей поставил ему трояк в зачетку. Сергей решил, что пора отомстить жестокому миру за то, что он его не ценит, и стал уговаривать Петрова посодействовать в этом. Сергей не был верующим человеком, но решил подстраховаться на тот случай, если Бог все-таки существует и спросит с него за грех самоубийства. Сергей достал где-то пистолет, с помощью которого собирался покинуть этот мир. Петрову польстило такое доверие к его персоне, все же Сергей доверился именно ему, а не кому-то другому, поэтому делиться планами Сергея с родителями Сергея у Петрова не было никаких моральных сил. Опять же, убивать друга тоже было не ахти как хорошо, но если он сам этого хотел, то почему бы и нет? У Петрова даже мысли не возникло, что он что-то делает не так в этой истории. Как подобает настоящему другу, он сначала намекнул, что, может, не стоит этого делать по пустякам, по причине обиды на редакцию журнала и на преподавателя. Он приводил пример из своей жизни. Говорил, что даже не мечтает о публикации комиксов, потому что не знает ни одного издательства в России, которое бы их печатало. В Екатеринбурге (кстати, тогда город только-только сменил название на дореволюционное и говорить «Екатеринбург» было еще не совсем привычно, все говорили «Свердловск») выходил только журнал «Велес», но там, похоже, и своих-то художников еле впихивали в объем номера. Были еще диснеевские журналы комиксов про уток и Микки Мауса — туда

Петрову и его другу, понятно, дорога была заказана. Кроме того, он не прошел конкурс на худграф Нижнетагильского пединститута, зарекся появляться там еще раз и вообще выбросил из головы, что он когда-нибудь может стать художником. «Так это ТЫ», — с отвращением отвечал ему Сергей, будто Петров был конченым человеком.

Сергей не отставал. Видимо, причина была не только в его парадоксальной набожности, видимо, он выстроил в голове какой-то сюжет, который должен был реализоваться именно посредством того, что Петров должен был стрелять в Сергея. Сергей подумывал, не в том ли дело, что множество великих русских писателей погибли насильственной смертью, не в том ли, что Сергей пытался подменить талант своим юным возрастом и ранней смертью. Несколько месяцев Сергей уговаривал Петрова на это дело, эти уговаривания смахивали уже чуть ли не на склонение к половому акту — настолько Сергей был назойлив в своем желании. Как только они оказывались наедине, Сергей не мог говорить больше ни о чем, кроме своего убийства, он звонил Петрову, чтобы поговорить об этом, он приходил к Петрову в гости только ради разговора про смерть.

Петров в итоге согласился, но предложил немного подождать, хотя бы до мая, рассчитывая, что лишь на словах Сергей такой решительный, а через некоторое время передумает или его опубликуют где-нибудь в конце-то концов. (Сергей, кстати, послал главы романа в «Звезду» и «Новый мир», так что была небольшая вероятность, что он подпадет под настроение редакторов и хотя бы один из них скажет: «О, давайте эту штуку напечатаем, вот будет потеха!» или что-то вроде того, Петров не знал, как там в редакциях отбирают стихи и прозу, но из того, что Сергей ему возмущенно показывал, он решил, что примерно так там все и происходит.)

Казалось бы, после этого Сергей должен был слегка успокоиться, все должно было вернуться в старое русло, в посиделки на заброшенной стройке, шляние по лесопарку, обсуждение литературы и кино под пиво или вино. Однако же все это переросло в то, что Сергей и правда начал ходить в литературные студии, и продолжил писать свой роман про сантехника-художника, и таскал его с собой на прогулки и в гости. Еще он начал тщательно планировать самоубийство. Петров не знал, что было более мучительно: выслушивать различные варианты предсмертных писем Сергея, где он обвинял отца в том, что он не дал развиться ему как личности и всячески подавлял его, обвинял преподавателя, поставившего ему тройку, обвинял косность редакторов и обличал современную культуру, или читать черновики романа, в котором был описан он сам, переделанный для как бы неузнаваемости в гомосексуалиста и блондина. Себя Сергей переделал в успешного драматурга, бывшего одноклассника, добившегося успеха, катающегося по международным фестивалям и фигурирующего только как некий образ, к которому переделанный Петров чувствовал зависть. В первом варианте романа Петров волочился за соседским восьмилетним мальчиком. «Да ты охренел, блин!» — в сердцах сказал Петров, прочитав все это. «Да с чего ты взял, что это вообще про тебя!» — сказал Сергей, но мальчика убрал. Вместо него теперь был такой же слесарь, как и переделанный Петров, и описание их постепенного сближения, всякие соприкосновения рукавами во время совместной работы в подвалах и на квартирах граждан. Сергей рассказал, чем все должно было закончиться. В конце романа слесаря, в которого был влюблен слесарь-Петров, должен был увести у Петрова из-под носа другой какой-то мужик, а Петров оставался ни с чем и понимал, что он одинок и бездарен.

Чем ближе была весна, чем меньше времени оставалось до момента, когда родители Сергея уезжали на дачу, тем назойливее становился Сергей. Он каждый день или созванивался с Петровым, или заходил к нему, чтобы убедиться, что Петров не передумал убивать его. Петрову было оскорбительно слышать такое, ему казалось, что одного обещания вполне достаточно. Петрову могло помешать только то, что он начал встречаться с девушкой из своего же подъезда и сначала воспринял это не очень серьезно, не так серьезно, как сама эта девушка, которая уже и съездила к нему на работу, и забегала к нему в гости, и караулила его у подъезда, если Петров притворялся, что его нет дома. Сами эти встречи были не так уж плохи, с девушкой было не так уж и невесело, именно начав с ней встречаться, Петров увидел всю глупость, которую собирался сделать Сергей, всю нелепость его претензий к белому свету, к отцу, к преподавателю, с другой же стороны, нужно было как-то проскользнуть мимо нее к Сергею, а ее излишняя навязчивость этому мешала, на выходных она вообще заходила к нему с утра пораньше, будила его и заставляла себя развлекать. Петрову это еще казалось забавным.

Можно было обговорить день, когда Петров поехал бы к Сергею сразу же после работы, но проблема была в том, что Петров не знал, когда у него заканчивается этот рабочий день, он мог вообще остаться в гараже на ночь, благо была уже не зима, и можно было спокойно спать хоть на верстаке, подкинув под голову фуфайку. Сергей и Петров решили, что сделают это в первую же неделю после отъезда родителей Сергея, неважно в какой день, в любой из тех, когда Петров сможет вернуться с работы пораньше. Родители Сергея были упертыми садоводами — по весне они укатывали почти на все лето и даже на работу ездили с дачи.

В первую неделю ничего не получилось: родители чуть ли не силком уволокли Сергея с собой, а он, вроде бы не страшащийся смерти, влез в красную родительскую «шестерку», понукаемый окриками матери; понукаемые этими же окриками Петров и его подружка помогали Сергею загружать «шестерку» лопатами и другим садовым инструментом, какими-то ящиками, какими-то досками, консервами, мешками пустыми и мешками с картошкой. «Ой, что-то я все равно забыла», — говорила мать Сергея время от времени. Отец Сергея заставил поменять Петрова задние тормозные колодки на автомобиле, а сам стоял рядом и всячески иронизировал по поводу того, что Петрову где-то платят деньги за то, что он вот так вот медленно ковыряется.

Послать отца Сергея подальше мешало только то, что Петров помнил, что отец этот как-то хорошо обращался с ними раньше, когда они были детьми, как они вместе клеили пластмассовые модели самолетов и картонную модель станции «Мир», как отец этот делал модели кораблей по схемам из приложения к «Юному технику» и у него все получалось, в то время как его отец постоянно был на работе.

Сергея так расстроила эта поездка, что он уже заранее надулся. Похоже, он не любил дачу больше, чем что бы то ни было. Его можно было понять: любая дача, любой садовый участок представлял из себя весной чистый античный ад — безрадостное место с остатками ботвы на осевших за зиму грядках, мокрыми межгрядьями, облезлыми кустами, покосившимся садовым туалетом, все это как-то не радовало глаз, нужно было без конца что-то убирать, что-то куда-то таскать, пристраивать, заколачивать прохудившуюся крышу. Отец Сергея, кроме всего прочего, имел неприятную привычку комментировать все действия сына разочарованным вздохом «И-эх», что раздражало даже Петрова, хотя его и не касалось. Отец Сергея как бы доказывал свою состоятельность перед женой, будто соревновался с сыном за свою собственную жену и показывал свое полное превосходство перед Сергеем.

Вообще, родители Сергея были прекрасными людьми, настолько дружелюбными, что родители Петрова даже несколько раз отпускали его с ними на их дачу, чтобы отдохнуть от Петрова (пионерских лагерей родители Петрова почему-то не признавали). Из того времени Петров запомнил, что им с Сергеем разрешали загорать на крыше веранды (на даче бабушки Петрова этого нельзя было делать, потому что мог помяться рубероид, потому что Петров мог упасть оттуда или еще что-нибудь, придумывали причины), что мать Сергея мыла Петрова в садовой бане и стригла ему ногти, что они с Сергеем объели чужие малиновые кусты у какой-то бабки, бабка пришла скандалить, отец Сергея за них заступался, предлагал собрать урожай с их кустов, если уж так нужна малина, но бабка сказала, что у нее все равно нет внуков, пускай объедают и садовую землянику тоже, только пускай сначала спросят разрешения, а то без разрешения нехорошо. Отец Сергея припахал сына и его друга наполнять этой бабке бочку для полива, и Петров с Сергеем делали это, и бочка наполнялась бы еще быстрее, если бы они не выливали друг на друга половину воды, пока шли от колонки. Ручка у колонки была настолько тугая, что веса одного Петрова или одного Сергея не хватало, чтобы она сдвинулась вниз, — им приходилось виснуть на ней обоим или обоим наваливаться на нее животом. Струя воды из колонки била в дно подвешенного к носику ведра с такой силой, что аж пенилась и походила на газировку без сиропа из тех автоматов, что стояли в городе на каждом углу.

На даче у бабушки Петрова было не так весело. Во-первых, вокруг были одни пенсионеры, причем все какие-то бездетные пенсионеры, так что ни с кем нельзя было ни поиграть, ни просто поговорить. Во-вторых, на даче у бабушки не было не то что телевизора, но даже и радио было только у соседей, они жмотились включать его на всю округу, как делали, например, соседи родителей Сергея; единственное, что слышал от этого радио Петров, — сигналы точного времени в девять вечера, и то потому что во всем коллективном саду наступала вечером гнетущая предгрозовая тишина. В-третьих, бабушка Петрова не разрешала Петрову ничего делать по саду, а потом жаловалась, что Петров ей не помогает, а только мешает. Не давала она ничего делать, поскольку когда-то давно ее младший брат уколол палец в деревне и умер от столбняка, а жаловалась, поскольку помощь ей все равно была нужна. Бабушка не отпускала его купаться, потому что боялась, что он утонет, не разрешала забираться на крышу, потому что боялась, что он разобьется, не разрешала даже много читать, потому что Петров мог испортить зрение. Единственное, что ему можно было делать на даче, — это сидеть на крыльце, глазеть по сторонам и слушать ворчание бабушки на то, что растет такой бездельник. Каждое лето он проводил у бабушки на даче целый месяц. Как он не двинулся умом, было просто непостижимо.

Сергей, уезжая, обнимал ведро, накрытое рогожей, и смотрел на Петрова таким взглядом, будто собирался повеситься или застрелиться там, на садовом участке, внутри скелета теплицы, похожей на домик. Скандалом Сергей добился того, чтобы взять с собой бумагу и печатную машинку, ее приладили на крышу машины и привязали веревками к доскам и жестяной ванночке. Петров подумал, что писать на даче не так уж и плохо, он прямо видел в своем воображении, как Сергей сидит на отвоеванном для себя чердаке, за старым столиком с витыми ножками и узким выдвижным ящиком и долбит по клавишам, набирая очередную историю, переделанную из жизни его знакомых. К чести отца Сергея, тот никогда не лез в творчество сына, даже не пробовал заглянуть в то, что тот писал, не давал, не глядя, советов, как надо писать и про что, не подсовывал книги, предлагая написать так же примерно, как написано там, не вставал за плечом, следя за процессом работы. Тот же отец Петрова, до того как съехать к другой бабушке, чтобы поддержать ее, пока она болеет Альцгеймером, довольно часто хватал листы с рисунками Петрова и придирчиво их рассматривал. То что Петров не поступил на худграф, поставило в его глазах крест на Петрове и на его способностях. Если бы комиксы удалось продать куда-нибудь, отец, может быть, и увидел в рисунках какую-нибудь ценность, а так он только хмыкал, когда видел Петрова и его друга за раскадровкой следующих страниц, и усмехался: «Лучше бы вы, ребята, делом каким-нибудь полезным занялись». Петров начинал видеть со стороны, как он жалок, даже видел что-то вроде черно-белого фильма про самого себя и своего друга, что-то вроде фильма «Неподдающиеся», про юных раздолбаев, думающих, что они художники, малюющие абстрактные картины, посещающие танцульки с джазом, больше пьющие, нежели занимающиеся искусством, — и вот наступает момент, когда одного из их компании забирают за антисоветскую деятельность, их студию закрывают, друзья вынуждены пойти на завод, где все валится у них из рук, а улыбчивые, мускулистые сверстники с завода только подсмеиваются над ними, пожилые мускулистые рабочие бросают в их адрес меткие колкости, бригада из-за них на грани провала соцсоревнования, и только какая-нибудь девушка верит, что они на что-то способны, один из героев рисует ее портрет в абстрактной манере, и получается что-то вроде карикатуры, все смеются над этим портретом, тут какой-то ветеран вспоминает в случайном разговоре свою семью, погибшую под немецкой бомбежкой, показывает фотографию, и герой, проникшись этой историей, по памяти пишет портрет детей и жены ветерана, засиживается за картиной допоздна, просыпает свою смену, его клеймят на комсомольском и на рабочем собраниях, девушка, которую главный герой нарисовал в абстрактной манере, она же секретарь комсомольской организации, приходит к нему домой выяснить, в чем дело, да ни в чем, что ты сейчас рисуешь? да ничего, опять какую-нибудь свою гадость, конечно, именно ее и рисую, дай посмотреть, борьба у закрытого холста, холст падает, девушка в катарсисе, прет это все на завод, ветеран рыдает и обнимает главного героя — все это вмиг проносилось в голове Петрова, когда отец предлагал ему заняться делом. Дальше объятий ветерана сюжет почему-то не продвигался. Как вообще должна была двигаться воображаемая кинокартина к обязательному хеппи-энду, было непонятно — его навыки фрезеровщика не могли улучшиться только от всеобщего одобрения его умения рисовать.

Девушка Петрова, кстати, была гораздо более уверена в силах Петрова, чем его отец, как только она узнала, что Петров балуется рисованием, она сразу же заказала свой портрет. Первый портрет она забраковала и сказала, что нисколько не похоже, но домой его все же отнесла. Мать девушки, встреченная через несколько дней после этого, сказала, что Петров очень хорошо рисует и дочь просто как живая. Она так и сказала: «Как живая». Во втором портрете девушки Петров чуть увеличил ее глаза, чуть уменьшил рот — и девушка была в восторге. «А обнаженную натуру ты рисуешь?» — спросила она. Если бы они не спали уже до этого, Петров, возможно, и смутился бы, но переспали они уже на третьем свидании, когда речи о рисовании Петрова даже не шло, а шло еще только обсуждение фильмов, которые они посмотрели за всю свою жизнь и сравнивали, что им понравилось, а что нет. Девушка была не ахти какая умная и книг не читала в принципе никаких, кроме любовных романов в бумажной обложке, да и те читала только потому, что их покупала ее мать (а ее отец покупал русские детективы), но вот словосочетание «обнаженная натура» как-то естественно легло ей на язык, хотя она могла спросить проще и грубее. Петрову понравилось, что она именно так подобрала слова, но рисовать ее голую отказался — все равно она хотела не свой портрет, а чтобы ее голову пририсовали к некоему совершенному туловищу, да еще чтобы все это располагалось на фоне какого-нибудь богатого интерьера или автомобиля, а на руках и ногах были брильянты и замысловатые татуировки. (У нее, кстати, была одна татуировка — языки пламени вокруг пупка, и если бы ее мать об этом узнала, то устроила бы скандал и, может, даже потаскала бы дочь за волосы.)

Петров не успел соскучиться по Сергею, потому что его самого через несколько дней отправили помогать его собственной бабушке. С той поры как Петров сравнялся ростом с отцом (что было, кстати, не трудно — отец был не великан и не баскетболист), скука на даче прекратилась, потому что бабушка стала использовать Петрова как подсобного рабочего и гоняла с утра до ночи как чужого (и как неродного, и как Рипли — пришельца по «Ностромо»), но в основном Петров нужен был ей для того, чтобы вскапывать грядки, а отец на эту роль не годился, потому что отлынивал: курил каждые пять минут, у него болела спина, он уходил в дачный туалет и просиживал там часами, незаметно напивался с соседями, и отца можно было понять — как-то не особо было заметно, чтобы поливаемые огурцы, и помидоры, и картошка со вскопанных грядок оказывались у них на кухне, все выращенное бабушка куда-то девала, возможно, продавала и копила на похороны. По расчетам Петрова, это тогда должны были быть шикарные похороны: с гробом из горного хрусталя, восьмеркой запряженных в катафалк черных коней, тремя составами местных филармоний в качестве оркестра, а еще во время того как бабушка отправится в последний путь, над похоронной процессией должно будет пролететь звено истребителей.

А Петров любил копать, любил копать так, что находил в себе сходство с героем «Котлована», причем мелкие грядки Петрову не очень нравились, а вот картофельная полянка была ему по душе. За осень и весну она успевала порасти травой, и траву нужно было выкапывать, отряхивать землю с ее корней и складывать в ведро, весной было не так жарко, как летом, голову не пекло, а только согревало, даже мелкая мошкара, вылетавшая наружу как будто из-под самой вскопанной земли и пытавшаяся вцепиться в лицо, — и та была в удовольствие, хотя после нее и оставались иногда крупные волдыри. Кусты садовых участков вокруг еще не покрывала зелень, так что можно было видеть, как в земле ковыряются соседи, и чувствовать с ними некую сопричастность. К тому времени, как Петров вырос, радио вошло в моду, радиостанций стала просто тьма, люди тащили на дачу старые кассетники и отовсюду горланила разнообразная музыка — иностранная и своя. Пахло дымом сжигаемого весеннего мусора и шашлыками. На улицу можно было выйти хоть в трусах и калошах и начать работать — никого это не смущало, буквально через участок от Петрова здоровенный дядька, подогнавший машину, стоившую, наверно, как пара квартир, под крики старушки (матери или тещи), копал землю, ярко поблескивая лысиной — в фуфайке на голое тело, красных панталонах до колен и ядовито-зеленых резиновых сапогах.

На даче было хорошо, а стало еще лучше, когда бабушка, простудившись, что ли, отдав Петрову руководящие указания, свинтила в город, оставив Петрова одного. Петров любил бабушку, но не любил, когда она приносила ему воду в бидончике, спрашивала, не печет ли ему голову и предлагала надеть панаму или ее шляпу от солнца, сплетенную из белой пластиковой соломки с поблекшим розовым бантиком на тулье.

В первый же вечер Петров сходил в местный магазинчик, похожий больше на киоск, закупился пивом (от чего бабушка бы просто досрочно скопытилась, если бы узнала, что и внук ее тоже иногда пьет) и встретил закат на крыльце бабушкиного черного домика, наслаждаясь тем, что на расстоянии пушечного выстрела и даже дальше нет возле него ни бабушки, ни Сергея с его идеями, ни девушки, любящей без конца чесать языком и не умеющей просто сидеть и молчать, а есть только блеск в стеклах соседних домиков, голоса людей, достаточно отдаленные, чтобы не относиться к ним с раздражением, голоса телевизоров, зазывающих на «Санта-Барбару» или на что-то похожее на «Санта-Барбару», и голоса радио.

Петров любил копать, но любил так, что на следующий день после копания он мог только или снова копать, или валяться пластом — в промежутке между двумя этими состояниями в его позвоночнике все отзывалось удивительной шокирующей болью, которую и болью назвать нельзя было — это было что-то ошеломляющее, заставляющее замирать в осторожных позах, боясь пробудить это чувство в спине, возле самого таза, не дающее сразу встать с постели, а вынуждающее сначала осторожно перекатываться со спины на живот, закрепляться на четвереньках, потом подгибать под себя ноги, медленно вставать, держась сначала за табурет, потом за стол, потом за стены, брести в туалет, затем одеваться, как черепаха, прислушиваясь к костям позвоночника и стволу мозга внутри них. Петров самому себе был смешон с его кряхтением, но даже смеяться над своим положением вынужден был тоже очень аккуратно. Петров, опираясь на лопату, как на костыль, выползал на поле и принимался помаленьку ковыряться в земле. Спина постепенно разогревалась, будто между позвонками была застывшая смазка, начинавшая действовать только тогда, когда позвоночник шевелился в разные стороны. Спустя некоторое время Петров уже бодро махал лопатой, но знал, что, стоит ему только остановиться, попробовать присесть — вся эта спинная слабость вернется на место, и снова он будет передвигаться, как паук, цепляясь за стены.

Всего за зиму возле дачи бабушки возник дом из красного кирпича, обнесенный высоким кирпичным забором. Петров помнил, что сначала там был только пустырь, с которого несло семена всяких сорняков, потом там была желтая глиняная яма с водой на самом дне, пару лет стоял пустой фундамент — и вот молниеносно выросли и дом, и забор. Петрову нравилось, как сложен забор, как он стоит ровный, с равными промежутками между кирпичами, промазанными глиной, но ему не нравилось, что люди за забором отгородились ото всех, так что не видно, чем они там занимаются. Еще Петров чувствовал свою ущербность перед хозяевами этого дома, хотя видел из хозяев только мужчину на балкончике (он выходил туда курить и давил окурки в пепельнице, то задумчиво глядя вдаль — с высоты ему видна была вся пестрота окрестных крыш, — то так же задумчиво смотря на Петрова), Петрову неловко было за свою разномастную одежду: спортивные штаны, кроссовки трехлетней давности, распадавшиеся и поэтому взятые на дачу для копания, вязаную пыльную кофту — полосатую и с оленями одновременно. Полосы чередовались, олени бежали влево, а на следующей полосе — вправо, а на следующей — опять влево, и так семь раз. Что за бзик на оленей был в семидесятые и начале восьмидесятых, когда, вероятно, эта кофта была связана, — Петров не понимал, но предполагал, что это было этакое ритуальное призывание автомобиля «Волга» в семью.

Сосед выходил на свой балкончик и смотрел на Петрова с такой периодичностью, будто участок бабушки был его, соседа, участком, и он проверял, не отлынивает ли Петров от работы, причем Петров правда начинал чувствовать себя каким-то подневольным работником. Дело было, видимо, в том, что взгляд у соседа был уверенный и спокойный, такой, будто вся земля и всё, что под землей, принадлежало всецело ему, он смотрел вокруг и будто размечал землю подо что-то другое, под какой-нибудь коттеджный поселок, сплошь огороженный таким же забором, как у него на участке, с домами, тоже в свою очередь обнесенными кирпичом. Петрову почему-то казалось, что за забором у соседа ровная английская лужайка и округлый бассейн с голубоватой водой, хотя купаться был еще не сезон и в бассейне не было необходимости. Сосед был в черном костюме с черной рубашкой и галстуком, тоже черным, это слегка раздражало Петрова: ездить в костюме на дачу — глупо, в этом присутствовала некая эклектика, в этом своем мрачном прикиде сосед походил на отдыхающего от ночных дел Брюса Уэйна, и вид расслабляющегося среди местных лачуг Бэтмена порождал в Петрове чувство, похожее на смущение, переходившее во что-то вроде стыда за себя и за тех, кто жил вокруг бабушкиного участка. Да и вообще, многие тогда полюбили обвешиваться в черное, чтобы казаться умнее и солиднее, Петров подозревал, что сосед именно из этих, которые пытаются казаться умнее.

Сосед терпеливо дождался, когда Петров закончит с картофельной грядкой, и только тогда обратился к нему, опирающемуся на лопату, скрюченному, похожему на пожилого усталого мага с посохом:

— Слышь. Ты на русском-то говоришь вообще?

Он почему-то принял Петрова за гастарбайтера, видимо, дело было в темных волосах Петрова и в его вроде бы славянской внешности, но с каким-то неуловимым уклоном в азиата, отчего наряды ППС к Петрову так и липли, чтобы проверить его документы. Попробовать вообразить, каким образом гастарбайтер мог оказаться на грядках обычной бабульки, сосед даже не попытался.

Петров молча кивнул, хотя мог сказать, что сосед тоже далеко и не ариец и не финно-угр, а сам похож на уроженца северных предгорий Кавказа или какого-то грека.

— Мне тут грядку надо под цветы вскопать, — сказал сосед, — я бы тебе заплатил.

После слов «заплатил», Петров должен был, по мнению соседа (так видел его ход мыслей Петров), начать торговаться, а потом с радостью поковылять к нему, глазея на дом, и полянку, и бассейн. Петрова это оскорбило, поэтому он ответил, отставив лопату, как будто это был развевающийся флаг на вершине крепостной башни, а сам он был флагоносцем:

— А лесом бы ты не сходил, платильщик хренов?

После этих слов Петров ушел в домик бабушки и принялся заваривать чай и разогревать суп на электрической плитке; незаметно для себя охая, как старушка, он набирал воду под краном, и тяжелеющий чайник становился все неподъемнее для его спины, кастрюля не становилась тяжелее — она была тяжелой изначально. Хотелось сесть, но если бы Петров сел, вставать пришлось бы с огромным трудом. Петров оперся спиной на стену, ощущая затылком раму неизвестно как попавшей на дачу картины (пейзажа с березками и тропинкой в снегу, на который и бабушка и отец показывали Петрову пальцем и говорили: «Вот как надо, а не ту ерунду, что у тебя»). Петров решил остаться на даче еще на денек, пока не успокоится спина. К вечеру он рассчитывал сползать в ларек еще раз и радовался, что отец не выдал ему машину, иначе как бы он, не способный нажать ни на одну педаль и неспособный переключить передачу, волок ее обратно. Еще радовала перспектива благодатно нажраться пивом, которое было для него теперь как обезболивающее — лучше всякой мази, лучше всякого анальгина.

Безо всякого стука вошел сосед, Петров одобрительно отметил, что вид у соседа такой, будто Петров никуда его не посылал, а наоборот, какой-то даже ободренный, Петрову не понравилось только, что сосед зашел в домик бабушки как к себе домой. В руке соседа была бутылка коньяка. Внутри деревянного дома сосед смотрелся даже естественнее, чем на фоне красного кирпича, и как бы облагораживал своим видом то, что было вокруг него. Теперь Петрову не казалось, что у бабушки халупа, казалось, что это такая стилизация под садовый домик, своеобразный дизайн. Безошибочно сунувшись в шкафчик на стене, сосед вынул оттуда две пыльные рюмки, подул в одну из них, вытряхивая лежавший на дне сухой трупик осы.

— Тут скучно, капец, — пояснил сосед. — Я думал у меня на работе тоска, ан нет. Меня, кстати, Игорь зовут.

Петров тоже представился.

— А че ты такой молодой и уже такой злой? — спросил Игорь, садясь за стол и разливая коньяк по рюмкам. — Садись, в ногах правды нет.

Петров объяснил, что сесть пока не может, потому что потом не встанет, и продолжил подпирать стену лопатками.

— Круто, — одобрил Игорь, — а вообще я тебя от дел каких не отвлекаю? У вас вон еще теплица без пленки.

— Не отвлекаешь, — ответил Петров.

— А ты пьешь вообще? — спросил Игорь. — А то ты дерзкий, как боксер. Может, ты спортсмен какой?

Через полчаса Петров, не в силах стоять на ногах, уже сидел на табурете и даже прохаживался, наливая Игорю и себе суп, еще через полчаса к ним заглянул еще один сосед — спросить, нельзя ли взять лопату на время, раз уж Петров вроде бы все вскопал.

— Ох и зоркий же ты, — похвалил новопришедшего Игорь. — Не желаешь взгляд немного затуманить?

Сосед явно хотел затуманить взгляд больше, чем копать, Игорь слетал к себе за еще одной бутылкой. Жена безлопатного соседа спохватилась слишком поздно — к тому времени, когда Игорь и Петров садились в машину Игоря, чтобы ехать за пивом в ларек, соседа уже развезло в тепле и солнечном свете и сконцентрированном солнечном свете, что разливался по его венам, она поволокла его за шкирку на свой участок, он успел зацепиться за лопату у крыльца, и так они и поволоклись, как герои в сказке «Репка».

Остаток вечера Петров с Игорем напивались на веранде пивом, причем после каждого глотка Игорь почему-то с восторгом говорил: «Господи, какая дрянь, надо было с нее и начинать», Петров был с ним согласен насчет дряни — из пивных банок несло спиртом сильнее, чем из рюмок с коньяком.

На следующее утро Игорь засобирался в город, заглянул к Петрову и предложил подкинуть его, если ему куда-то нужно, а Петрову вообще-то нужно было на работу, хотя он и отмазался на несколько дней, а совесть уже говорила ему, что нужно бы вернуться в яму, раз все дела уже сделаны. Что-то подсказывало Петрову, что соседка обязательно настучит бабушке про гостей в ее домике, а мать начнет спрашивать, не рановато ли он начал напиваться, не превратится ли он со временем в отца. Чтобы как-то понизить градус упреков, он скидал пивные банки и бутылки из-под коньяка в картофельный мешок и согласился ехать с Игорем. Мешок с бутылками и банками Петров выбросил из машины на свалке, которая располагалась почти перед самым входом в коллективный сад, — этакая расползающаяся куча мусора, в середине которой лежали крупные предметы, вроде пылесосов, холодильников, садовая тачка без колес лежала там, а по краям был мусор поменьше — пластиковые бутылки, битые бутылки, старый полиэтилен, битые стекла, битые садовые горшки, старые журналы, книги и газеты. Пищевых отходов вроде картофельных очисток на свалке не было, потому что всё, что могло сгнить, попадало в компостные ямы или тупо зарывалось в ближайшую грядку, однако на одном из склонов мусорной кучи лежали холмики прошлогодней ботвы.

Вставать из сидячего положения, когда прошел обезболивающий эффект алкоголя, Петров по-прежнему не мог, поэтому он не стал садиться рядом с водителем, а полулег сзади, как древний грек, и охал на кочках, а Игорь извинялся, хотя был ни в чем не виноват. Несмотря на уверения Петрова, что он и так доберется до работы, главное — выкинуть его в черте города, Игорь довез его до гаража и успел познакомиться с Пашей и Димоном, пока Петров выковыривал себя из машины. Паша, кстати, тоже оказался на работе, хотя уверял, что теща запряжет его по полной программе, спина у Паши не болела, а болели стертые о лопату руки, а еще голова — изнутри (от того, что он выпил с тестем) и снаружи (потому что он несколько раз бился головой о низкую притолоку входа тещиной дачи).

— Что это за хрен на джипе? Бандос какой? — спросил Паша, когда корма Игоревой машины скрылась за поворотом.

— Может быть, — сказал Петров. — А так-то не знаю, сосед по бабкиной даче.

Игорь привез Петрова на работу в одиннадцать утра, а на пороге гаража стояли уже четыре автомобиля, а в самом гараже развлекали себя болтовней четыре водителя этих автомобилей — они были веселы, потому что была у них всякая мелочевка, типа, поменять масло, заменить главный тормозной цилиндр, поставить новый карданный вал на «газель». Делать это, когда на улице был сухой, теплый, солнечный весенний день — было буквально не работой, а каким-то видом активного отдыха, двери гаража можно было распахнуть настежь и не закрывать. Работать нужно было в основном на ногах, без всяких залеганий и присаживаний. Часам к пяти клиенты уже разъехались кто куда, Димон предлагал сходить в магазин и продолжить то, чем Петров и Паша развлекали себя на даче. На зов Димона отозвались несколько мужиков из соседних гаражей, у кого-то уже была початая бутылка, но Паше и Петрову хотелось домой после дачных приключений — отлежаться и отмыться в ванной. Тут им подогнали «девятку» с потрескиванием то ли в коробке передач, то ли в сцеплении. Это было надолго, поэтому Паша сначала попробовал отдать «девятку» другим слесарям, а те отказались — одни перебирали движок, им и своего веселья хватало, другие, взявшись поменять ходовую «газели», часов пять уже через каждые пятнадцать минут меняясь друг с другом, пытались выколотить заклинивший шкворень — именно они, злые, грязные от бессилия, пробовали сгоношить всех на пьянку. Паша сказал клиентам, что машину они берут, но начнут только завтра, те согласились и на это, закатили машину на яму и убрались восвояси.

Они пооколачивались на пороге гаража (Паша посидел, а Петров постоял), все не решаясь уходить, потому что было еще светло, а все остальные работали, особенно была заметна работа в гараже с «газелью», оттуда раздавались как бы удары кузнечного молота и отчаянные крики типа «Ах ты тварина! Сука, да вылезай уже!».

— Может, хоть начнем сегодня? — предложил Паша. — Все равно еще не переоделись.

Петров оглянулся на мирно стоявшую машину.

— Ох, не люблю я с этим передним приводом возиться.

— Зато завтра будет меньше работы, — уламывал его Паша.

Петров внутренне застонал и полез в яму, подбирая на ходу пластмассовую бадейку для сливаемого масла и ключ.

Выбраться из ямы Петрову удалось только тогда, когда на улице уже синели сумерки, а из всех гаражей падал в уличную пыль желтый свет, Петрову самому хотелось упасть в эту уличную пыль, да там и остаться до утра. Он не мог представить, что сможет еще пойти к Сергею, проверять — дома он или нет, передумал или не передумал самоубиваться. Когда они с Пашей выдергивали коробку передач, на голову Петрова натекло немного машинного масла, которое сливай не сливай — все равно сколько-нибудь да останется, оно попало ему и за воротник тоже, туловище он как-то потер стиральным порошком, который был у них вместо мыла, на голову сыпать порошок не решился и пошел домой так.

Паша довез его до Площади пятого года (он жил в центре), и Петров долго стоял и ждал троллейбуса, попивая купленную тут же газировку в компании еще двух людей, которые не отложились в его памяти, потому что были такие же, как он, сумрачные под павильоном остановки, такие же немногословные, такие же несчастные своей поздней поездкой. К ним сунулся было наряд ППС и только махнул рукой, понимая, что пошатывание людей на остановке — это не алкоголь, не наркотики, а усталость. Милиционеры тоже выглядели не очень бодро, ростом они были с Петрова, и чем дальше удалялись, тем больше походили на маленьких серых осликов.

Пришел троллейбус, светящийся изнутри волшебный своим электрическим желтым светом, издалека похожий не на троллейбус, а на модель троллейбуса, снаружи издалека пустой салон казался чище и целее, чем он был на самом деле. Пока он подъезжал и останавливался, Петрову казалось, что фигуры водителя и кондуктора — пластмассовые и неподвижно прикручены к своим местам.

Всегда, когда Петров ехал на троллейбусе, к нему приставали какие-нибудь безумцы, только в этот раз никто не пристал — или все психи разбрелись по домам, или Петров сам был тем психом, который мучил Петрова и собирался убить Сергея, или никого не было, потому что психом был Сергей и уже назначил встречу, и встреча эта должна была произойти не в троллейбусе. Петров до последнего надеялся, что Сергей не даст о себе знать, даже когда увидел свет в его окне, решил, что Сергей вернулся вместе с родителями, а они не дадут ему совершить задуманное, по крайней мере сегодня.

Как не к себе домой, опасаясь, что его поймают по пути или его девушка, или Сергей, Петров прокрался в свою квартиру и понял, что даже замок отворяет с осторожностью, будто, если замок щелкнет чуть слышнее, чем нужно для сохранения скрытности, тут же зазвучит сирена, замигает красная лампа и множество одинаковых Сергеев и девушек повалят изо всех щелей с криками «Сюрприз!», «Вот тебя-то мы и ждали!». Дверь за собой он закрывал, сдерживая зачем-то дыхание, как раньше, когда опаздывал с подростковой гулянки, а родители уже спали, и их нужно было не разбудить. Петров чуть не умер от ужаса, когда вот так вот однажды ковырялся с замком, унимая пивную отрыжку, обернулся — а в прихожей стояли уже и мать, и отец.

Словно почуяв Петрова, жутко и длинно в пустой и темной квартире зазвонил телефон на журнальном столике гостиной. В первые мгновения звонка всё внутри Петрова как будто оборвалось и ухнуло куда-то вниз, как самоубийца в шахту лифта. Петров унял перекачивающее адреналин сердце и скользнул в ванную. Сначала он хотел вымыться в темноте, однако темнота не была полной, какой-то свет все равно был, света хватало, чтобы становилась видна шевелящаяся фигура отражения в зеркале над раковиной. Телефонные звонки продолжались. Взором воображения Петров увидел, что с потолка свисает темное существо в виде огромной нефтяной капли, без лица, без глаз, оно все равно как-то исхитряется смотреть на Петрова очень близко, едва не касаясь его волос, заляпанных маслом, с каждым звонком телефона по шкуре существа пробегает студенистая дрожь. Петров попробовал пережить паническую атаку, просто вцепившись в твердый холодный край умывальника, а потом както сразу оказался в ванне, и свет уже был включен, а сам Петров пенил шампунь на голове и что-то уже напевал.

Под непрекращающиеся телефонные звонки Петров поужинал и лег на диван перед телевизором, жалея, что не захватил по дороге домой ничего алкогольного. Звонки прекратились на некоторое время, потом возобновились с новой силой, но Петров уже так с ними свыкся, что мог под них даже дремать, даже проснулся от того, что они замолкли снова, успел уснуть под болтовню телевизора, и только тогда его разбудил продолжительный звонок в дверь, перемежавшийся требовательным стуком. Все еще надеясь, что это пришла девушка и настойчиво предлагает пообщаться, Петров осторожным перекатом уронил себя с низкого дивана, тихо поднялся с четверенек, едва не плача от боли в спине, оделся и, хватаясь за стеночку, пошел открывать.

Сергей за порогом дрожал от счастливого ожидания конца своей жизни. Никакой обиды за то, что Петров пробовал остаться этим вечером в стороне, он не высказывал. Под мышкой он держал несколько бандеролей. Прошмыгнув в квартиру Петрова, он утащил Петрова на кухню и стал инструктировать его насчет того, когда нужно послать рукописи по редакциям журналов. (Петров должен был отправить их через сорок дней после смерти Сергея.) «Что там хоть?» — спросил Петров, потому что знал, что Сергей все равно начнет читать. Там было все то же повествование о сантехнике-гомосексуалисте, несколько бытовых зарисовок про выставку картин, которую сантехник обходил с недовольным видом, потому что у самого него не было никаких выставок и не предвиделось ничего, кроме пьянок с другими сантехниками, было про то, что сантехник и правда напивается с другими сантехниками от новости, что молодой драматург, бывший одноклассник, не только получил несколько драматургических премий, но и продал свои наброски декораций за какие-то бешеные деньги на английском аукционе. Петров никогда не пил с сантехниками, только с автослесарями, но думал, что разница невелика, и все равно такими зверями, какими их рисовал невинный взгляд Сергея, сантехники наверняка не были, в повествовании Сергея это были совершенно низкие существа, готовые только на подлость, обсуждение всяких подлостей с клиентами, всяческий обман этих клиентов, рассказы о звероподобных любовных приключениях. Была еще неожиданная сюжетная ветка, в которой в сантехника влюбляется тупая девчушка, тупая, как сам сантехник, девушка, такая молодая баба, совершеннейший кусок грязной плоти с никогда не стиранными трусами и серым от грязи лифчиком, а сантехник-гомосексуалист начинает мутить с ней от безысходности и боязни, что его вычислят и побьют за его ориентацию другие сантехники.

Петров не понимал, за что его так не любит Сергей, почему Петров должен выслушивать это завуалированное оскорбление своего, ну такого вот, невозвышенного существования, в котором есть место некоторой грубости, некоторому примитиву, некоторому наиву, этакому кубизму, он не понимал удовольствие, которое накрывало Сергея, когда он описывал жалкое существование сантехника, его убогость по сравнению с жизнью одноклассника-драматурга. Петров никогда не делал Сергею гадостей, а тот все равно умудрялся обижаться на него именно за то, как Петров живет, в школе он учился хуже Сергея, а тот как-то завидовал и этому, будто для контраста с Сергеем Петров должен был специально скатиться до совсем уж дна.

Петров не выдержал, прервал Сергея и спросил об этом всем.

Сергей стал объяснять, что роман вовсе не про Петрова, точнее, немного про Петрова, конечно, но роман, вообще, про убогость людей, которые не принимают гения, что быть прообразом главного героя очень почетно, что люди потом будут сравнивать реального человека и прообраз, и разница между реальностью и вымыслом должна породить своеобразный художественный эффект. Петров возразил, что не видит, что главный герой — какой-то там гений, которого не принимают современники, а видит, что наоборот, современники его принимают вполне нормально, сантехникам даже нравятся его рисунки. Это главный герой не принимает окружающих и считает всех поголовно каким-то скотом, хотя сам с удовольствием предается любому скотству, которое подсовывается ему по ходу сюжета. «Ну так если вокруг, в натуре, скот! —

вскричал Сергей. — Нужно быть слепым, чтобы не замечать этого! Сверху донизу — сплошное зверье! Ты вот придумал себе, что если ты в ямке своей сидишь, но при этом тушью рисуешь, то тебя это как-то оправдывает, а это не так совсем. Ты даже не видишь, как ты убого смотришься со стороны, как все эти наши музыканты, все эти студенческие рок-группы, как подвальные художники-дворники, ты просто часть этой грязи, и всё!» «Круто», — сказал Петров. «Так я никогда и не скрывал своих взглядов, я не понимаю твоего удивления, — отвечал Сергей. — Я и пытаюсь вырваться из этого всего, потому что выхода нет, потому что через несколько лет у меня были бы жена и дети, и пеленки бы висели на веревке поперек коридора, и пахло бы горшком, мочой, едой, на дачу нужно было таскаться, знакомиться с родственниками жены, и свадьба — тупая, с выкупом и с пьяными гостями, которые кричат "Горько!", откусывание хлеба, кто больше, ЗАГС с теткой, которая будет заученные фразы произносить пафосным голосом, дети с поносом и соплями. У моей матери было в юности два жениха, один — студент физмата, а второй — мой отец, и она, дура, выбрала моего отца, который всю жизнь только и делал, что ей жизнь портил, бухал не просыхая, ругался с ней по пустякам, не понимал ее никогда, я вот думаю, а что, если тоже свяжусь с какой-нибудь идиоткой, которая будет смеяться над тем, что я пишу, над тем, какой я вообще, или она родит какого-нибудь дауна или с ДЦП, и придется всю жизнь с ним возиться, слюни ему подтирать, стесняться его на улице, я этого не хочу заранее, даже вероятность того, что это может произойти, выводит меня из себя. Это ужасно, как все живут, никому ничего не надо, пожрать, выпить и спать, ну, телевизор иногда посмотреть, ну, потрахаться, а я ведь точно знаю, что, если на меня насядут, я брошу писать, превращусь в своего отца, в такого же козла, пьющего втихую, требующего, чтобы каждый день свежий хлеб покупали, даже если для этого хрен знает какую очередь надо отстоять. (Это сейчас не актуально, а вот в перестройку — было, я задолбался ради его прихоти стоять в очереди со старухами, с их криками, что больше двух булок в руки не давать.)»

Петров так устал за день, так хотел спать, что ему казалось, что то, что Сергей сидит у него и как прожектором светит вокруг своим эдиповым комплексом — это уже какой-то сон, потому что реальность содрогалась в глазах Петрова, он, стоя на ногах, отключался, глядя на Сергея, и порой слышал не претензии ко всему человечеству, а только бубнение, как в далеком радиоприемнике на соседской даче.

— Мне вообще-то на работу завтра, — сказал Петров. — Я понимаю, что это все важно очень — высказаться, — но совесть имей, ты собираешься уже умирать или нет?

Спрашивая это, Петров надеялся, что Сергей заюлит и сольется. Что найдутся у него еще какие-нибудь планы, которые отсрочили бы его самоубийство, потому что из-за той ерунды, которую Сергей озвучил, умирать было глупо.

— Вообще, собираюсь, — с готовностью ответил Сергей. — Я просто пришел уладить некоторые формальности, объясниться под конец. Это ты отлыниваешь. Боишься? Ты же мог сразу ко мне прийти и уже спокойно бы спал, все бы уже кончилось, если бы ты сразу пришел.

— Конечно, я боюсь, — признался Петров. — Я, конечно, тупой скот, как и все вокруг, поэтому меня твои возвышенные желания пугают. Они бы и тебя испугали, если бы я попросил то же самое сделать.

— Ну так потому что в твоей смерти не было бы смысла, — тут же нашелся Сергей и поморщился от того, что Петров сравнивает его смерть со своей, — ты и так бессмысленно проживешь и бессмысленно умрешь, а мое самоубийство — это доказательство моей правоты, что я не жалею умереть за свои идеи, за то, что творить в наше время — бесполезно, все скатится или в деньги, или в непризнанность — и неизвестно, что хуже. Даже если бы я стал в конце жизни этаким патриархом, все равно от старости-то это меня не избавит, начну впадать в маразм, буду шамкать, заболею геморроем — это невыносимо. Даже сейчас смотришь по телевизору на какого-нибудь деятеля вроде актера, или художника, или писателя и видишь, как он на куски разваливается, как он когда-то таскался за бабами, будто самый обычный мужик, как его запоры мучают или давление, и улыбка его становится похожа на улыбку слабоумного с каждым годом все больше и больше. Меня бесит, что я тоже могу начать клеиться к какой-нибудь девушке, как павиан, маскируя желание потрахаться обезьяньими ухаживаниями, демонстрацией интеллекта, доброты и щедрости. Меня бесит, что я должен что-то делать, чтобы меня услышали, хотя уже заранее знаю, что не услышат.

Петрову уже не хотелось спорить, Петрову хотелось, чтобы Сергей от него отвязался, поэтому он не стал переубеждать его жить дальше.

— Меня бесит, что писатели, художники, ученые — обычные люди, такие же обезьяны, как и все остальные, вот что меня бесит, вот с этим я не хочу жить, с этим несовершенством, которое не исправить никак, — сказал Сергей.

— Да я понял, понял, — ответил Петров.

Сам Петров не мог дать сигнал, что пора уже что-то решать, что пора уже вставать, идти уже, наконец, или не идти, а разговаривать до утра, а потом просто разойтись, но Сергей ухватился за последнюю мысль и принялся читать кусок романа, который эту мысль как бы доказывал. «О господи», — подумал Петров.

Этот кусок был про то, как сантехник-художник скорефанился с другим художником, тоже любителем и бездарью, и вместе они стали писать гигантское полотно, а на самом деле не столько писали, сколько просто пили пиво и обсуждали, какие все вокруг козлы, что их не понимают.

Дело, наверно, было в том, что Сергей был ревнив, как трехлетний мальчик, во всем он хотел быть лучшим: он хотел быть лучшим другом, а это значило, что ни с кем больше нельзя было дружить так, как с ним, в литературных студиях ему не понравилось, потому что главари студий обращали на него столько же внимания, как и на остальных, отца он ревновал к матери, а мать к отцу, Петрова он ревновал к ним обоим.

Сергей удовлетворил свою жажду чтения, еще раз напомнил, что Петров должен отправить рукописи не ранее, чем через сорок дней после его смерти и, придерживая Петрова под локоть, конечно, просто помогая ему передвигаться, но словно для того, чтобы Петров не передумал внезапно и не скрылся в ночи, повел его к себе.

На улице было тихо, будто перед грозой, и так же, как перед подступающей грозой, шумели деревья, однако небо было совершенно ясное; Петрову это казалось продолжением сна, потому что в здравом уме он ни за что не согласился бы идти куда-то пострелять в человека. Сергей продолжал придерживать Петрова за локоть и еще предостерегал его от всяких мелких опасностей под ногами, говорил: «Осторожно, тут камень, тут бордюр», отчего Петров чувствовал себя стеклянным, а еще ему казалось, что если он оступится, весь сон лопнет, как воздушный шарик, а сам он, дрыгнув ногами, проснется у себя в квартире.

Петров надеялся, что кто-нибудь встретится им по дороге, и тогда операцию придется отменить, потому что все-таки свидетели, этим можно будет объяснить отказ и сразу же податься обратно, сдвинув убийство по времени до следующего раза, который мог совпасть еще неизвестно когда или вообще больше никогда не совпасть.

Ни на улице, ни в подъезде Сергея никого не было, хотя до этого, когда бы Петров не подался к другу, вечно кто-то околачивался на лестничной площадке или возле подъезда, на бетонном крыльце с косой трещиной через все ступеньки и через всю поверхность крыльца. Ни разу не было, чтобы возле входа не стояли местные ребята, провожавшие Петрова загадочным, злорадным взрывом смеха. Видимо, было уже так поздно, что даже эти ребята устали курить и играть на гитаре с наклеенным на корпус выцветшим и позеленевшим от времени изображением лежащей обнаженной красотки с длинными волосами.

Сергей жил на третьем этаже, причем ни одна лампочка ни на одном из трех этажей не горела, и Петров знал это заранее: когда Сергей подтаскивал Петрова к подъезду, он сразу отметил темноту подъездных окон, лампочка была только на пятом, ее света хватало, чтобы частично осветить этаж четвертый, окно третьего этажа выглядело так, будто его оклеили изнутри черной бумагой, стекла в окне второго этажа вообще не было, отчего мрак там казался особенно глубоким, а на первом этаже, понятно, совсем не было окна, потому что там был темный вход в подъезд. Дверь в подъезд никогда не закрывалась, даже зимой, Петров не столько видел, сколько знал, и даже не сам знал, а мышцы его помнили, где в этой темноте находятся пологие ступени, вытертые посередине до состояния неглубокого желоба.

Дома Сергей приставил Петрова к дверному косяку и включил свет в своей комнате, а больше нигде включать не стал. Сергей подтащил Петрова к письменному столу, и Петров, опершись на столешницу одной рукой, стал смотреть, что Сергей учудит дальше, поскольку чувствовал, что это еще не конец представления, что будет еще что-то, предваряющее выход на сцену самого Петрова.

Петров не ошибся. Сергей написал прощальное письмо девочке, с которой познакомился лет пять назад, когда ездил к родственникам в соседнюю область. Даже к ней он ревновал Петрова, хотя Петров никогда ее не видел, а видел только письма от нее, в которых были сдержанные восторги по поводу его стихов (стихов Сергей Петрову не показывал, но, очевидно, писал специально для девочки) и похвалы его прозе. Письмо Петров должен был отправить сразу же, как только сможет, лучше всего по пути на работу утром. «Ну нет», — решительно сказал на это Петров. Сергей потребовал объясниться. «Одно дело, когда ты тут своим родственникам и друзьям решил устроить, редакции, все такое, но вот это вот уже перебор, ну явный же перебор», — ответил Петров, сам не понимая, что хочет объяснить Сергею. «Она же тебе ничего плохого не сделала, понимаю я там, отец, мать тебя чем-то обидели, редактора, литературные студии, но она-то тут при чем?» — спросил Петров. Сергей схватился за голову, не в силах переварить глупости Петрова. Сергей сидел на своей постели — старой кровати с продавленной панцирной сеткой и выглядел глупо, потому что кровать была как будто не его; когда они познакомились, Сергей был мелким ребенком на полголовы ниже Петрова, теперь же Сергей был высок, будто баскетболист, не сутулился, хотя много времени проводил за столом (а Петров сутулился), вообще непонятно было, почему он не пользуется успехом среди девушек с филфака. А кровать осталась той же, на какой он спал первоклассником. «Как ты не понимаешь, — будто сквозь головную боль сказал Сергей, — ей только и есть дело до того, что я пишу». «Если только ей и есть дело, — сказал Петров, — то какого хрена ты всем, что пишешь, ездишь по ушам окружающих, писал бы только ей. Жил бы с ней, читал бы ей. Или боишься светлый образ бытом нарушить, так, что ли?» «Да, вот именно так, — ответил Сергей. — Какой бы девушка ни была, она все равно остается тупой самкой, это никак не изменить, с кровью из влагалища каждый месяц, цветочками всякими, мечтой о красивой свадьбе в какой-нибудь столовке с родственниками, понаехавшими со всех уголков бывшего Союза, вот это вот». Петров не стал спрашивать, но почему-то понял, что преподаватель, поставивший тройку Сергею, была женщина, до него это дошло только теперь. Несмотря на ситуацию, в которой Петров находился, он едва не рассмеялся своему открытию.

Сергей угрюмо задумался, а потом заставил выбирать из предсмертных записок, которых написал несколько, вариант наиболее интересный, который наиболее бы впечатлил отца, мать, друзей и родственников. «Ну, тут вообще можно без записки обойтись, — заметил Петров, — они и так будут под впечатлением, это без базара».

Сергей начал с записки попроще, и хотя знал, что сам отметет эту версию предсмертного послания, все же прочитал ее Петрову. Это была обычная записка, «никого не винить». Вторая записка была расширенной версией первой. В ней тоже было «никого не винить», затем короткое объяснение, что считает свою жизнь бессмысленной и уходит добровольно.

С каждой версией записка становилось все больше. Как-то незаметно ушла мысль, что никто не виноват в смерти Сергея, в ней постепенно становились виноваты все окружающие. Последняя записка из тех, что написал Сергей, была на пяти тетрадных листах, с более-менее подробными придирками к редакциям толстых журналов, к рецензентам, к возглавлявшим литературные кружки литераторам, к седому старичку из «Урала», который сам ничего не добился ни в жизни, ни в литературе, а все равно учит других, как надо писать, решает, что брать в журнал, а что нет. К матери, потому что она вышла замуж именно за такого мужчину и терпит его хамство. К отцу, который не прочитал в жизни ни одной серьезной художественной книги. В записке подробно рассказывалось, откуда у Сергея взялся пистолет (а у него он взялся из загашника отца, что, служа срочником, конвоировал заключенных, а на дембель спер пистолет и обойму). Только Петрова Сергей оставил без внимания, да и то, похоже, только потому, что тот должен был спустить курок. «Хоть на том спасибо», — подумал на это Петров.

Неизвестно, зачем Сергею понадобилось перебирать все эти записки, видно же было, что он уже выбрал последнюю, как самую лучшую, мстящую всем. Именно ее Сергей, освободив стол от бумажного мусора, положил на середину столешницы, на то место, куда смотрел колпак настольной лампы, а все остальное сунул в верхний ящик стола. Как бы расплатившись клетчатыми бумажками с ящиком стола, Сергей достал оттуда пистолет, лег головой на подушку и направил пистолет к себе в рот.

— Так, я не понял, а моя-то роль в чем заключается? — спросил Петров.

— На палец нажать, — пояснил Сергей, — как всегда, ничего сложного.

Петров, огибая стол, приковылял к постели больного, поморщившись, отцепился от столешницы и взялся за руки Сергея. Петрову, конечно, были смешны и предсмертные записки, и роман, однако решимость Сергея не могла его не восхищать, он любил в людях то, что никогда бы не смог сделать сам. «Ты точно решил?» — спросил он Сергея. «Чебурашка идет в школу, — ответил Сергей. — Жми давай».

Петров выстрелил и отцепился от рук Сергея, которые сразу опали, будто Петров не стрелял, а просто оглушил его. Изо рта Сергея обильно полилась кровь. Петров отвернулся от неприятного для желудка зрелища, Петрову показалось, что Сергей еще жив и его еще можно спасти, и он чуть не пошел звонить в «скорую» и милицию.

Затем он понял, что они с Сергеем уже достаточно накуролесили, и сделал единственную разумную вещь за все их совместное приключение, а именно убрал со стола предсмертную записку с горой упреков и разоблачением отца в его незаконном владении оружием и поменял ее на ту, что попроще, не совсем простую, а ту, которая у Сергея была третьей в очереди, а все остальные черновики записок забрал вместе с собой.

Выходя из комнаты, Петров зачем-то выключил за собой свет и даже не оглянулся. Входная дверь в квартиру Сергея запиралась английским замком, поэтому Петров просто захлопнул ее за собой и впервые в своей жизни пошел в киоск за сигаретами, чтобы как-то успокоить себя таким кинематографическим актом (он где-то видел в кино, как кто-нибудь из героев, давно бросивших курить, после сильного стресса закуривал снова — и это вроде как помогало).

Через несколько дней Петров сходил на похороны и больше почти никогда не вспоминал о том, что произошло. Черновики предсмертных записок он сжег, а рукописи и письмо девушке просто выбросил на помойку.

ГЛАВА 7
Грипп Петрова-младшего

Петров очухался после болезни, Петрова очухалась, а их сын что-то совсем разболелся. На него было жалко смотреть. Его ничего уже почти не интересовало, он лежал на диване в гостиной, с головой завернувшись в одеяло, лежал лицом к стене, отзывался только на то, чтобы выпить лекарства, которые принимал с серьезным от страдания лицом, не глядя на Петрова, а глядя только на таблетку в его руке или воду в кружке. Иногда Петров-младший начинал глухо кашлять под своим одеялом, будто чем-то давился, приступ его кашля сразу начинался с отчаянных задыхающихся взрывов и так же резко прерывался, так что Петров или Петрова, швыркая носами, спешили в комнату к сыну и проверяли, не потерял ли он сознание, не задохнулся ли на самом деле.

И все равно Петров чувствовал себя свиньей, потому что они с женой заперли дверь гостиной, как бы выказывая почтительность болезни Петрова-младшего, скрылись в другой комнате и пару раз в течение этого дня аккуратно, пытаясь сильно не шуметь, занялись сексом, обхаживая кажущиеся легкими после болезни тела друг друга. Сам процесс был немного смешон, потому что еще и насморк, и кашель у них не совсем прошли, когда Петрова кашляла, Петрову казалось, что она пытается вытолкнуть Петрова из себя, Петров же шмыгал носом, как школьник, и Петрову это смешило, и она принималась колотиться в сдерживаемом смехе и закусывать угол подушки.

Но этот вот секс в стелс-режиме был единственным послаблением, которые они себе позволили, пока хороводились возле сына и его болячки. В основном они вели себя как в гостях у дальних родственников, словно сын и был этим дальним родственником и его нельзя было беспокоить по пустякам, поэтому Петровы аккуратно передвигались по дому, осторожно смотрели телевизор, Петров поймал себя на том, что даже страницы книги (это была «Гламорама» Брета Истона Эллиса, купленная только по причине того, что Петрову понравилась обложка) перелистывает осторожно, будто шуршанием может как-то навредить общему состоянию Петрова-младшего.

Пока Петров болел в полную силу, пока болела Петрова — никто не звонил, пока Петров шарахался больной по городу на работу, на пьянку, с пьянки — никому не было до этого дела. Но стоило заболеть Петрову-младшему, и родители Петрова и Петровой принялись обрывать телефон своими звонками. Вообще, у Петрова возникало ощущение, что родители растили его только для того, чтобы он зачал им внука, если бы внука можно было получить как-нибудь опосредованно, избегнув возни с самим Петровым, — родители бы с удовольствием последовали этому рецепту. Петров поделился этой мыслью с женой, и она сказала, что у нее возникает точно такое же чувство. Они отбились от отца Петрова, от матери Петрова, от матери Петровой и от отчима Петровой, которые порывались приехать к ним ухаживать за больным внуком. Каждому из звонивших хотелось поговорить с Петровым-младшим. Петров совал сыну телефонную трубку под одеяло, и тот вещал оттуда немногословно, жалобным сиплым и хриплым голосом, что приезжать не надо, что родители лечат его правильно, что да, дают лекарства, да, дают сок, да, разрешают смотреть телевизор, если нужно, но Петрову-младшему пока не нужно, ему ничего не нужно было привезти, нет, ему не хотелось шоколада, нет, не вышло еще игр, которые бы хотел Петров-младший. Родители Петрова и Петровой будто соревновались между собой, пытаясь расположить к себе Петрова-младшего. Когда Петров только женился, они соревновались в том, кто лучше воспитал своих детей и кто лучше может им помочь и вообще, кто добился большего успеха в жизни. Отец Петрова был инженером, в отличие от простых новых родственников, и поэтому смотрел на родителей Петровой свысока, но Петрова зато получила высшее образование, а Петров — нет, это было причиной гордости ее родителей, они считали, что Петров простоват для их замороченной дочурки, как говорится, не для того цветочек растили, правда эту замечательную мысль озвучивала только мать Петровой, а отчим вносил некое рассудительное спокойствие в эти отношения с новыми родственниками, если ссора принимала особенно крутой оборот из-за чьего-нибудь неосторожного слова, он говорил: «Я, конечно, человек чужой, но скажу так…», его всегда останавливали, говорили: «Какой ты чужой, ты озверел, что ли?»

Когда Петрова подала на развод, мать Петровой не скрывала злорадства, потому что все же считала Петрова слегка отстающим в развитии персонажем, недостойным серьезной кровиночки, которая могла теперь найти себе достойного жениха, а не лоботряса, увлекающегося рисованием картиночек тушью. Петров, как подобает слесарям, — запил на пару дней, к нему с удовольствием присоединился отчим Петровой. Именно он частично успокоил Петрова, сказав, что вряд ли она кинулась разводиться из-за каких-то недостатков Петрова, скорее всего, у нее были на это какие-то причины, что, может, ей гормоны какие в голову ударили, с женщинами чего только не бывает из-за гормонов. «Она девка железная, — сказал отчим, — если уж полюбила кого — то навсегда. Хорошо хоть она не в козла в какого влюбилась, какого-нибудь очкарика, который после каждого моего слова вздыхал бы разочарованно, как твой папашка, не в обиду, раз уж он так делает. Это же надо было такому получиться, меня вон родной сын так не любит, как она. Помню, забухал как-то, да как забухал, просто выпил, мать моя давай мне голову мыть, женушка любимая тоже, я у них отвоевал остаток бутылки, которую они хотели в раковину вылить, сижу — квашу, ночь на дворе, а тут дочка приходит, ей тогда лет восемь, наверно, было, обнимает меня, постояла немного и ушла. Не поверишь, у меня аж слезы на глаза навернулись, сижу и не понимаю, за что мне, козлу, такое счастье, я ведь его не заслужил, я ведь только и делаю, что, наоборот, людей собой отпугиваю. И так оно всегда было, все меня могут послать подальше, а она всегда рядом. Так я ведь отморозок, каких мало, а ты-то нормальный парень, сомневаюсь, что она от тебя навсегда ушла».

О своей некоторой отмороженности отчим Петровой не совсем преувеличивал, он совершал иногда странные поступки, которые не мог потом объяснить ничем, кроме внезапного порыва. Он никогда не пил, если ему предстояло возиться с внуком, а если внука приводили к ним, а отчим был пьян, то ложился отсыпаться. Тем удивительнее было то, что, взяв внука на прогулку в зоопарк, совершенно трезвый отчим стал дразнить белого тигра за стеклом поднятым за подмышки ребенком, а Петров-младший, заразившись энтузиазмом деда, стал вращать руками и ногами, пытаясь раззадорить большую кошку своей подвижностью. И Петрова-младшего и отчима Петровой выдворили из зоопарка и сказали, что больше не пустят (в компании Петрова и Петровой пустили, но сын вел себя осторожно, боясь, что его узнают и выгонят опять).

Отец Петрова, когда узнал о разводе, сказал только: «Этого следовало ожидать. Мезальянс».

В общем, сначала отполыхали битвы за то, чтобы выяснить, кто выиграл и проиграл от брака, затем был небольшой перерыв, с небольшими стычками, затем, с появлением внука, соревнование родителей продолжилось. С разводом Петровых борьба за внимание внука не прекратилась, но зато родители развлекались тем, что выясняли между собой, правильно поступила Петрова или нет. Все, кроме отчима Петровой, сошлись в итоге во мнении, что Петров сам в этом как-то виноват — или не удовлетворяет жену, или отпугивает ее комиксами, или мало бывает дома, или не хочет учиться. А когда выяснилось, что Петрова, несмотря на развод, продолжает жить с Петровым, все замерли в недоумении. Петров и тот замер в недоумении. Да и сама Петрова, казалось, тоже замерла. Это был какой-то фантастический, необъяснимый поступок.

Петров не знал об этом, но некоторым раздражением от болезни сына он походил на жену больше, чем мог даже предполагать. Петрову больше нравилось, когда сын был здоров. Кашель Петрова-младшего был настолько восприимчив к табачному дыму, что можно было только удивляться тому, как кашель просыпался от того, что Петров пытался закурить на кухне или в ванной, и не прекращался, пока Петров не гасил окурок, пока дымок окурка не затухал окончательно. Это была какая-то магия. После трех выкуренных сигарет и приступов сыновьего кашля Петров стал ходить курить на балкон, в тапочках и куртке, но без шапки (в подъезде курить Петров почему-то не любил, это было отвращение на спинномозговом уровне, которое он не мог перебороть). Дверь на балкон находилась в гостиной, каждый раз, когда Петров входил в нее и возвращался домой, он запускал с собой волну холодного воздуха, что, он понимал, было не очень хорошо, с другой стороны, Петров-младший отказывался ложиться в свою комнату, ему нравилось греть свой грипп на диване, то есть как бы часть ответственности с Петрова он снимал своим упрямством.

Судя по градуснику за окном, было градусов пятнадцать, но без ветра. Петров с запасом накуривался на балконе, глядя на то, как ходят по двору люди, как целый день выгуливают во дворе то одних, то других собак, то мелких, то крупных, как мелкие собаки делают вид, что пытаются сожрать крупных собак, а крупные собаки на самом деле пытались сожрать мелких, но все время мешал то поводок, то намордник. Смотрел, как свежие матери катают коляски по проезжей части и медленно отступают в сторону, давая дорогу какой-нибудь медленной дворовой машине. Вообще все во дворе было какое-то медленное и неторопливое из-за снега. Даже дети, перебрасывающиеся на детской площадке снежками, рассыпавшимися в воздухе, действовали неторопливо, не бегали, а просто стояли и уворачивались от встречных снежков, от того, что до них долетало, всякая мелочь копалась в снегу лопатками, но тоже как-то медленно, будто замерзая.

Петрова удивило, когда девочка, гулявшая во дворе, тоже перебрасывавшаяся снежками, увидела Петрова на балконе и спросила, выйдет ли сын погулять, Петров думал, что у его сына нет друзей ни во дворе, ни в школе, кроме одного беленького коротышки, похожего на шестилетку. Его удивило еще то, что сына звали не по имени, а по фамилии, спросили: «А Петров выйдет?» (Когда девочка спрашивала это, задрав голову, ее голубой опушенный колпак на завязках съехал на затылок.) Петрова это удивило, потому что почти никто никогда не звал его по имени, с самого детства все говорили: «Петров», «У Петрова спроси», «Привет, Петров», даже всякие его дяди и тети, даже когда он был в самом раннем возрасте, обращались к нему по фамилии. Петров сказал, что сын не выйдет, потому что болеет. Тогда мальчик, терШийся рядом с девочкой в голубом колпаке, спросил, можно ли к ним в гости. Петров сказал, что нельзя, что можно заразиться.

— Я бы заразился, — с удовольствием сказал мальчик.

— Ты что, дурак? — спросила его девочка. — Скоро же каникулы.

После отказа Петрова дети потеряли к нему всякий интерес и продолжили развлекаться, а потом и вовсе ушли с улицы, договорившись пойти к кому-то в гости. Петров заранее не завидовал родителям того ребенка, к которому пошли шестеро гостей.

На игровой площадке остались только матери со всякой мелочью в ярких комбинезонах и суровый дед, хлопающий различные многочисленные половички. Как стойку для хлопанья он приспособил турник, который стоял с тех пор, как Петрова перевезли в этот дом. Турник состоял из трех секций: слева была самая низкая — на ней мог болтаться кто угодно, справа была секция чуть повыше, а посередине был самый крупный турник. Он когда-то был покрашен, но за время, пока стоял, растерял всю синюю краску и был просто ржавый, но все перекладины турника были вытерты до блеска. А вот куполообразная конструкция, похожая на панцирь черепахи, так и не потеряла свой цвет, как была желтой, так и оставалась желтой все эти годы. Песочницу засыпало снегом, а потом еще снегоуборочная машина накатила сугроб на то место, где она стояла, так что до весны выковырять ее на свет божий не представлялось возможным. Стояли еще на игровой площадке качели, но качелями они после установки пробыли недолго — сначала чья-то силушка оторвала у качелей сиденье, а затем и те штуки на шарнирах, которыми сиденье сообщалось с перекладиной, так что это были уже не качели, а еще один турник, просто гораздо выше.

У старичка, который хлопал пыль с половиков, была, похоже, генеральная уборка, потому что сколько Петров ни выходил на балкон, люди менялись, а старичок продолжал бить пыль пластмассовой хлопалкой, похожей на эмблему олимпийских игр на ручке, только, как если бы материков на Земле было не шесть, а около двенадцати.

После одного из выходов, выходе на шестом, когда Петров, пытаясь не излучать холод со своей одежды, стремительно пролетал по гостиной, Петров-младший остановил его и попросил принести комикс, который у Петрова назывался «Тысяча приключений в секунду», а Петров-младший называл его «про мальчика». Сын вообще-то и сам мог пойти в спальню и взять его из стола, в туалет же он как-то ходил, но что-то было несчастное в его голосе и в его выражении лица, гиперболизированное актерской игрой и ощущением собственной правоты, что Петров без слов притаранил ему комикс, хотя не очень любил давать его кому-то, потому что страницы могли заляпать или помять. А сын мог, он не раз уже это делал, не раз уже они с его другом мяли и ляпали. Чтобы доказать другу, что это правда нарисовано, а не напечатано, Петров-младший, как-то раз послюнявил палец и размыл тушь на уголке страницы. Для Петрова это не стало катастрофой, просто было неприятно.

Петров-младший почему-то решил, что история «про мальчика» — история про него. Там правда рассказывалось про приключения ровесника Петрова-младшего, тоже троечника, тоже тихоню, который едет куда-то с отцом, и за секунду до того, как влепиться в выехавший сбоку КамАЗ, его похищают пришельцы, у которых время течет почти перпендикулярно земному, пришельцы слегка подзабыли свои технологии, поэтому они не крадут мальчика, зависая летающей тарелкой над автомобилем, а случайно призывают его, как демона. Мальчик выручает пришельцев из неприятностей, ему стирают память и возвращают в ту же самую секунду, откуда забрали. Даже сам Петров не верил в то, что способен угробить этого героя автокатастрофой, а сын почему-то переживал. Сыну особенно нравилось то, что пришельцы каждый раз предлагают мальчику остаться у них, а он каждый раз отказывается. Сына как-то нехорошо заводило то, что главный герой может погибнуть.

Еще Петрову-младшему было симпатично то, что в мире, куда попадал мальчик, арифметика была нисколько не точной наукой, а приблизительной, при сложении была определенная вероятность того, что сумма вообще обнулится или перерастет в произведение сразу с несколькими правильными ответами. Петрову-младшему нравилось, как в этой истории сначала было сказано, что людей изгнали из той вселенной, потому что они представляли собой страшную опасность, а потом оказывалось, что люди ушли из той вселенной добровольно и осели во вселенной нашей, оставив себе единственную лазейку через единственный портал на тот случай, если существам оттуда понадобится какая-нибудь помощь.

Петров сунул стопку разрисованной бумаги между диванной спинкой и сыном, одеяло зашевелилось, Петров-младший приподнялся на локте и, отодвинувшись от стены, стал читать. Он обычно принимался читать с самого начала и постепенно доходил до места в сюжете, которое Петров успел дорисовать с того времени, пока сын забывал про отцовские рисунки, до того, как он о них вспоминал.

Петров включил телевизор, убавил звук и стал ждать, когда сын дочитает, чтобы убрать всё на место. Сын старался закрывать лицо одеялом, когда чихал или кашлял, чтобы не забрызгать страницы. На его щеке, повернутой к Петрову, был такой замечательный румянец, что Петрову хотелось поцеловать его в эту щеку, но он знал, что сын отмахнется с возгласом отвращения, он даже Петровой не позволял к себе лишний раз прикасаться. У Петрова-младшего были какие-то свои представления о приличиях, он мог целоваться с родителями только после некоторой разлуки, когда они, например, появлялись с работы, еще Петрова-младшего можно было поцеловать, когда он сох после ванной или чтобы утешить. Такие формальности были тем более обидны, что дедушкам и бабушкам он позволял себя тискать как угодно, да еще и лез к ним на руки. Мать Петровой выражала свою любовь к внуку наиболее сильно и настолько бурно, что Петрова как-то не выдержала и ляпнула в сердцах: «Мама, ну ты еще минет ему сделай!», а в другой раз сказала ей, пока она ворковала с внуком со всякими своими «ути-пути»: «Когда кончите — позовете», — и уволокла Петрова, бормотавшего извинения, из кухни, где мать Петровой слюнявила внука в разнообразных местах. «Вы его не любите, вот он вас и не признает», — ответила потом мать Петровой.

Может, это и было правдой, потерю сына Петров пережил бы менее мучительно, чем окончательную потерю жены. То, что у него был сын, Петров воспринимал как какую-то игру, тот казался ему этаким домашним животным, не знающим стыда. Особенно забавным был Петров-младший, когда ему было от четырех до шести лет, он был прямо какой-то живой куклой с всегда приоткрытым ртом, в котором был ряд белых ровных зубов, тоже таких игрушечных, что, казалось, что их ему вставили на фабрике, этими зубами сын не мог разжевать вареное мясо. В то время Петров мысленно прозвал сына Петров-два-предмета, потому что дома он всегда носил только какие-нибудь два предмета одежды и никогда не одевался полностью, но всегда надевал не один, а именно два предмета, например, только носки и трусы, но без майки, или майку и носки, но без трусов, или майку и трусы, но без носков.

Петров-младший и сейчас радовался новогодним праздникам, но теперь это было уже не то, не так искренне, он точно уже был уверен, что Дед Мороз не настоящий, и ждал встречи с ним, чтобы исполнить новогодний ритуал, который исполняли все дети; если бы остальным резко разонравились новогодние праздники — Петров-младший последовал бы примеру всех остальных. А тогда, между четырьмя и шестью годами, было что-то невообразимое: они вместе ходили покупать елочные игрушки, вместе собирали искусственную елку, вместе распутывали гирлянду — и все это было сыну в радость, дедушки и бабушки притащили им в пыльных коробках непобитые остатки прежних своих коллекций новогодних игрушек, и те старые, частично уже выцветшие стеклянные шары, фигурки животных, две пластмассовые звезды на вершину елки (одна с подсветкой, другая обычная) приводили Петрова-младшего в состояние благоговейного восторга. Петров-младший все время сидел возле елки и разглядывал свое искаженное отражение в елочных шарах. В этом году он ни разу не спросил, когда они будут ставить елку, а раньше спрашивал с самого начала зимы или даже с конца осени, со времени, когда только-только появлялся первый снег, он ревниво сравнивал с другими детьми — поставили у них елку или нет. Он грустил, когда елку убирали.

А как он задавал вопросы обо всем подряд и, кажется, не совсем верил в то, что отвечал ему Петров и Петрова. Особенно его интересовала почему-то техника: как передача попадает в телевизор, откуда берутся компьютерные игры и как их делают, почему в телефоне слышен голос человека, который живет далеко. Зато он считал в порядке вещей, что автомобиль, например, едет. Когда Петров бросился объяснять ему, что все не так просто, стал рассказывать про микровзрывы бензиновых паров, толкающих поршни в двигателе, Петров-младший заскучал. А то, что телефон продолжает работать, когда отключается электричество в доме, было для Петрова-младшего сродни волшебству. Возможность заставить его поверить во что-то варьировалась от степени того, насколько Петров-младший считал это правдоподобным сам. Он не верил, что станки на заводах могут шить плюшевые игрушки, потому что все они казались слишком теплыми, слишком личными, чтобы их можно было производить тысячами. Он не верил, что свет от звезд идет годы и тысячелетия. Петров понимал эту веру, он и сам как-то не очень симпатизировал той же теории относительности и поэтому не мог принять ее за безоговорочную истину, в его комиксах если уж корабль летел быстрее скорости света, то не возникало никакого временно́го парадокса.

Сыну было неинтересно слушать про то, как работает двигатель обычной машины, но он требовал объяснений про порталы в пространстве, нарисованные в комиксах Петрова, про устройство двигателя летающего автомобиля, про то, как устроены скафандры космической полиции, и что интересно — когда Петров объяснял это всякими глупостями, вроде специального антигравитационного вещества, про материалы невероятной прочности, сделанные на космических станциях при определенных условиях, Петрова-младшего эти объяснения вполне устраивали, хотя были менее правдоподобны, чем обстоятельства его появления на свет, о которых ему поведали одноклассники в школе, а он просто пропустил эти рассказы о зачатии мимо ушей, поскольку они не согласовывались с его каким-то внутренним чувством, он даже спрашивал Петрова, правильно ли ему рассказали (Петров так и узнал об этом через вопрос сына), Петрову даже пришлось согласиться, что да, в принципе, правда, а Петров-младший, по его лицу было видно — все равно не поверил.

Незаметно в комнату проникла Петрова и села рядом с ним, незаметно как-то сын перебрался к ним на колени со своим одеялом и комиксами. Даже сквозь одеяло и одежду Петров чувствовал, какой от сына идет жар. Петрова тоже это почувствовала, поставила сыну градусник, поморщилась и дала сыну еще парацетамола. Они стали ждать, когда температура начнет спадать, хотя ждали этого с самого утра, а уже стемнело, тогда как температура не упала не то что на целый градус, она не уменьшилась ни на одно деление. Ноги Петрова-младшего, казавшиеся в носках плюшевыми лапами, грустно торчали из-под одеяла.

Сын обычно сбрасывал с себя одеяло во сне ближе к утру, а у Петрова даже была привычка каждое утро проверять, как дела у сына, подходить к нему спящему и брать его за ступню — если ступня была холодная, Петров укрывал сына, а если теплая, то Петров думал почему-то: «Ну и хер с тобой», и оставлял всё как есть.

Но теперь Петрову хотелось стащить с сына одеяло и обложить его льдом — настолько страшен и неестественен был его сухой жар, как от калорифера, как от крыши, на которой они с Сергеем загорали, когда были детьми.

Будто что-то чувствуя, позвонила теща и посоветовала натереть сына водкой. Но водки в доме не было, вопреки представлениям тещи о Петрове, а еще их от этой процедуры отговорил врач, а врачу Петров и Петрова доверяли все же как-то больше.

Позвонил Паша, причем сразу угадал, что Петров дома, и не стал звонить на сотовый, а проницательно побеспокоил стационарный телефон Петрова. Цепляя проводом три кружки, накопившиеся за день на журнальном столике, Петров стал сверять общее состояние здоровья в семье Паши с состоянием здоровья в своей семье. Паша говорил, что температура не падает у него уже несколько дней и это начинает напрягать, еще Паша утверждал, что уже готов сдохнуть, только бы начать остывать, потому что это уже невыносимо, он говорил, что все в его семье валяются по своим койкам и некому за ним ухаживать, а он желает ухода, он не скрывал, что любит, чтобы вокруг него была какая-то суета, когда ему плохо, а тут плохо всем, так что никакого удовольствия от болезни получить не получается. «Прямо какое-то Куликово поле», — сказал Паша. «И ладно бы все валялись и не отсвечивали, — говорил Паша, — а то ведь нет, встанешь себе чаю налить — и тут же заказы сыплются со всех сторон, типа, и мне тоже принеси, а мне еще печенье, а мне сок, прямо как ждут, когда я пойду. Хоть поднос бери и обходи всех, как официантка. Ладно под юбку не лезут, и то хорошо. А еще собаку нужно выгуливать. Иногда желание такое появляется — связать вместе несколько поводков и спускать ее с балкона, а потом затаскивать обратно, когда она посрет. Потому что так таскаться с ней по улице по сорок минут просто сил нет, а она это чувствует, сука, волочет, куда хочет».

Петров в свою очередь поделился впечатлениями от своих страданий во время болезни, а заодно рассказал о приключениях с Игорем. Петровой пришлось выслушивать их вторично, поскольку эту историю теми же словами он рассказал ей еще утром, во время завтрака.

Пашу удивило то, что совсем не буйного Петрова заперли в катафалке. Петрову отчего-то обидно было слышать, что он не буйный, Петров стал предполагать, что все же побуянил, раз его заперли снаружи. Паша осведомился, есть ли на шкуре Петрова какие-нибудь новообразования, вроде кровоподтеков и шишек, а когда Петров признался, что ничего такого ни он, ни жена на нем не обнаружили, Паша принялся уверять Петрова в том, что никакого буйства не было, а Петрова посадили в катафалк по какой-то пока неясной причине, иначе просто так Петров бы не отделался.

Петров спохватился, что не рассказал про хозяина той квартиры, где они пили с Игорем, про бывшего их клиента. То, что Петров повстречал бывшего их посетителя — вредину, скандалиста и капризулю (Паша клиентов с плохим нравом так и называл — капризули), привело Пашу в такое радостное состояние, что голос его стал заметно бодрее, и говорить он перестал в нос и даже кашель его стал реже. Паша предположил, что именно по причине его знакомства с хозяином квартиры Петров оказался на улице, и хорошо, что проснулся не в сугробе вверх тормашками. Петров сказал, что бывший клиент до сих пор точит на них зуб. «Ну так еще бы, такая слонина», — сказал Паша, имея в виду сразу и нездоровое телосложение бывшего клиента, и миф о том, что слоны никогда не забывают своих врагов.

Паша поделился своей тревогой по поводу того, что Петрова могут привлечь за то, что он участвовал в краже трупа. (Жена утром выразила такую же обеспокоенность и по этому же поводу.) Петрову не сказать что не было тревожно, а все-таки никто еще ни разу не постучался в дверь, чтобы предъявить к нему претензии, поэтому Петров гнал от себя эту печальную мысль.

«От этого Игоря вечно проблемы, — заметил Паша. — Я прямо седею, когда его вижу, прямо мне хочется сразу куда-нибудь спрятаться, и все равно иду на его зов, как не знаю… Гипнотизер он, что ли. Он, кстати, кто?»

Паша тоже неприятно пересекался с Игорем, да что там, все гаражные боксы в месте, где работал Петров, вздрагивали после того, как Игорь утащил их с работы прямо на футбольный матч между детскими командами, причем все перепились каким-то непостижимым образом еще по дороге на футбол и продолжили пить на трибуне, а потом Игорь стал швырять на поле фальшфейеры и чуть не спровоцировал махач с охраной стадиона. После этого раза автослесари стали посылать его подальше, как только видели, но все равно каждый раз напивались, поддаваясь его чарам.

Только вот после этого, после всех этих рассказов, Петров стал говорить Паше про сына, про то, что тому вообще очень плохо, прямо страшно за него, что температура не спадает. А Паша уверял Петрова, что так и надо, по-другому болезнь не поборешь, что у него все температурят, а он даже градусником не пользуется, чтобы нервы себе не портить. Петров не одобрил такое поведение. «Ну а что я сделаю? — спросил Паша. — Таблетки мы по графику пьем, постельный режим соблюдаем, остается только ждать, когда придет Маниту и заберет кого-нибудь в страну вечной охоты». По ту сторону трубки было слышно, как Паша екнул от удара по спине (это наверняка была его жена, не одобрявшая такой оптимизм мужа). «Что вы возле сына третесь, как клуши? — продолжил Паша как ни в чем не бывало гнуть ту же линию фатализма. — Отпустили бы парня проветриться, если он на ногах стоит, не знаю, оставили бы его в покое, ему и так тошно, а еще на твою морду смотреть, так вообще никаких сил не останется, чтобы с болезнью бороться».

Тут трубку у Паши отобрала его жена и попросила к телефону Петрову. Петрова закатила глаза, потому что не очень любила общаться с людьми, но трубку взяла, и они с женой Паши принялись делиться впечатлениями от болезни детей. Жена Паши предложила рецепт целебной смеси — коктейль из лукового сока, кипяченого молока и меда. Петрова согласилась попробовать его на сыне, но лицом показала, что ничего такого намешивать не будет, а жена Паши тем временем предлагала еще один рецепт, тоже коктейль из алоэ и меда (по желанию туда можно было налить и кипяченого молока, и лукового сока).

Если бы Петров был уверен в стопроцентной эффективности этой смеси, он тут же побежал бы намешивать ингредиенты и без разговоров влил бы их в Петрова-младшего, как бы тот ни сопротивлялся, но семья Паши даже с этими коктейлями валялась по всей квартире, и очевидно было, что должного облегчения они не приносят, а причиняют только дополнительные страдания.

«Можно мне лучше газировки», — с опаской спросил Петров-младший. Сын сомневался, что может убедить Петрова выйти на улицу, но Петров здраво рассудил, что ходил на улицу уже несколько раз, когда курил на балконе, что сигареты подходят к концу и, хотя удовольствия от них никакого, а только кашель, пополнить их запасы было все-таки нужно.

Петров загадал себе, что, когда вернется, все уже будет у сына нормально, что температура начнет спадать. До магазина поэтому он шел как можно более неторопливо, в очереди пропустил вперед себя несколько бабулек и мужчину, который приобрел только банку пива. Петров купил сигареты, большую бутылку газировки, а плюс к ней еще баночку, так что продавщица не без иронии смотрела на Петрова, будто он покупал не газировку, а алкоголь, собирался выглушить бутыль вечером, баночку же оставлял на утро — опохмелиться.

Не в силах возвращаться домой и смотреть на больное чадо, Петров добрался до троллейбусной остановки, посидел там, опустошая банку и наполняя легкие табачным дымом. От этого сидения решимости вернуться у Петрова что-то не прибавилось. Он походил по улице с бутылкой под мышкой, выкурил еще пару сигарет и только тогда подался восвояси. Петров чувствовал себя прогульщиком, ему неловко было, что он трусит, но он застрял еще и у подъезда, словно поджидая кого-то, опять побаловался курением, а потом еще и постоял минут десять, выжидая время, за которое парацетамол может наконец начать показывать свою жаропонижающую и противовоспалительную сущность внутри сына.

Петрова, не скрывая гнева, который был тем более выразителен за ее спокойным голосом, спросила, где Петров шатался полтора часа. Петров не мог придумать, как объясниться, настоящая причина его гуляния была совершенно нелепа, совершенно инфантильна, Петров и чувствовал себя сейчас каким-то трехлетним, ничего не могущим поделать с тем, что происходило. Он был не в силах повлиять на болезнь сына, мог лишь наблюдать, сидеть рядом, пользы от Петрова не было никакой. Оставалось только ждать, когда ситуация разовьется как-то сама собой. Петров ничего не стал отвечать жене, хотя она и угадала, почему Петрова долго не было, и стала упрекать его, что он ведет себя как ребенок, а ей и одного больного ребенка хватает, чтобы беспокоиться еще и о том, случилось что-нибудь с Петровым на улице или он просто гуляет, потому что ему, видите ли, надоело сидеть в четырех стенах. «Так телефон же есть», — ответил Петров. «Ты его дома забыл, скотина безголовая», — сказала на это Петрова.

Они оба взгромоздились на диван возле сына, а тот опять поплотнее завернулся в одеяло и грустно лежал лицом к стене и поднимался только, чтобы отпить из бутылки. В моменты, когда пил, Петров-младший напоминал Петрову игрушку из его детства — мягкого с виду, но твердого на ощупь медведя, который что-то отпивал из бутылки с соской и при этом ворчал. Сын тоже ворчал. Петров-младший внезапно вспомнил, а может, помнил всегда, но решил поговорить об этом только теперь, что завтра он хочет на елку в ТЮЗ, он уже подозревал, что ни на какую елку он не пойдет в таком состоянии, и куксился по этому поводу. «Да какая к хренам елка! — говорила Петрова. — Ты так и пойдешь, закутанный в одеяло?» Она, видимо, все же ощущала облегчение от того, что сын болеет, на елку ему не надо и, значит, не нужно дошивать его костюм, поскольку шить Петрова не любила совсем, то есть прямо беситься начинала еще на этапе подготовки к шитью, на моменте, когда доставала иголки и нитки из шкафа. (Еще Петрова не любила вдевать одеяло в пододеяльник и прямо-таки исходила на тихое бешенство, когда ей нужно было это делать.)

Петрова сказала, что даже если температура спадет, Петрову-младшему все равно нельзя будет никуда пойти, чтобы не было осложнения. Петров-младший искренне разрыдался. Петров сказал, что если температура спадет, то он повезет сына на елку. «А если не спадет, то дошей хотя бы костюм сейчас, я в нем на школьную елку пойду», — сказал Петров-младший. «Так она же не завтра — школьная елка», — ответила Петрова. «Ага! — сквозь слезы и одеяло сказал Петров-младший. — Сначала не завтра, потом завтра, а потом тебе некогда». Вообще, Петров-младший редко был таким капризным, Петрова плюнула в сердцах и достала нитки и недошитые синие штаны Соника-супережика и синюю недошитую куртку. «Это все ты», — упрекнула Петрова мужа.

Часть вины за то, что сын рвался на елку и рвался на елку именно в костюме, правда лежала на Петрове. Еще в начале декабря он заметил, что ребята, занимавшиеся сменой автомобильной обивки и аэрографией через два гаража от них, в свободное время наделали из папье-маше, поролона и оргстекла несколько фантастических чудовищ, которые стояли у них по углам, слегка пугали новоприбывших клиентов и восхищали клиентов старых, и попросил сделать сыну маску на Новый год. Через два дня маска была готова, только это была не совсем маска, а целая голова синего ежа, с поролоновыми колючками и блестящими пластмассовыми глазами, с залихватской хитринкой во взгляде. Голова, по мнению Петрова, была так прекрасна, что он сам был готов идти в ней на елку, если бы позволял возраст.

Петрова принялась шить, а сын, слегка утешенный тем, что заставил мать что-то для него сделать, кроме того, что она ходила за ним больным, наблюдал за ней, поблескивая усталыми глазами. Желая, чтобы и Петров не сидел на месте, сын попросил пульт, а точнее, попросил переключить телевизор на мультфильмы. На детском канале шел «Тутенштейн», и Петрова вскинулась, что это уже слишком, что шить она еще согласна, но не под эти писклявые голоса и не под эту музыку. «И вообще, пока я шью, я буду смотреть, что хочу», — заявила Петрова и отобрала у Петрова пульт. «Как ты будешь смотреть, если ты шьешь?» — спросил сын. «Слушать буду», — сказала Петрова. Сын, не получивший то, что хотел, попросил тогда принести голову Соника, чтобы он ее померил. «Да что же тебе не лежится-то, а?» — поинтересовался Петров, но подумал, что, может, сыну становится лучше, раз он начал вредничать, но когда принес маску и дотронулся до головы Петрова-младшего, сердце его дрогнуло. «Что, уже лучше?» — спросил сын, заметив прикосновение, которое Петров пытался замаскировать под случайное. «Сейчас посмотрим», — пробуя казаться беззаботным, сказал Петров и полез за градусником.

Из-под расстегнутой пижамной рубашки сына на Петрова прямо пыхнуло жаром. Петров долго стряхивал градусник, будто это как-то могло помочь, смотрел на блеск столбика ртути под лампами люстры. «Холодненький», — прокомментировал Петров-младший, зажимая градусник рукой. «Валяйся пока и не отсвечивай», — сказал ему Петров, отбирая маску и силой укладывая на диван. «Тогда мультфильмы», — сказал Петров-младший. Петрова зашипела, но разрешила переключить телевизор на нужный Петрову-младшему канал.

Мультфильм про мумию, видимо, натолкнул сына на какие-то мысли, поскольку он спросил: «А правда, что когда убийца умирает, возле его постели собираются привидения всех, кого он убил?» «Кто тебе такую глупость сказал?» — спросил Петров. «Бабушка сказала», — ответил сын. «Я не знаю, — сказал Петров честным голосом, потому что сам уже верил, что на его счету нет ни одного трупа. — Я никого не убивал и сам ни разу не умирал, так что как-то не довелось проверить». «Сказки это все, — заметила Петрова между делом. — Ну а если и собираются, то что? В суд поведут?» Петров-младший почему-то усмехнулся.

Температура у него оказалась тридцать девять с половиной.

Сын спросил, лучше ему или нет, Петров сказал, что лучше, но все равно сел и задумался одной тревожной мыслью, в мысли не было слов, только одно чувство беспомощности и страха; когда Петрова посмотрела на него вопросительно, Петров только скорчил печальное лицо и расстроенно махнул рукой. «Может, в “скорую” позвонить?» — спросила Петрова. «С другой стороны, Паша же вон с семьей валяется, и ничего», — сказал Петров. «У них, может, температура тридцать восемь, а у нашего сколько уже? Все так же, целый день?» «Уже даже с половиной», — вполголоса ответил Петров. «Нет, давай все-таки позвоним, — предложила Петрова, откусывая нитку. — Что они нас, расстреляют за телефонный звонок? Ну обругают, что отрываем там от чего-нибудь. А вдруг что-нибудь серьезное?»

Но Петров, прежде чем звонить, подождал еще какое-то время, надеясь, что все придет в норму, затем еще раз поставил сыну градусник, то есть еще отдалил время звонка. Петров заметил, что вся семья сидит на диване с таким видом, будто градусник под мышкой не у одного Петрова-младшего, а у них всех. Этот очередной замер температуры показал, что Петров-младший стал жарче на одну десятую градуса, однако Петров сделал вид, что все осталось по-прежнему. Тут как раз Петрова дошила костюм и сын стал его мерить, надев синие, поблескивающие шелком штаны и куртку поверх блеклой пижамы. Вылезший из-под одеяла сын источал запах подохших фагоцитов, бальзама «Звездочка», которым Петрова намазала его еще утром, и эвкалипта.

Петрова осведомилась, когда Петров собирается набрать номер «неотложки». Петров сказал, что сейчас еще раз поставит градусник после примерки и тогда уже позвонит. Петров-младший походил по комнате кругами, однако быстро озяб, снова разоблачился до пижамы и полез под одеяло.

«Опять градусник, — сказал Петров-младший недовольным голосом. — Я спать хочу». Петрова сидела у него в ногах, в черных шерстяных колготках и черной водолазке, и была одновременно черной и белой, как смерть. «То есть когда тебе костюм внезапно понадобился, спать ты не хотел? — спросила она Петрова-младшего. — Мне самой, что ли, звонить?» — спросила она у Петрова.

Градусник показал, что температура поднялась еще на полделения, Петров со вздохом взял трубку и ткнул в две цифры. «Тут не “скорую” надо вызывать, а пожарных», — подумал при этом Петров. Петров зачем-то встал, слушая длинные гудки вызова, будто выражал почтение человеку, которого собирался беспокоить. Он прямо видел, насколько похож на человека, пришедшего в гараж поменять какую-нибудь мелочь, а в итоге застревающего надолго, потому что обнаружилась какая-нибудь угроза крупной поломки. Он неосознанно принял скорбный и виноватый вид, словно сам довел сына до такого состояния.

«Я не хочу в больницу», — сказал Петров-младший, скорее всего потому, что шанс попасть на елку из больницы был гораздо ниже, чем шанс попасть на елку из дома, даже и с температурой. «Да никто тебя туда еще и не везет», — ответила Петрова не слишком уверенным голосом.

Телефон на том конце взяла такая усталая женщина, будто в «скорой» дежурил Сизиф, поменявший пол и уставший от этой операции еще больше. «Понимаете, — сказал Петров, — тут у ребенка температура сильная, вы не могли бы подъехать?» «Я бы могла подъехать, — подготовленно ответила врач, — но после дежурства. А машину вот могу послать, если у вас что-то серьезное». «Ну, у нас серьезное, у нас у ребенка температура тридцать девять с лишним, — ответил Петров. — Ему как-то не очень хорошо». «У меня тоже температура тридцать девять, — сказала врач. — И мне тоже не очень хорошо, — добавила она. — А из-за чего температура? Грипп?» «Из-за чего же еще?» — изумился Петров. «Ну, всякие причины бывают, — пояснила врач усталым голосом. — Заражение крови, например. У него точно грипп?» «Вроде бы да», — сказал Петров. «Он в сознании?» — спросила врач. «Ну да», — кивнул Петров. «Судорог не было? — опять спросила она. — Ни поноса, ни рвоты?» «Да вроде нет», — отвечал Петров все менее уверенно. «Что у вас все время “вроде”? — возмутилась она. — Вы за ним не смотрите, что ли? Где вы вообще находитесь, что не знаете, были у него судороги или рвота или понос?» Петров слегка смешался от такой атаки и стал объяснять, что у него просто такая привычка говорить «вроде», хотя точно не было ни поноса, ни рвоты, ни судорог. «Вот когда начнутся, тогда и звоните», — сказала врач. «То есть как?» — возмутился Петров. «То есть так! — таким же возмущением ответила врач. — Вы думаете, вы первый за сегодня с этой температурой? Да у всех сейчас температура! Сейчас эпидемия, чего вы еще хотите от гриппа? Вы хотите, чтобы я машину забрала у эпилептика, к которому на приступ едут, или у ребенка, который на себя кастрюлю с кипятком уронил? И что доктора будут с вашим сыном делать?» «Ну, я не знаю, — сказал Петров, — должно же что-то быть, чтобы сбить такую температуру! Это же ненормально, она целый день такая держится!» «Болеть вообще не нормально, — заметила врач, — не кутайте его пока сильно, может, еще из-за этого он греется. Укутают в три одеяла и ждут, что ребенку лучше станет. Звоните, если правда что серьезное будет, какие-нибудь симптомы, которые от симптомов гриппа хотя бы слегка отличаются. Компресс на лоб положите, в конце концов, не все же таблетками организм долбить. Вы, кстати, таблетки-то ему даете, или из этих, которые силами природы лечатся?» «Даем, — сказал Петров. — Только они что-то не помогают».

«В общем, вы поняли меня», — заметила врач и положила трубку.

Опустошенный таким разговором Петров постоял, ссутулившись с опущенной телефонной трубкой в руке, и зачем-то постукивал ей себе по бедру. «Ну и что говорят? — поинтересовалась Петрова. — Отказываются ехать?» «Говорят, что для гриппа это нормально, что температура, говорят, давайте таблетки и компресс положите и прекратите кутать».

Глаза Петрова-младшего горели мрачным торжеством. «Может, правда, чем-нибудь полегче его укрыть», — предложила Петрова и, не спрашивая разрешения, потащила с Петрова-младшего толстое одеяло. «Давай, кутайся в покрывало», — скомандовала она сыну. Петров-младший безропотно отдал одеяло и завернулся в покрывало дивана, сначала обернулся внутренней стороной, но там была просто жесткая ткань, вроде дерюги, поэтому Петров-младший завозился, переворачивая покрывало бархатистой стороной к себе, и долго приноравливался, проверяя — греет ли его или нет. Петрова притащила смоченное водой кухонное полотенце и попыталась положить его Петрову-младшему на голову, но он отбивался и говорил, что от полотенца «воняет». Тогда Петрова принесла из кухни нераспечатанный пакет пельменей. Петров-младший рассмеялся, когда она поставила пакет ему на лоб, и сказал, что через полчаса пельмени всплывут.

«Жаль, что грелки нету, — огорчился Петров. — можно было воду менять — и всё». «У тебя там столько пельменей, что пакеты с ними можно менять», — сказала Петрова.

Петров глядел на сына с пакетом пельменей на голове и чувствовал кроме страха и беспомощности еще и раздражение. Это было ужасное чувство, но Петрову частично казалось, сын слишком уж корчит из себя больного, что если бы болел и страдал, то просто лежал бы в каком-нибудь бреду, он жалел даже, что у сына нет ни рвоты, ни поноса, чтобы отдать его в руки врачей и переложить всю ответственность за его здоровье на них, что-то понимающих в медицине. Пакет с пельменями перевел температуру сына в некое комическое русло, и Петрову казалось, что Петров-младший клоуничает больше, чем болеет. Чего-то не хватало в Петрове, чтобы полностью сопереживать сыну, он понимал только, когда страдал сам, когда сам таскался повсюду с температурой, его, Петрова, тогдашнее страдание казалось Петрову настоящим, а страдание сына — нет. Петров страдал, что не полностью сопереживает страданиям сына, и вот это страдание за свою черствость переживалось Петровым полностью. Только болезнь самого Петрова казалась Петрову настоящей, а болезнь Петрова-младшего — игрой, в которую тот сам отчасти играет и заигрался настолько, что может умереть уже от этой игры, но не может остановиться.

Петров видел себя героем в некоей глупой святочной пьесе или рассказе на предпоследней странице «Православной газеты», которую пролистывал зачем-то, когда бывал в гостях у тещи. В подобных рассказах был, правда, не отец, а всегда почему-то мать у постели умирающего ребенка: ребенок умирал, мать спрашивала «За что?», тут нарисовывался ангел и пояснял женщине, что ребенок все равно вырос бы моральным уродом и попал бы потом в ад, а так Бог его спас; были еще варианты, где ангел показывал женщине картинки из предполагаемого будущего сына, где сын распивал водку, курил, трахался, т. е. как бы делал то, что делают почти все люди, а Бог избавлял ребенка от этого падения в обычную взрослую жизнь и делал из него ангелочка. Мать всегда проникалась отчего-то словами ангела и начинала благодарно молиться. Петров видел себя внутри этого рассказа, ему казалось, что он держит этот сюжет с самим собой, как картонную коробку, будто ничего больше не было, кроме этой коробки, этой комнаты с кукольными фигурками трех людей и игрушечной мебели, будто вокруг коробки не существовало вообще ничего, кроме темноты.

Чтобы избавить себя от этого ощущения, от чувства бессилия, от раздражения на сына, Петров ушел в спальню и, переживая совершеннейший мрак на душе, будто темнота вокруг коробки была не придуманной, а настоящей, Петров в эту темноту погрузился, стал перебирать телеканалы. Как на беду, один из телеканалов ударился в ретро, перепоказывал «Джейн Эйр», а Петров попал как раз на момент, где юная Джейн засыпает под одним одеялом с туберкулезной больной. Вообще, роман «Джейн Эйр» нравился Петрову восторжествовавшей справедливостью по отношению к мачехе и ее злобным детям, но вот этот эпизод со смертью подружки, харкавшей кровью, был Петрову теперь не очень симпатичен.

Петров пытался вспомнить, как сам болел в детстве, возились ли с ним точно так же, как с Петровым-младшим, но помнил почему-то не саму болезнь, а как хорошо было потом на больничном, после основного приступа гриппа, как он не ходил в школу и занимался дома всякой ерундой, как оставался один, когда родители уходили на работу, как грел себе еду, как решил не греть молоко на плите, а выпить холодным, и ему потом влетело, так что Петров учел этот урок и продолжил пить молоко холодным, но, последовав за логикой матери, всегда наливал немного молока в кастрюльку и ставил на огонь, чтобы слегка подгорело. Вспомнил, как специально хотел заболеть, чтобы не ехать со всеми на экскурсию в Висим, на родину Мамина-Сибиряка, специально лежал в ванне с холодной водой, а потом еще посидел на балконе в одних трусах, а проснулся на следующее утро будто бы даже здоровее, чем был, так что ранним утром пришлось загружаться в школьный автобус и переть с классом за двести километров от города, чтобы посмотреть на несколько деревенских домиков и послушать о жизни писателя, который Петрову был совершенно по барабану. Мало того что до Висима ехали целую прорву времени, так еще и останавливались каждые двадцать минут, потому что какого-то одноклассника все время укачивало.

В детстве Петрова не столько страшил грипп, сколько прививка от энцефалита. Вот уж что Петров переживал с настоящими муками, которые он помнил до настоящего времени. Когда после прививки все бегали и пытались покрепче хлопнуть друг друга по спине, где было болезненное место укола, Петрова штормило по-настоящему. У него болело не только под лопаткой — несколько дней его преследовала чудовищная головная боль, которая была хуже температуры, хуже кашля и насморка. Голова болела у Петрова до тошноты, ему было больно глотать, моргать и даже кивать, ему казалось, что он чувствует, как мозг плавает в теплом бульоне внутри черепа и касается внутренних стенок черепной коробки.

Петрова, похоже, сдалась так же, как и Петров. Она тоже пришла в спальню, стала снимать свои мрачные вещи и переодеваться в ночную рубашку и мазать себя ночными кремами для рук и лица.

«Ну и как он там?» — спросил Петров. «Как, как. Валяется, да и всё, — ответила Петрова невесело, — что тут уже поделаешь?»

Они начали странное соревнование, пытаясь продержаться как можно дольше, чтобы не проверить, как там сын, и принялись переключать телеканалы, сверяясь друг с другом, — оставить телеканал или переключать дальше. За этим занятием они еще и переговаривались, пытаясь казаться спокойными, Петров спросил у жены, как она сама-то себя чувствует. Петрова чувствовала себя нормально и спросила, как чувствует себя Петров. У Петрова тоже все было хорошо. Какое-то время им удавалось притворяться, что сына дома нет, и удавалось играть, что оба они уравновешены и что вообще ничего такого не происходит. За этой игрой они перетекли на кухню, где Петров крутил в руках сигаретную пачку и заставлял себя не идти курить на балкон, чтобы не видеть больного сына. Первой сдалась Петрова и предложила попробовать аспирин, а не парацетамол. Петров сказал, что детям аспирин нельзя, хотя, когда он сам был ребенком, аспирин ему было можно и ничего не случилось. «А ты уверен, что это именно аспирин был? — не поверила жена. — Он же на слизистую желудка не очень хорошо влияет и отек мозга может внезапный вызвать». «Я уже ни в чем не уверен, — признался Петров. — Я даже не уверен, что парацетамол, который мы ему целый день разводим — настоящий. Могли ведь какую-нибудь паленую хрень выпустить по той же цене, — здраво заметил Петров, — сейчас чего только не бывает».

Петровы полезли в аптечку и стали искать аспирин, ожидая, что в коробке, оставшейся с древних времен еще от родителей Петрова, что-то может еще остаться. В коробке были горчичники, зеленка, марганцовка, лежавшая там с той поры, когда Петрова-младшего нужно было купать в ванночке с разбавленным марганцем, лежал оставленный родителями йод, которым никто не пользовался, был там левомицетин, купленный Петровым, когда он был еще школьником и заболела дворовая собака (собака, кстати, не дала дать себе таблетку, такая веселая и приветливая во все остальные дни, она нехорошо косилась и скалила зубы, когда ей пытались раскрыть пасть), лежал рулон ваты — распушенный снаружи и твердый внутри, как дерево. Были там три вида пластыря — бактерицидный, с зеленой полоской лечебного слоя, чья клейкая сторона была покрыта пластиковым листиком, и два пластыря свернутых, как изолента, — узкий и широкий. В том, что пластырями нельзя пользоваться как изолентой, Петров убедился еще в раннем детстве, когда вместо рукоятки обмотал остаток отвертки пластырем и полез разбирать сломанный утюг, включенный в розетку. Было в аптечке два градусника, один в старом пожелтевшем футляре, а второй новый. Новый градусник купили, когда думали, что потеряли старый, а он просто завалился в щель между диванными подушками. Было средство от кашля, которое Петров пил всего два раза, но в первый раз ему так не понравился вкус этого средства, что Петров предпочитал кашлять, нежели его пить, а второй раз был пару дней назад, когда он отправлялся на работу и, когда выпил это средство, понял, что за руль ему нельзя — такой у лекарства был выхлоп, что первый же гаишник выписал бы штраф, даже не замеряя промилле трубочкой. Были капли от насморка, но Петров прочитал на упаковке, что они вызывают привыкание, и это Петрова отпугнуло. В аптечке было несколько металлических упаковок бальзама «Звездочка», похожих на красные таблетки, только одна из этих упаковок была почти полная, а остальные были почти пустые, но их не выбрасывали, потому что мазь там все же какая-то оставалась. Только когда у Петрова появился ребенок, он познал это безобидное садистское удовольствие — намазать «Звездочкой» у болеющего сына под носом и наблюдать, что тот не может открыть глаз, слезящихся от ментоловых паров. Ни у кого в семье вроде бы не было пока таких уж проблем с нервами и сердцем, и все равно на дне аптечки нашлись и корвалол, и валокордин, и валерьянка. Перекиси водорода у Петровых в аптечке было две разновидности — в виде раствора и в виде таблеток.

В аптечке нашлись даже такие диковинки, как клофелин и ампулы глюкозы, два вида витаминов для Петрова-младшего — белые пластмассовые бутылочки с крупными оранжевыми и мелкими желтыми драже. Аспирина же не было. Петров предложил сходить в аптеку. «Я знаю, как ты ходишь, опять тебя два часа ждать», — ответила Петрова, трогая лоб спящему сыну и недовольно морщась. «Ну давай ты сходишь», — предложил Петров. «Сейчас ночь вообще-то, — сказала Петрова будто даже с удовольствием. — Не боишься меня одну отпускать?» «Ну давай вместе сходим», — нашелся Петров. «А вдруг что-нибудь случится?» — спросила Петрова. «И что делать тогда предложишь?» — Петров перешел на шепот и этим шепотом изобразил, что повышает голос. «Ну, может, я не знаю, — вторя Петрову, зашептала жена. — Я вчера твои джинсы стирала, там таблетка лежала. Это не аспирин случайно? Я на кухне его куда-то в стол убрала».

«Это аспирин, конечно, но это очень старый аспирин, ему столько же лет, сколько и мне, наверно, он чуть ли не из семидесятых», — сказал Петров. «Ты же его вчера пил, и ничего», — сказала жена. Петров был против, чтобы давать старый аспирин сыну, он даже согласен был сходить в аптеку, хотя понятия не имел, где ближайшая круглосуточная аптека, но оба они уже, и Петров, и Петрова, незаметно для себя передвигались в сторону кухни, пока говорили. «Я не вчера его пил, а позавчера, — сказал Петров. — И я много позавчера чего пил — и чай, вроде бы и водку, и вот этот аспирин, может, там все как-то нейтрализовалось, когда насмешивалось в желудке, и, насколько помню, не очень-то он и помог, этот аспирин». «Давай сначала дадим, посмотрим, что будет, а потом уже подумаем, идти в аптеку или нет», — сказала Петрова. — Да тут вообще уже разговор не о том, чтобы дать таблетку, тут ее найти сначала надо, я не помню, куда ее сунула».

Петров зачем-то сразу полез в посудный шкаф, он решил, что начинать нужно с тех мест, куда Петрова точно не могла убрать таблетку, потому что именно в таких местах обычно и находятся потерянные вещи. Они обсмотрели все поверхности на кухне, поскольку потерянное часто лежит на виду, и только тогда стали рыскать в логичных местах, вроде кухонного стола, ящика с инструментами, ящиков с ножами и ложками, ящика с кастрюльками, ящика со сковородками, заглянули в жестяные коробочки для специй, которые стояли больше как элементы декора, в коробочке с надписью «Куркума» Петровы обнаружили копилку Петрова-младшего, куда он складывал всякую мелочь, оставшуюся после карманных денег, и подивились его хитрости. В ящике с ножами, вилками и ложками Петров нашел лишний нож из дома Петровой. «Да это я готовила как раз, когда он позвонил и пришлось к тебе срываться, вот и сунула в сумку», — объяснилась Петрова. «А что ты его среди недели ко мне отпустила?» — не понял Петров. «Так мы думали предновогоднюю вечеринку устроить в библиотеке, я туда даже с больничного собралась ехать, а потом всё отменили, а я его уже к тебе отправила и решила дома одна посидеть. Вот и посидела», — сказала Петрова. «Если уж спишь с кем-то, так и скажи», — попросил Петров, он не хотел обнаружить, что Петрова неожиданно выходит замуж за другого, он желал некой, все-таки, предсказуемости в их отношениях, чтобы хотя бы заранее знать, к чему себя готовить. «Да ну тебя», — отмахнулась Петрова.

Петрова обнаружила было таблетку в кармане своего халатика, но это оказались пустые огрызки упаковки от парацетамола, которым она целый день кормила Петрова-младшего, и хотя она сказала: «Ну точно же, я туда сунула, куда еще», — в кармане были только маленькие квадратные, нежно шуршащие фантики, казавшиеся очень белыми в свете яркой кухонной лампы.

Аспирин лежал на полочке холодильника, рядом с мазями Петрова от боли в спине, которыми Петров не пользовался, потому что они все равно не помогали, а только пахли, и от них сам Петров начинал пахнуть, как старичок. «Ну точно же, — сказала Петрова в озарении. — Я как раз на кухне же вертелась, как раз мелкий себе супа попросил, когда ты уснул».

Они посовещались возле постели больного, сколько давать этой самой таблетки — целую или только половину. Вообще, вся эта затея казалась Петрову глупостью, сильное сомнение вызывала таблетка в серой бумажке с как бы обгрызенными краями с той стороны, где таблетку отрывали от упаковки. Он почти ушел уже в аптеку, даже собрался обуваться, но Петрова удержала его за рукав и все предлагала попробовать, говорила, что аспирин есть аспирин, не молоко, прокиснуть не может. Тогда они разбудили Петрова-младшего и заставили его выпить таблетку. Петров налил сыну газировки, а Петрова сказала, что и без того на слизистую желудка будет нагрузка, поэтому залили в Петрова-младшего вместо газировки кипяченой воды. Сын упал обратно, будто даже и не просыпался. Петрова опять сунула сыну градусник и сторожила на корточках возле дивана, чтобы он не уронил. Петров стоял рядом, как лошадь на привязи, наклонив к ней свою морду с неопределенным выражением. «С ума сойти, так и не падает», — сказала Петрова. Они поменяли пакет с пельменями на его голове на свежий, а нагревшийся и подтаявший утащили обратно в морозилку. Пока они ходили до кухни, сын спинал покрывало к ногам и лежал съежившийся и зябнущий, но не просыпающийся. Он издавал во время дыхания такой звук, будто постанывал. Это был такой тонкий звук, что походил на стенания мыши, если бы мыши могли болеть гриппом и подолгу страдать. Петровы укрыли сына, а он тут же раскрылся снова, они повторили эту попытку несколько раз, но он все время скидывал с себя покрывало.

Не в силах смотреть на все это без помощи никотина, Петров сходил на балкон и покурил, глядя на опустевший ночной двор, где на середине детской площадки, не освещенной ничем, лежало тем не менее пятно голубоватого света. «Я не могу больше, — пожаловалась Петрова, — я спать. Всё. Надеюсь, когда проснусь, все будет нормально. Я уже просто падаю и выключаюсь». По идее, она совершала то же самое, что совершил Петров, когда гулял по улицам, но подкалывать ее этой слабостью и у Петрова тоже не было уже сил. «Он, кстати, легче задышал, когда ты на балкон пошел, — сказала Петрова, — может, форточку сильнее приоткрыть? Хуже-то уже не будет. Ну, то есть, конечно, может быть и еще хуже, но пока вот так вот, что мы можем еще сделать? Можно одеяло ему еще рядом с ним оставить, если замерзнет — укроется».

Петров тоже был без сил, однако, если бы Петрова не призналась, что устала, то не согласился бы спать. Это, конечно, тоже было своего рода соревнование, оно указывало на то, что Петров не так и сильно отличается от своих родителей и от тещи с тестем, как ему бы хотелось отличаться. (Тут Петров делал себе некоторое послабление, он как бы соглашался участвовать в соревновании, набирая некие очки, потому что сын — это все же сын. А в остальном Петров считал, что ничего общего с родителями не имеет, считал, что поколение родителей — конченые люди с какими-то дикими представлениями о жизни, о том, что раньше было безмерно лучше, справедливее, безопаснее и даже изобильнее, чем теперь; отец не скрывал своего презрения к работе Петрова, говорил, что это стремление заработать без оглядки на то, кто перед Петровым — какой-нибудь несчастный бомбила, у которого только и есть, что машина и несколько детей на шее, или коммерсант, у которого этих машин множество, — не доведет ни Петрова, ни страну ни до чего хорошего. Тесть ничего не говорил, но, похоже, считал так же.)

Петров выключил свет в гостиной и лег спать, обняв жену, но она сначала отпихнула его от себя локтем, потому что он все время возился, думая подняться и проверить, как там дела у Петрова-младшего, а когда стал засыпать, Петрова положила на него обе свои ноги, причем в такой момент засыпания, что Петров вздрогнул от ее прикосновения и весь как будто сразу проснулся, готовый снова на еще один беспокойный день, и даже почувствовал злость на Петрову за ее бесцеремонность, он бы тоже был рад отпихнуть ее локтем, но ее туловище было слишком далеко от его локтя; Петров стал ненавязчиво выскальзывать из-под ее ног, думая, что уже хрен заснет, что нужно встать и покурить еще раз, а там видно будет, ложиться или нет. Петров полез за телефоном, проверяя, который час. Оказалось, что еще только полвторого ночи, и шататься по квартире или сидеть на кухне будет странно и скучно. С этой мыслью он, кстати, и уснул, раздражаясь и слегка психуя, что не помешало ему проснуться через сорок минут и прокрасться в гостиную. Петров вернулся в кровать с разочарованием, что ничего не изменилось, кроме того что Петров-младший натянул на себя покрывало и закрыл ноги одеялом. Жена, пока Петров отсутствовал, перекатилась на другую сторону кровати, забрав все одеяло себе и оставив Петрову только краешек, куда он аккуратно засунул половину туловища и одну ногу и стал пристраивать голову на подушку, чтобы она не скатывалась в неудобное положение. Подушка быстро нагревалась, и Петров ее переворачивал, боясь разбудить жену, а та даже и не думала просыпаться.

Через какое-то время (Петров забыл взглянуть на часы, потому что помнил, что спешить ему никуда не нужно, что он еще болеет) с болью в шее и желанием выпить воды он поднялся, причем Петрова сварливо заметила, что он надоел уже своими шараханьями и тем, что ворочается, а Петров подумал, что часто ходит пить по ночам и как в какой-то телепередаче вроде бы говорили, что это один из симптомов сахарного диабета. Петров пил воду из-под крана в ванной и прикидывал, часто он ходит пить по ночам или нет, и пришел к выводу, что не совсем, чаще у него бывает что-то вроде приступов лунатизма, как когда ему снилось, что он все еще на работе и руки его в литоле или масле, и он во сне принимался вытирать их краем простыни либо полз в ванную и начинал отмывать руки под краном, тщательно их мыля, и только потом просыпался окончательно — во сне было светло, а тут вместе с прозрением наступала неожиданная пугающая темнота. Когда Петров поделился с Пашей, что лунатит, тот заявил, что лунатит сам, что жена как-то проснулась от того, что он шарил в ее косметике, разыскивая ключ на девять. «Это, наверно, пары бензина так действуют на психику», — объяснил Паша.

Напившись, Петров, зевая и потягиваясь и разминая шею, между позвонками которой будто застрял булыжник, прошел в гостиную. Сын сбросил с себя и покрывало, и одеяло и лежал на спине, странно вытянувшись; лежащий, он казался выше и взрослее, чем когда был на ногах, в полумраке комнаты его лицо выделялось своей нездоровой белизной. Форточку приоткрыло сквозняком, поэтому в гостиной был страшный холод, почти как на улице, по крайней мере, так показалось Петрову, потому что внутренний мороз пробрал Петрова при виде того, как сын бледен и как он удлинился, так что промежуток между пижамными штанами и резинками носков, который обычно был не больше сантиметра, стал сантиметров пять, будто всего за ночь пижамные штаны стали пижамными бриджами. Петров взял сына за ногу и даже сквозь носок почувствовал, как холодна его нога, он прикоснулся к его лбу и щеке, но и они были абсолютно холодны. От ужаса Петрова забило мелкой дрожью. Он залез рукой сыну под рубашку, но и грудь и живот Петрова-младшего были холодными, а под ребрами не прощупывалось сердцебиения. «ЕЛКИ-ПАЛКИ», — подумал Петров, поднеся к лицу Петрова-младшего ладонь, попытался почувствовать его дыхание, дыхания тоже не чувствовалось, тогда Петров еще раз подумал: «ЕЛКИ-ПАЛКИ». Он не знал, что делать в таких случаях. Последний раз он участвовал в похоронах бабушки, но там не нужно было ничего делать, кроме того, чтобы постоять у гроба и напиться на поминках.

Петров стоял над сыном, пытаясь увидеть хотя бы какое-то шевеление, например, движение рисунка на пижамной сорочке, обозначившее бы дыхание. Движения не было совершенно, стояла плотная тишина, все совершенно замерло и снаружи Петрова и внутри него, он сам словно затаился, не понимая, что делать дальше, притом что нужно было срочно звонить в «скорую» и объяснять, что теперь-то у сына что-то похуже, чем симптомы гриппа.

В отчаянии он сначала потряс сына за ледяное плечо, а затем сильно потыкал пальцем в бок, пытаясь его разбудить.

Сын недовольно всхрапнул, разом как-то ожив, и, съежившись, поискал рукой, чем бы укрыться. С души Петрова упал не камень даже, с души прямо-таки сошло что-то вроде лавины. Петров подсунул под ищущую руку сына угол одеяла, и тот просто натянул его на себя. Петров посидел, ошеломленный только что пережитым ужасом, но его тяжелое воображение уже получило импульс и все еще катилось, запустив перед внутренним взором Петрова картинки грядущих похорон.

Он на ватных ногах вернулся в спальню, упал в кровать, колыхнув Петрову, которая тоже будто умерла и даже не подумала просыпаться, и долго лежал, глядя в потолок; ему хотелось растолкать жену и рассказать о том, что он сейчас пережил, потому что это было нечто невообразимое, похожее по ощущениям на карусель с огоньками и лошадками в нарядной сбруе. Ему казалось, что это урок ему, что не нужно гробить нарисованного мальчика, которого сын считает собой, что нужно как можно быстрее закончить эту историю спасительным хеппи-эндом и больше никогда не рисовать историй, где есть кто-то хотя бы отдаленно похожий на члена семьи, что не нужно уподобляться юному Сергею, и поэтому идея про супергероя женщину, которая днем учит детей в начальной школе, а по ночам режет всяких отморозков, — это очень плохая идея.

— Господи, — сонно пробубнила Петрова, не поворачиваясь к мужу, — да ты будешь спать сегодня или нет? Тебе же его на елку везти, даже если температура, ты же это понимаешь.

— У него, кстати, нет температуры, — ответил Петров, — как-то спала незаметно.

— А. Ну и хорошо, — заметила Петрова.

ГЛАВА 8
Театр Взрослого Ожидателя

Для Петрова не было, в принципе, сюрпризом, что утро начнется со скандала между Петровым-младшим и Петровой. Еще со вчерашнего дня, когда Петров-младший валялся без сил, все к этому шло. Петрова ругалась шепотом, чтобы не разбудить Петрова, который, как Петров понял, должен был проспать поездку на елку в ТЮЗ. Петров-младший, в свою очередь, пытался орать, чтобы, наоборот, Петров проснулся и никуда не проспал. Голос у Петрова-младшего был сиплый, поэтому получалось тоже что-то вроде шепота, как у Петровой. Если бы они кричали, Петров перепутал бы во сне их голоса со звуками включенного телевизора, и спор не разбудил бы его, как теперь, когда спящий мозг принял это шептание за некий заговор, замышляющийся против Петрова, встряхнул Петрова и заставил его навострить уши.

«Ты издеваешься, — констатировала Петрова. — Тебя вчера еле на ноги поставили. Ты не помнишь, что ли, как тебе плохо было? А может быть еще хуже. Это ты отцом можешь вертеть как хочешь. А со мной этот номер не пройдет. Я воспаление легких терпеть не буду. Сразу поедешь в больницу. И будешь там Новый год встречать, скотина такая!» Петров-младший отвечал что-то дерзкое, но что именно отвечал, разобрать было невозможно, потому что его душили слезы. «Ну конечно, — громко шептала Петрова, — он хороший, я плохая, это мы выяснили. То, что я глупости не даю делать, — это значит, что я плохая, что не все разрешаю — тоже плохая. Замечательно. Но я тебя никуда не отпускаю, и всё. Пусть твой папочка тут хоть костьми ляжет».

Петрова и Петров-младший больше времени проводили друг с другом, нежели с Петровым, поэтому у них накопился уже значительный запас взаимных претензий и взаимного раздражения, жена и сын относились к Петрову значительно снисходительней, потому что видели его не так часто, не каждый день. Петров не стал подавать признаков жизни, надеясь, что жена с сыном решат что-нибудь сами между собой. За время сна Петров успел сдвинуть подушку в сторону и лежал головой на простыне. Перевернутый на живот, Петров чувствовал запах ткани, из которой была сделана простыня: это было что-то знакомое, не такое, как обычно пахло белье в их доме, а так пахла простыня, когда Петров ночевал в гостях у тетки. Очень близко Петров видел сплетенные волокна ткани, дальше ее фактура терялась, край кровати образовывал что-то вроде горизонта, Петров побаловался, фокусируя взгляд то на близких глазу волокнах, то на краю кровати, то на батарее, так что простыня становилась белым пятном с бледной аурой по краю. Петров-младший и Петрова продолжали шипеть. На словах Петрова была против того, чтобы все просыпались, вставали и куда-то ехали, а между тем в квартире пахло кофе и завтраком, причем той же смесью запахов, как от школьной столовой, — капустой и мясом. Петров и рад был проскользнуть незаметно в душ, но тут организм, почуяв, что Петров собирается встать, выдал его приступом кашля, смесью кашля простудного и кашля курильщика, какой-нибудь один из этих кашлей Петров бы еще смог задавить, но сразу два прорвались и скатили всё в долгие сухие взрывы, и, будто призванная ими, на пороге спальни нарисовалась Петрова, готовая на конфликт уже не с Петровым-младшим, а с самим Петровым как инициатором будущей поездки в театр. «Так и не передумал?» — спросила она сидящего на постели Петрова, а он сквозь кашель помотал головой. За спиной Петровой стоял Петров-младший и обнимал ее, сцепив руки на ее животе, будто это не она была против поездки, а Петров, и Петрова заступалась за сына, Петров-младший еще и выглядывал из-под ее бока своими печальными темными глазами, и в глазах его было что-то вроде укора на тот случай, если Петров сдастся.

На словах Петрова была против поездки, но сын был вымыт, и волосы у него не торчали, как вчера, а лежали после шампуня, обозначив ту прическу, над которой парикмахерша трудилась, посадив Петрова-младшего на доску, положенную на подлокотники красного парикмахерского кресла. Даже от кровати

Петров чувствовал карамельный ароматизатор детского геля для душа. (Петрова как-то вымылась с этим гелем, и когда у них с Петровым дошло до дела, у Петрова все опало от этого запаха, при том что пахший карамелью или бананом сын казался Петрову особенно милым.) Петрова снова была вся в черном, и сыновья зимняя и гриппозная бледность его отмытых рук и ног особенно была заметна на ее фоне. Увидев эту жалкую бледность, Петров тоже чуть было не передумал ехать. Они оба стояли и ждали какого-то его решения, хотя Петров уже дал понять, что готов. «Я понимаю, этот еще ребенок, но ты-то должен понимать, — Петрова продолжала говорить громким шепотом. — Вы оба, что ли, решили меня доконать?» «Ребята, ну слушайте, — сказал Петров, — ну дайте в себя прийти, там уже еще поспорим и поедем».

Петрова и Петров-младший не отстали от него даже в ванной, хотя он пытался их выгнать. «Нет, ну ты серьезно собрался?» — спрашивала жена, повышая голос, а сын выглядывал из-за нее, словно опасаясь, что без его молчаливой поддержки Петров может пойти на попятную. Петров брился и видел по отражению в зеркале, что жена смотрит на него с упреком. «Ну а что? — не выдержал Петров. — Просто посадим его в машину и поедем, что тут такого? Даже на остановке ждать не надо, он даже холодным воздухом подышать не успеет». «Так он других позаражает», — сказала жена. «Вроде не должен», — ответил Петров. Петрова отстала, но зато Петров-младший начал наседать, намекая, что они опаздывают, он почему-то боялся самой возможности опоздать. Петров-младший вздохом печали проводил отца, когда тот оделся и вместо того, чтобы начать завтракать по-быстрому и срываться на елку, пошел курить на балкон. «Курить вообще вредно», — сказал сын. «Да что ты говоришь?» — спросил Петров не без злорадства. Петров слегка веселился, когда подтравливал сына.

Петров-младший так смотрел на Петрова во время завтрака, сползая взглядом с лица Петрова на часы на сотовом телефоне, что Петров едва не давился от смеха. Петров-младший напоминал одну клиентку, которая тяжело вздыхала, когда слесаря матерились (ей приходилось вздыхать так часто, что у нее могла наступить гипервентиляция), она так же смотрела на часики на руке и закатывала глаза и каждые две минуты спрашивала, скоро ли все будет готово.

Сын надел теплые штаны и кофту поверх синего костюма, но родители не разрешили выходить ему на улицу раньше времени — Петров должен был поставить отогреваемый дома аккумулятор в машину, потом должен был разогреть машину, чтобы выгнать оттуда холод, накопившийся за несколько дней, и только тогда планировал звякнуть Петровой, и только тогда она должна была выпустить сына, томившегося, как в клетке.

Ехать Петрову никуда не хотелось. Он поставил аккумулятор, завел машину и стал стряхивать снег пластмассовой оранжевой щеткой. Это была белая «пятерка», доставшаяся ему от отца. Почему-то большинство «пятерок» были белые, «шестерки» — красные или оранжевые, а представить «девятку», покрашенную в другой цвет, кроме белого или баклажанного, Петров просто не мог, он видел как-то «девятку» бодренького голубенького цвета, и она вызвала в нем некое внутреннее отторжение.

Сын осуждающе смотрел на Петрова из окна кухни, может, и не осуждающе, может, просто глядел, но на совесть Петрова это почему-то давило как упрек. Петров, ехидно поулыбавшись кухне, сел в машину, проверяя, достаточно ли там тепло для поболевшего сына (а там было еще не очень тепло, внутри салона ощутимо передвигались слои теплого и холодного воздуха, а сиденья были стылыми, Петров даже забеспокоился, не простудил ли почки, сидя на водительском месте, и не простудится ли сын вторично, когда сядет в холодное пассажирское кресло). Над лобовым стеклом висела елочка, от которой в машине пахло одеколоном, а от Петрова, когда он приходил домой, и от его одежды все равно пахло машинами. Еще над стеклом висели два меховых кубика на шнурках, кубики изображали игральные кости — они должны были символизировать рисковую натуру Петрова, а точнее, отца, который эти кубики и повесил, но Петрову они напоминали яйца, почему-то кошачьи, еще Петрову казалось, что мех, которым был обит руль (тоже стараниями отца), — это как раз шкура того кота, чьи были тестикулы. Каждый раз, садясь в машину, Петров намеревался содрать весь этот нездоровый декор и выбросить, потому что мех на руле, кубики над стеклом и плексигласовая розочка на рычаге переключения передач всегда вызывали у Паши смех, когда он их видел, но Петров все время откладывал это на потом.

В сером пальтишке прошел по двору в сторону магазина отец Сергея. Он демонстративно не смотрел на машину Петрова, почему-то обиделся на то, что Сергей покончил с собой, а Петров — нет. Петров тоже считал, что это как-то несправедливо, что он продолжает жить, в то время как останки Сергея в могиле становятся с каждым годом всё бреннее, но ничего поделать с собой не мог, он не хотел ни вешаться, ни стреляться, он, в принципе, был счастлив, и, хотя многие бывшие одноклассники и родители Сергея считали, что это просто трусость, что Петров обязан был последовать за другом или добровольно, вроде жены в древней Индии, или с помощью обстоятельств, с помощью автокатастрофы или болезни, Петрова это не устраивало. Отец так часто тыкал Петрова носом в его убогость, что Петров как-то свыкся с тем, что убог, и его это не очень-то и смущало.

Самое интересное для Петрова в смерти Сергея было то, что родители Сергея, сначала будто сгорбившиеся под грузом горя, уже через годик были бодрее, чем при Сергее, как-то он, видимо, действовал на них все же угнетающе. Пережив горе, они будто посвежели, хотя, когда Сергей был жив, они казались Петрову чуть ли не стариками, едва ли не ровесниками бабушки. Может, мысль, что они попляшут еще на могиле Петрова, придавала им сил, но скорее всего, сил им придавала девочка, доставшаяся от какой-то родственницы, лишенной родительских прав. Мать Петрова рассказывала, что родители Сергея уже заранее копили силы на то время, когда девочка вступит в подростковый возраст, потому что девочка была далеко не подарок и уже в свои десять лет таскала деньги, прогуливала школу, грубила и не помогала по дому. «Генетика», — говорила мама с удовольствием от того, что пользуется таким умным словом для обозначения неизбежного процесса, за которым наблюдали родители Сергея и все их знакомые. Уже ничего нельзя было сделать, все сделала биология, и оставалось только откинуться в креслах и наблюдать последствия необдуманного зачатия в пьяном виде.

Машина прогрелась, Петров звякнул жене, а для надежности еще и погудел в клаксон. Сын выскочил почти сразу же, будто телепортировался на первый этаж и проскользнул в приоткрытую дверь подъезда (кого-то опять ждали, подперев дверь кирпичом, но Петров не посмотрел кого — увидел только листок в клеточку, каракули, надпись «Убедительная просьба не закрывать дверь», увидел полоски скотча на всех четырех углах листочка). Сын влез на переднее сиденье, дыша часто, будто бежал, голову ежа он положил на колени, и когда стал вертеться, пристегиваясь, Петров высказал ему заранее придуманную шутку: «А голову ты дома не забыл?» «Не забыл», — ответил сын, ощупывая ежиные колючки красными рукавицами.

Петров был бодр и даже бросал какие-то шуточки, пока они выкатывались из двора, опять подтравливал сына, что они сейчас кого-нибудь собьют случайно или тюкнутся в машину на повороте — и никуда не поедут, но шутки шутками, а опоздать они и правда могли, потому что время поджимало, а в любом из выбранных Петровым направлений могла оказаться пробка, на той же Гурзуфской все могло стоять, или на

8 Марта, или на Московской, если сквозануть туда по Пальмиро Тольятти; машин последнее время развелось столько, что разве поздним вечером или ранним утром можно было попасть в центр города, не постояв внутри затора с нервными людьми в кажущихся нервными машинах.

Петров-младший тревожно поглядывал на часы в своем телефоне, когда они и правда слегка застряли, сначала выезжая на Ленина, потом на самой улице Ленина, перед площадью, затем, миновав небольшой промежуток, намертво встали на мосту через Исеть, где какой-то торопыга решил, что быстрее будет поехать по трамвайным путям, и умудрился слегка забодать встречный трамвай. На дороге образовалось что-то вроде сцены, где бродил печальный водитель, задумчивый страховой агент и деловитые гаишники с желтой рулеточкой, сцену все объезжали, чтобы не затоптать актеров, и поэтому нужно было умудриться проскользнуть в потоке во внезапно сузившуюся горловину проезжей части. У сына при виде того, как они замедлились, волосики челки, торчавшие из-под шапки, прилипли ко лбу — так он вспотел от переживаний. «Да не нервничай ты так, успеем», — сказал Петров. «Ага, успеем, — невесело ответил сын дрожащим голосом. — Я же говорил, надо было раньше выходить».

Они выехали с моста, чтобы тут же застрять на повороте к Либкнехта.

Было уже без пятнадцати десять, именно на десять утра была назначена елка, а они все еще стояли перед светофором, любуясь на кинотеатр «Колизей», и лицо сына было такое же невеселое, как у Александра Македонского на афише кинотеатра. Петров пожалел, что купил билет не на елку в театр музкомедии, потому что они уже стояли напротив входа в этот театр, кроме того, в этом же здании был «Мак Пик», куда можно было зайти после представления, дальше по улице располагался книжный магазин, куда можно было заскочить после «Мак Пика», а возле ТЮЗа не было ничего интересного вообще, если не считать интересным Храм-на-Крови. (Он же для Петрова интересным не был, были только несколько интересных фактов, связанных с храмом: на его стройке погибло несколько мусульман, патриархия все время требовала денег на его отопление и содержание в порядке, хотя его построили совсем недавно, а еще Петрову приснилось однажды, что напротив Храма-на-Крови построили гигантскую синагогу в виде огромного белого куба, и Петров, проезжая мимо, почему-то ожидал однажды увидеть этот куб.)

«Да, не очень хорошо получается», — признался Петров. Сын не стал отвечать, а просто обиженно отвернулся, глядя, как копятся пешеходы возле перехода. Но вдруг что-то пошатнулось в дорожном движении, как-то сразу стало свободнее, будто силой заклинания двинуло воздух вокруг, машины впереди Петрова не исчезли совсем, но стали как-то реже и уверенно катились вперед, Петров принялся объезжать троллейбус, стоявший на остановке «Архитектурная академия», что-то подсказало ему, что не нужно торопиться во время этого объезда, и точно — под колеса едва не выпрыгнул рыжий длинный студент, спешивший сократить расстояние до вожделенного вуза оленьими скачками по проезжей части. «Вот круто было бы сейчас», — сказал Петров, пытаясь вызвать сочувствие в сыне, потому что его самого слегка заколотило от того, что он едва не поймал на капот живого человека. Сын коротко глянул на Петрова, причем только для того, чтобы демонстративно отвернуться. Петров виновато вздохнул. Аккуратно, но быстро Петров промчал пологое широкое расстояние до театра, Петров-младший стал отстегивать ремень безопасности прямо на очередном светофоре, когда понял, что отец собирается еще искать место, где бы припарковаться, и только тогда они пойдут куда надо.

Летом театр юного зрителя выглядел еще нормально, когда утопал в зелени по бокам, но зимой как-то слишком много пустоты было перед театром и мало уюта было вокруг него, чтобы здание казалось предназначенным для детей. Из-за полумрака в фойе ряд стеклянных входных дверей сливался в одну сплошную черную полосу, высокие черные окна негостеприимно глядели наружу, металлическая статуя, висевшая над входом, издалека напоминала голову трехрогого чудовища. Даже когда было темно, театр смотрелся гораздо веселее, подсвеченный снизу фонарями, а изнутри лампами, зимним же днем это была картина сплошной какой-то бледной тоски. Петров никогда не был в театре, даже в школе он исхитрялся прогуливать походы на «Чайку» и бог знает еще какие спектакли, хотя учительница литературы говорила, что поход в театр приравнивается к обычному уроку и прогул театра автоматически становится прогулом урока. Из рассказов одноклассников Петров понял, что театр — место совершенно тоскливое, даже Сергей, которому драматургия была ближе, нежели остальным, с бо́льшим теплом отзывался об антракте и буфете, нежели о театральном представлении. Дело было, наверно, еще и в том, что филологиня водила класс аж на две «Чайки» в два разных театра, чтобы показать, как богато можно трактовать Чехова, она чуть не увезла класс и в нижнетагильский театр, где тоже была «Чайка», однако класс отчаянно взбунтовался, одного просмотра этого спектакля школьникам хватило, на втором они уже откровенно смеялись над кривлянием актеров (классного баламута вывели, когда он принялся просто громко передразнивать все актерские реплики). Самому Петрову, когда он даже смотрел какой-нибудь спектакль по телевизору, не удавалось перестать видеть сцену, всю ее условность с нарисованным задником, мебелью, стоявшей как попало в окружавшем актеров мраке. Ему казалось, даже когда он просто сидел дома перед телевизором, что, если он ляпнет что-нибудь не то, комментируя поступки героев, сразу же Мельпомена или Талия появится у него за спиной, толкнет его между лопаток и обзовет дураком.

Петров пристроился сбоку от театра, возле забора, за которым что-то строили. Сын сразу же вырвался наружу, а Петров неторопливо пошел следом за ним. В гардеробе, конечно, бойкие мамашки оттесняли Петрова-младшего в конец очереди, причем так естественно занимали очередь впереди сына, что тот даже и сказать ничего не мог; Петров удивился, что ни у одной женщины не возникло желания помочь чужому ребенку. «Да пофиг на гардероб, — сказал Петров. — Давай ты тут разденешься, я или посижу здесь, или, не знаю, в машине тебя подожду. Ты телефон взял? А то еще и выходить потом будешь полчаса или номерок потеряешь».

Петрову-младшему понравилась перспектива не стоять в очереди ни при входе в театр, ни при выходе из него. Он, коварно улыбаясь очереди, разделся у банкетки возле окна. Петров не успел даже обеспокоиться тем, взял ли сын в театр какую-либо легкую обувь, чтобы не рассекать на елке в зимних сапогах, а Петров-младший доставал уже кеды из глубоких карманов зимней своей куртки, которую Петров послушно держал, зажав ее подмышкой. В другой руке Петров держал сапоги сына, изнутри которых шло еще не выветрившееся тепло его ног. Зимние штаны Петров-младший сунул в один из рукавов куртки, свитер — в другой, рукавицы и шапку запихнул в те карманы, откуда достал кеды, изнутри куртки Петров-младший вытащил билет и телефон. «Может, с тобой пойти? — спросил Петров. — Тебя там не обидят?» Сын как-то странно усмехнулся опасениям отца, проверяя наличие телефона в синих штанах и вертя билет перед глазами, сверяясь с датой и временем представления. «Так мне тебя тут ждать или в машине? Как тебе удобнее?» — прикрикнул Петров в спину уходящему сыну, но тот не ответил, смешавшись с толпой, входившей в зрительный зал.

Петров ожидал почему-то, что в театре все должны вести себя тихо, а возле гардероба и вообще по всему фойе, которое внутри оказалось светлым и просторным, не таким, каким выглядело снаружи, стоял гвалт, дети носились как у себя дома, родители окликали их и тоже куда-то спешили. Сразу несколько родителей спросили у своих детей, хотят ли они в туалет, и Петров спохватился, что не спросил об этом у сына, — тот мог начать терпеть, и никакой радости от праздника бы не получилось. Еще Петров зря беспокоился, что Петров-младший кого-то заразит, в общем шуме голосов выделялись несколько настойчивых кашлей — и детских, и взрослых. Редкий ребенок не шмыгал носом. Девочка в костюме феи (на то, что это костюм феи, указывали крылышки за ее спиной, сделанные из проволоки и розовой марли, и волшебная палочка из прозрачной пластмассы со звездой на верхушке, мерцавшая светодиодами) держала в руке огромный клетчатый отцовский платок и то и дело вытирала им покрасневший нос. Бациллы, казалось, кружили по помещению, как снежинки.

Больше всего из толпы выделялась высокая женщина-педагог, считавшая своих подопечных — собравшихся возле нее кучкой детей, похожих на детдомовцев своими застиранными новогодними костюмами. По сравнению с детьми, которых она называла пофамильно, она была огромна, а ее новое красное платье с какими-то блестками, ее тональный крем, придававший лицу цвет легкого загара, ее алая помада, делали ее и бледных детей похожими на некий коллаж, причем бледные дети были вырезаны и вклеены в театр с обложки журнала «Работница», полежавшего на чердаке, а фотография педагогини была взята будто из свежего номера «Бурда Моден».

«Каждый ищет свою пару!» — говорила женщина довольно-таки спокойным голосом, но голос этот перекрывал общее шевеление, голоса и кашли. «Интересно, как она кричит, если это у нее нормальный голос», — подумал Петров и, не в силах больше выносить этой суеты, подался на улицу. Петров планировал потусить немного возле театра, может быть, походить вокруг, найти какую-нибудь забегаловку и посидеть там, а не квасить себя в машине, слушая радио. Он боялся, впрочем, отходить далеко на тот случай, если сыну понадобится его помощь или присутствие.

Двойная дверь полностью отрéзала от Петрова театральный шум. Он закурил, приходя в себя после такого обилия людей. Созерцая нескольких куривших возле входа мужчин и женщин и широкий, пологий спуск к подземному переходу, Петров чувствовал себя так, будто просидел полчаса под несмолкавшим школьным звонком или рядом с работавшей на все лады автомобильной сигнализацией. Судя по блаженным лицам окружавших его людей, они чувствовали себя так же.

Изредка тишину общего тихого курения нарушал назойливый гудок автомобиля, будто зовущий кого-то. «Дурдом, — вполголоса говорила одна курящая женщина другой. — Я ведь когда-то, вот так вот точно, тащила мать на елку в другой конец города, потому что она проболталась, что у них в депо елка для детей сотрудников. А тут тоже надо было в местном клубе каком-нибудь купить билет, и всё. Рекламе поверила». «Нет, тут так-то подарки лучше и актеры профессиональнее», — ответила этой женщине другая курящая женщина. «Да лучше бы вообще Деда Мороза домой заказать, но там Егорушка может нажраться раньше времени и весь праздник испортить». — «А нам от работы дают Деда Мороза, он посещает все семьи с детьми. Муж, кстати, ни разу не исполнил. Мужики ведь как дети, они тоже в это верят в глубине души. Да я и сама проникаюсь этим сюром».

Петров делал вид, что не подслушивает, даже слегка отвернулся от женщин, но они говорили так тихо, что ухо Петрова, обращенное к ним, слегка подрагивало, как у собаки, когда ей говорят «кушать» или «гулять».

«Ну вы, дамы, даете вообще», — вмешался в разговор женщин один из курящих мужиков, судя по хриплому голосу — задира и грубиян, хотя выглядел вполне прилично: на нем было расстегнутое пальто, под пальто был костюм-тройка, как у Игоря, причем и пиджак был тоже расстегнут, а между полами расстегнутого пиджака виднелась застегнутая жилетка, не натянутая на пузе, как было бы у Петрова, надень он костюм, а плотно облегавшая его строгий пресс, ботинки мужчины были вычищены до того состояния, что казались новыми. Судя по виду остальных мужчин, они тоже хотели вмешаться в разговор женщин, но не решались. «Низкий вам поклон, девочки, за такое отношение к сильному полу», — не без сарказма сказал мужчина.

«Ой, вот не надо только вот этого», — протянула та из женщин, что заговорила про дурдом; она была мелкой и похожей на студентку в своей яркой зеленой курточке и со своей ярко-рыжей, почти красной прической, сделанной как бы пьяным парикмахером, который, шатаясь, как попало выстриг ей челку, волосы с висков и с затылка и выгнал ее из салона, даже странно было, что в таком бунтарском подростковом прикиде женщина уже мать и жалуется на ребенка.

«Вот именно», — заявила вторая, та, что заступалась за профессионализм актеров ТЮЗа — здоровенная такая тетя, на две головы выше Петрова и в два раза шире него, в своей шубе, сшитой как бы из длинношерстных далматинцев, и в такой же шапке, похожей из-за своей черно-белости на футбольный мяч. «Как будто вас не радует Дед Мороз, как детей. Вот никогда не поверю», — сказала она, снисходительно глядя на мужчину сверху вниз.

«Нет, — вежливо ответил мужчина. — Я больше по Снегурочкам угораю». Мужчины одобрительно заусмехались этой предсказуемой шутке.

Петров пытался казаться незаметным, но все на него косились, потому что только у него одного была в руках куча детских вещей, от этого Петрову стало неловко, и когда он поймал очередной взгляд мужичка в полиэтиленовой чернильной курточке и пыльной кепочке, похожего на молодую версию робкого троллейбусного старичка, то объяснил ему (а на самом деле всем объяснил, чтобы не пялились): «Это чтобы в гардеробе не стоять». «Да понятно», — ответил мужичок.

Беспокоясь, позвонила Петрова. Петров, одновременно закуривая вторую сигарету, кашляя и вытаскивая телефон из своих недр, спустился с театрального крыльца и отошел в сторонку, чтобы никто не слышал, как он разговаривает. «У вас все нормально?» — поинтересовалась жена. «Да вроде да, а что? Что-то случилось?» — спросил Петров вместо того, чтобы ответить.

«Он ведь кеды забыл взять из дома, — уверенно сказала Петрова, — он там в сапогах, что ли, на елку пошел? А то я что-то не помню, чтобы он кеды с собой брал. Или он в чешках там? Так в чешках холодно». При слове «чешки», Петров вспомнил, как сына еще в детском саду пытались сфотографировать во время какого-то выступления, где он должен был оказаться запечатленным в чешках, гольфах, шортах, футболке и с какими-то звериными ушами на голове, только воспитатель хотела, чтобы Петров-младший заправил футболку в шорты, а Петров-младший не любил заправляться, потому что примером ему был Петров, который ходил в футболке навыпуск и джинсах, у воспитателя и Петрова-младшего дошло до скандала, она всунула ему край футболки в шорты, но во время танца Петров-младший, заметив направленный на него фотоаппарат, мигом вытащил футболку наружу. «Вот смотрите, что он натворил, — сказала воспитатель. — Испортил кадр». Петров приберегал эту историю об упрямстве Петрова-младшего на время, когда сын вырастет, чтобы рассказать ее невесте сына, как его родители рассказывали Петровой, что сын их в шестилетнем возрасте бритвой вырезал глаза у всех фотографий, где был запечатлен (Петров тогда так и не понял, за что ему влетело, потому что фотографии были ЕГО, и не понял, что на него нашло, когда в руки ему попала пачка отцовских лезвий).

«Он взял кеды, — обнадежил Петров. — Он их в карманах куртки притащил». «Вот зараза какая, — отозвалась жена то ли одобрительно, то ли почему-то осуждая сына за его хитрость. — А вообще, он как там? Ты ему лоб щупал? У него снова температура не поднялась? Я ему дала таблетку на всякий случай, когда он уходил». Петров сказал, что все нормально вроде бы, он не заметил, чтобы сына как-то корежило от температуры, и признался, что потрогать лоб Петрова-младшего забыл, потому что чуть не задавил человека, когда торопился в ТЮЗ. «Он ведь телефон отключил, — пожаловалась жена. — Я ему сначала позвонила, засранцу, а у него “абонент временно недоступен”, скажи ему, чтобы он больше так не делал, а то я ему уши оборву». «Так им, наверно, всем сказали телефоны выключить, театр все-таки», — рассудил Петров. «Ладно, не буду деньги тратить», — сказала Петрова и бросила трубку. Слышно было по голосу, что она слегка разнервничалась, когда пыталась дозвониться до сына.

На крыльце продолжался гендерный спор. Женщина с красной прической говорила: «Вы меня этим своим приличным костюмом не обманете. У меня муж тоже все время в костюме. Тоже серьезный человек. Но это он для подчиненных серьезный, а на самом деле — дитя дитем, честное слово. Вот, правда. Знаете, как он со мной познакомился? Он меня, блин, украл. Реально».

«Он с Кавказа, что ли, у вас?» — спросил мужчина в костюме. «Нет, не с Кавказа, — раздраженно отмахнулась женщина. — Сейчас я вообще не об этом хочу сказать. Я хочу сказать, что вот он серьезный вроде бы человек. Но иногда пропадает. Вот просто скажи, что ты к любовнице ходил — и всё. Я тебе прощу, я понимаю, сорок пять лет — не шутка. Ему, конечно, не сорок пять, чуть меньше, но все равно. А он какие-то отмазки лепит совершенно дикие, я иногда перестать смеяться не могу. Главное, не скрывает, что любит другую, что она у него там» (женщина показала под ноги). «Умерла, что ли?» — спросил не мужчина в костюме, а другой какой-то дядька, видимо, дедушка одного из пришедших на елку детей, в клетчатом пальтишке, похожем на то, которое Петров носил, когда был школьником (тогда почти весь класс носил такие пальто, и бывало, что пальто перепутывались, Петров сам как-то пришел домой с чужими ключами в кармане). «Ну а что еще это может значить, если не это?» — вспылила женщина, к старичку она относилась не так покладисто, как к мужчине в костюме. Все согласно покивали, соглашаясь, дескать, да, ничего другого это значить не может. «Так вот, — продолжила она, — вместо того чтобы правду сказать, вы какие-то непонятные истории начинаете толкать». Мужчина в костюме иронически поулыбался: «Да, да, конечно правду. Я эту прекрасную фразу слышал всегда и всегда после того, как говорил правду, по ушам получал. Это еще мать закрепила за мной, что после того, как тебе сказали, чтобы ты сказал правду, а за это ничего не будет, начинаются самые лютые тумаки. Я бы и сам готов сказать, но язык не поворачивается. Закреплено на спинномозговом уровне». «Ну, может, это все и объясняет, — с готовностью согласилась женщина. — Но ведь проблема не в том, что вы, мужчины, врете, а в том, что врать вы не умеете, особенно если нужно быстро что-нибудь придумать». «Да нет, вроде я достаточно быстро соображаю», — сказал мужчина в костюме. «Вы, может, и быстро соображаете, но после того, что муж обычно городит, я что-то в этом сильно начинаю сомневаться, — отвечала женщина. — Он все про какие-то подвиги рассказывает невозможные. То он, значит, ППСников напоил и два дня с ними гулял, то чуть не подрался с десантниками на день ВДВ, то увел на матч детской футбольной команды, которую его шахта спонсирует, каких-то слесарей и там тоже чуть не подрался, потому что все перепились. А несколько дней назад типа катался в катафалке с покойником, встретил своего старого друга, и они чуть ли не на катафалке приехали в гости и целую ночь прозависали и пропьянствовали, а покойника никто не хватился. Он сказал, что их товарищ напился и вырубился, и они его хотели с собутыльниками поменять местами с трупом, чтобы он утром проснулся в гробу и офигел, но, пока тащили до катафалка, передумали, а потом забыли о нем, а потом вообще потеряли и решили, что он домой уехал». Петров так и замер, слыша это, с не поднесенной к сигарете зажигалкой. Он понял, что ослышался, когда женщина сказала про своего мужа, что его зовут Егорушка, скорее всего, она иронически назвала его Игорешка, потому что он, по ее мнению, вел себя как ребенок. «У него еще, как в американских фильмах сейчас пошло на смену всем этим детям-героям-астматикам, выдуманный друг есть, — продолжала женщина. — Причем если все друзей выдумывают себе повеселее, чем они сами, побогаче, не знаю, этот выдумал себе какого-то лоха, прости господи, занюханного какого-то автослесаря. Я ему говорю, покажи, говорю, этого слесаря, я тогда в него поверю, потому что таких унылых людей на свете не бывает. А он только улыбается. Видно, что врет».

Автомобильный гудок продолжал настойчиво выкликать кого-то, Петров посмотрел наконец в сторону назойливой машины и увидел джип Игоря, причем за рулем сидел не Игорь, а другой какой-то мужик, сам Игорь помахивал рукой с пассажирского места возле водителя и одновременно отхлебывал что-то из металлической фляжки. Петров показал руками и головой, что не может подойти и поехать с Игорем, потому что никак, потому что с ним сын (чтобы объяснить, что сын внутри театра, Петров показал опять же руками и головой в сторону входной двери).

«Вот он, кстати, сидит в машине, довольный, — сказала женщина. — Нет уж, дорогой». Она бросила окурок мимо урны и зашла внутрь. Народ возле театра частично потянулся за ней, а частью остался на улице. Мужчина в костюме ойкнул при виде Игоря, сказал: «Так вы жена Игоря Дмитриевича?» — причем сказал это с ноткой паники в воздухе и сразу будто растворился в воздухе, даже облачко табачного дыма не успело за ним растаять.

«М-да-а, — сказал дядька в клетчатом пальтишке. — Хорошая девка, только что-то злая». «Это точно», — согласился мужчина, похожий на троллейбусного старичка, причем этим покладистым согласием отдалил свое сходство с троллейбусным сумасшедшим и стал почему-то походить на отца Петрова в те моменты, когда отец беседовал не с самим Петровым, а с какими-нибудь своими знакомыми. Память Петрова услужливо подкинула ему эпизод из дошкольной жизни, как они с отцом стояли в очереди к желтой бочке с квасом, и отец так же вот спокойно беседовал с соседями по очереди, а потом им выдали огромную кружку, которую Петров не мог держать сам, настолько она была большая и тяжелая, а еще такая прозрачная, холодная, чистая, что Петрову захотелось такую домой.

Водитель Игоря продолжал сигналить, так что в компании возле театрального входа поудивлялись, зачем машина продолжает сигналить, если женщина уже ушла. Петров выражением лица показал и водителю Игоря, и самому Игорю, что не намеревается подходить, и пошел к своей машине, поправляя выползающую из-под руки куртку сына и перехватывая половчее вываливающиеся из рук сапоги.

У себя в машине он включил радио погромче и попытался переварить обиду на Игоря за его шутку, которая была осуществлена лишь частично, но даже начала этой шутки хватило Петрову, чтобы слегка даже возненавидеть Игоря с его уверенностью и покровительственными нотками в голосе и его нездоровым весельем по отношению ко всему окружающему. Петров понимал, что сам виноват в этом отношении к себе, потому что кто он, в конце концов, такой? Ни автослесарь, ни художник, ни отец, ни муж, то есть вроде бы и все это вместе, и в то же время не является ничем этим полностью. Он даже вспомнил фразу из Евангелия, которая его каждый раз коробила, когда ее упоминали, про людей, которые не холодны и не горячи, а теплы. Петров иногда ожидал, что ее закончат таким образом: «Потому что вы не холодны, не горячи, а просто мудаки». Он не любил эту фразу, потому что она была про него. Ну а что он мог сделать, если сразу таким уродился? Он не мог быть веселым по заказу, как с успехом делали это радиоведущие, с лету прыгающие с ветки на ветку одной темы за другой, как дети, как воробушки. Петров подумал, что пару дней назад был и холоден и горяч в самом прямом смысле этих слов, и тихо рассмеялся этой придуманной шутке. Затем он увидел, что к его машине прогулочным, уверенным шагом приближается Игорь, и стер улыбку с лица, сделал вид, что возле машины некая пустота, и он ее сосредоточенно разглядывает.

Игорь не стал стучать в стекло, как ожидал Петров, а открыл дверь с пассажирской стороны, увидел, что в кресле пассажира лежат вещи сына, не стал их перекладывать, а сделал шаг, открыл заднюю дверь и сразу же ввалился в машину, сразу заполнил ее некой энергией, перед которой все веселье радиоведущих меркло, потому что энергия, которую излучал собой Игорь, была энергией неизбежности.

«Ты что? Обиделся, что ли? — спросил Игорь. — Так это мы на тебя все обиделись, когда ты слинял. Ты тоже, знаешь, не прав, когда ушел, не попрощавшись». Петров молчал, собираясь с мыслями, которые намеревался высказать Игорю, чтобы сразу срезать все его возражения и всю его напускную или вовсе не преднамеренную, а естественную для Игоря шутливость, чтобы как-то сразу перевести его на нормальный разговор без шуточек, которого он от Игоря никогда не мог добиться.

«Что? Моя про меня рассказывала? Познакомился?» — спросил Игорь.

Игорь расселся прямо посередине заднего сиденья, и Петров молча наблюдал его спокойное лицо в зеркало заднего вида. «Тесновато тут у тебя», — с укоризной заметил Игорь. «Мне хватает», — сиплым от серьезности голосом сказал Петров. «Что? Видел мою? Познакомился?» — спросил Игорь. Петров не стал отвечать, потому что ясно было, что видел, что частично познакомился. «Она лютует, потому что я отказался к морю ехать на новогодние праздники, — объяснил Игорь. — А я вообще не люблю все это солнце, весь этот песок, море. Мне больше в тени нравится. Ну, так-то я мог их обеих отпустить на юга, и жену, и дочку, но что это за Новый год порознь. Кто его так встречает. А у меня тут дела как раз». «Вижу я твои дела, — вырвалось у Петрова. — Бухаешь да по городу шатаешься».

Теперь, сидя в машине с Игорем, он особенно остро почувствовал те руины, в которые обращена была его жизнь, при том что руин не было, была семья, работа, все были относительно счастливы, но Петров видел именно руины, в этот момент он казался себе Сергеем, который, толком еще не начав жить, уже разочаровался в жизни, Петрову тоже хотелось чего-то другого, но, в отличие от Сергея, Петров не знал, чего же ему, собственно, нужно. Он будто вышел из некого тумана, в котором блуждал очень долго, и оказалось, что вот он сидит в своей машине, у него ребенок, жена, какие-то друзья — и все совершенно чужие. Жизнь Петрова будто нарезали на этапы, и вот он находился в конце одного из этих этапов, а ему казалось, что это конец, совсем конец, как смерть. Получалось, что Петров думал, будто он главный персонаж, и вдруг оказалось, что он герой некого ответвления в некоем большом сюжете, гораздо более драматичном и мрачном, чем вся его жизнь. Всю свою жизнь он был вроде эвока на своей планете, пока вокруг происходила античная драма «Звездных войн». Или был чем-то вроде унылого Робина, женатого на женщине-кошке, в то время как параллельно ему жил мрачный Бэтмен. Игорь, конечно, не был особо мрачен, мрачными становились люди после общения с ним, но вот это вот ощущение второстепенности, возникшее у Петрова после рассказа жены Игоря, никак не уходило.

Это было неприятное открытие, задевавшее какую-никакую гордость Петрова. Игорь, видимо, почувствовал настроение Петрова, потому что усмехнулся, отхлебывая из своей фляжки. Они встретились глазами в зеркале, Игорь почему-то не выдержал этого взгляда, снова усмехнулся и стал глядеть куда-то в сторону, будто чувствовал все же вину перед Петровым, но не за то, что пытался закрыть его спящего в гробу, и не за то, что оставил простуженного в холодной машине, а за что-то другое.

«Она вот бесится, а между тем кому она еще, кроме меня, нужна, — сказал Игорь, имея в виду, очевидно, жену. — Дочь не от меня, кому она еще была бы нужна такая, брошенная студентка. Ну, то есть я понимаю, что нашла бы кого-то, может быть, дело-то еще молодое, но все равно. Удивительное дело. Одна меня любила, но ушла, чтобы мне жизнь не портить. А другая не любит, но все равно со мной живет. Странно это все у вас, людей, устроено». «А ты кто, инопланетянин, что ли?» — раздраженно спросил Петров. «Если учесть, как люди поменялись всего за пятнадцать лет после того, как Союз распался, — да. Просто пришелец из космоса. Я бы даже сказал — из осмоса, если учесть, как ко мне все просачиваются». Он рассмеялся, глядя в зеркало серьезными глазами, проверяя, понравилась Петрову шутка или нет. Петрову шутка не понравилась, он ее просто не понял, тогда Игорь снова отвернулся.

«Шоферюга в катафалке последствий испугался, заехал в какой-то дворик в итоге, затиховался, но понял, что никуда не деться, и стал меня вызванивать, — сказал Игорь, — ну я ему и сказал, чтобы он ехал к нам. Ты уже никакущий был. Тебя бы на диванчик пристроить, но я боялся, что Витя свою угрозу исполнит. Он на тебя затаил обиду. Когда ты уснул, у него эта обида, наоборот, в отличие от тебя, проснулась. Витя тебя хотел подушкой придушить, когда все утихнет, и из дома выкинуть. Страсти накалялись. Если перефразировать, то если в начале пьесы на диване лежит подушка, то под конец ею обязательно кого-нибудь задушат».

«Тут скорее другое, — встрял Петров, слегка увлекшись рассказом. — Если в начале пьесы герою дают таблетку, то в конце она обязательно ему как-нибудь поможет». «Какую таблетку?» — не понял Игорь или притворился, что не понял. Петров терпеливо рассказал про ночь, когда болел сын, как, возможно, помогла таблетка. «Нихрена вы больные оба, — с удовольствием прокомментировал рассказ Петрова Игорь. — От твоей женушки я еще такое ожидал, но от тебя, прости — нет. Я даже с приемной дочерью такое не рискнул бы делать. Вы оба, что ли, отбитые — просроченное лекарство в ребенка совать? А если бы у тебя в кармане косяк остался, ты бы его тоже дал сыну выкурить? Тем более целую таблетку, вы бы хоть половинку сначала дали. Вы его еще и на праздник потащили сразу после болезни? Я с вас обоих балдею». «Ну, знаешь, — возмутился Петров. — Мне вы скормили таблетку, меня вообще чуть ли не в сугроб выбросили. Это, по-твоему, нормально?» Петров вспомнил, как спорил с Пашей, доказывая, что буянил пьяный, а его, оказывается, носили, как манекен, и осекся, не представляя, как еще выразить свое возмущение.

«Там все сложно было, — стал терпеливо объяснять Игорь. — Мы не специально. Мы сначала тебя хотели просто положить в салоне, чтобы ты протрезвел и смог, если что, от Вити отбиться. Потом появилась мысль в гроб тебя положить, чтобы ты еще больше взбодрился, когда проснешься от холода, когда машина остынет на морозе. Затем решили тебя в гроб не укладывать, потому что возни много, и просто бросили на сидушки сбоку. Потом еще немного побухали в доме, забоялись, что ты замерзнешь на хрен. (Вот видишь — вспомнили о тебе!) Вернулись уже втроем к машине, Витя уже до сентиментальных соплей допился и говорил, что вы были не так уж плохи, просто он себя вел, как мудак, был готов тебя даже сам на руках до дома дотащить, причем не до своего, а до твоего. Сунулись — а тебя нет. По следам посмотрели в снегу, тоже вроде никуда ты не уходил. В гроб заглянули, даже под покойника, на всякий случай. Ты куда пропал-то?»

«Я, вообще-то, проснулся спереди пристегнутый», — объяснил Петров.

Игорь хлопнул себя по лбу: «Ну елки-палки, ведь да, точно, ты в машине все время на спину норовил лечь, мы побоялись, что ты проблюешься, пока нас нет, и захлебнешься, как часто бывает, тебя сам водила и пристегнул спереди, он еще говорил, что для хорошего человека ничего не жалко, лишь бы жил. Как мы об этом забыли? Как мы вообще не догадались спереди посмотреть? Это же надо было так нажраться!»

«Козлы вы, — констатировал Петров, — еще бы чуть-чуть, и я бы не здесь сидел, а лежал бы в койке с воспалением. А вообще, как командир катафалка-то выкрутился? Или не выкрутился? Просто я, когда проснулся, увидел ментов и свалил на всякий случай. Мне что-то продолжения приключений не захотелось».

«Да что там выкручиваться? — недоуменно сморщился Игорь. — Списали все на то, что парень город плохо знает, что заплутал слегка, ментов подмазали, родственникам я слегка подкинул денег на поминки, а то они чуть ли не дома собирались их устраивать, чуть ли не стоя, потому что родственников понаехало. Одни сплошные траты у них были, а тут они на покойнике даже заработали. Плюс еще памятник позорный склепали, бомжам кресты лучше выглядят, чем им сварганил кто-то из жести, ну, позор, короче. Так что водителя даже не уволили, не беспокойся за него. Но подозреваю, что когда он в следующий раз меня увидит, то попытается сбежать».

«И вот так вот у тебя всегда все просто?» — поинтересовался Петров.

Игорь искренне рассмеялся обиде Петрова и похлопал его по плечу. «А у тебя так не просто? — продолжил Игорь, не сдерживая улыбки. — Ты вообще задумывался, почему у тебя все так?» «Вот как раз только что задумывался, — сказал Петров. — Думаю, что это все от небольшого ума. И от неумения знакомства заводить с нужными людьми. И от умения заводить знакомства с людьми такими, как ты». «То есть ты вот так вот честно считаешь, что тебе не везет в жизни? То есть правда так считаешь? То есть то, что тебя окружает, те, с кем ты живешь, тебя не устраивают?» — Игорь продолжал улыбаться.

Петров не мог объяснить это словами. Это было какое-то чувство, что все должно было происходить не так, как есть, что кроме той жизни, которая у него, имеется еще какая-то: это была огромная жизнь, полная совсем другого, неизвестно чего, но это была не яма в гараже, не семейная жизнь, нечто другое, что-то менее бытовое, и несмотря на огромные размеры этой другой жизни, Петров за почти тридцать лет к ней не прикоснулся, потому что не знал как. Петрову иногда казалось, что большую часть времени его мозг окутан чем-то вроде гриппозного бреда с уймой навязчивых мыслей, которые ему вовсе не хотелось думать, но они лезли в голову сами собой, мешая понять что-то более важное, чего он все равно не мог сформулировать.

«Ну вот смотри, — попробовал объяснить Игорю Петров. — Я — слесарь. Я всю жизнь буду слесарем.

Я это уже понял. В обычные дни я даже не вспоминаю об этом, ну, слесарь и слесарь, чего в этом плохого? Просто накатывает иногда, когда я осознаю, что уже всю жизнь свою наперед знаю, даже конец примерно свой представляю. Вопрос только в том, кто первый скопытится — я или Паша, кто на чьих похоронах будет гулять, вот и всё. А я после себя ничего не оставлю, кроме сына, тут меня Паша переиграл, потому что у него тупо больше детей. И вот, когда я понимаю, что вся жизнь моя наперед расписана, как бы набросана карандашом, и только контуры осталось обвести — вот от этого тяжело. Вот тогда я начинаю бычить на всех».

«Ой, да ладно бычить, — опять засмеялся Игорь. — У тебя это скорее дуться, чем бычить. Ты думаешь, что я счастливчик? Что я вон с водителем разъезжаю. Что в костюмчике всегда и любого уболтать могу — и в этом я счастлив?»

«По крайней мере, ты живешь как хочешь», — сказал Петров.

«Я стерилен, — сказал Игорь, чуть наклонив голову, видимо, чтобы сразу с нескольких ракурсов (в зеркало и сбоку со своего места) увидеть, какое такая новость произведет впечатление. — То есть не совсем стерилен, конечно, избирательно стерилен, шанс от меня залететь — один на миллион. Медицина тут бессильна. С одной жил, так ее до того задолбала моя бездетность, что она от меня ушла. И, похоже, из-за этого теперь глобальное потепление началось. Переехал я на Урал, потому что здесь обстановка соответствующая, втюхался еще в одну. И в кои-то веки от меня женщина залетела, да и та…»

«Мне уже доложили, — перебил Петров, — жена твоя сказала, что ты другую любишь и не скрываешь особо». «Да? — не удивился Игорь. — То есть вот так далеко она заходит в разговорах с незнакомыми людьми?» «С незнакомыми легче, — пояснил Петров. — Вот ты мне почти не знаком, мне с тобой проще вот эту всю ахинею нести».

«Так вот, — Игорь как бы не услышал колкости Петрова, — прикинь, как я могу жизнь человека перелопатить, если он мне окажет услугу, женщине, которую я люблю, или моему ребенку как-то поможет». «Да я представляю», — сказал Петров. «Да?» — слегка вскинулся Игорь. «Ну, если ты прохожему можешь всю жизнь перевернуть и сделать встречу с тобой незабываемой, представляю, что ты можешь сделать, если благодарность почувствуешь», — Петров попытался вложить в эти слова как можно больше яда.

Игорь вздохнул. «Ты скучный, — констатировал он. — Я не знаю, как с другими, а со мной ты уныл. Даже обидно, блин. Знаешь, как писатели, которые у нас все список смертных грехов расширяют. Булгаков вроде трусость добавил туда. Кто-то еще — неблагодарность. Был бы я писателем, я бы туда вписал страх казаться смешным. Хотя это перифраз того, что сказано было в “Бароне Мюнхгаузене”». «Ну да, там че-то такое, — ответил Петров, — про глупости, которые творятся с серьезным лицом». «Вот именно, — подтвердил Игорь. — Ух, кому, как не мне, быть серьезным, а я вон порхаю над Свердловской областью и окрестностями, аки Эрот, и что-то не прихожу в уныние от окружающих меня видов». «Ты вообще-то не кажешься смешным тоже, — заметил Петров. — Ты вообще-то всех других ставишь в неловкие положения, а сам всегда на коне». «Ну, так уж получается, — согласился Игорь. — Но это оттого, что все вокруг меня пытаются хорошую мину при плохой игре сделать, а ее не надо делать. Вон античные боги как клоуничали. И в лебедя, и в золотой дождь превратиться — раз плюнуть ради бабы, ничем не гнушались, и люди от этого проще были, не то что сейчас».

«Раньше люди в пещерах жили и в шкурах ходили. Они были по определению простые, даже если клыками животных себя обвешивали и морды глиной раскрашивали», — возразил Петров.

«Не, ну в такие глубины я бы не стал вдаваться, — сказал Игорь. — А за греков я хочу сказать, что они не так уж глупы были и просты. Ты бы понял, если бы на русский кто-нибудь правильно мифы те же пересказал. Там же, когда Прометей огонь украл, там боги не только Прометея к скале присобачили, там они и людей прокляли тем, что они всегда будут трудиться, но получать не всегда то, что хотели. Всегда будет до идеала чего-то недоставать. То есть вот получили люди огонь — а от него не только польза. Он еще жжется, и от него пожары. Даже табурет человек задумывает или по чертежам пилит, а чего-то человеку не хватает в этом табурете, какой-то изъян все равно со временем вылезает. Ни одна из человеческих задумок не проходит так, чтобы получилось безукоризненно. По-настоящему доброе или злое дело люди могут делать только несознательно. Древние греки об этом знали и заранее не парились, а современные люди поехали на этой идее успеха, на этой мысли, что нужно достичь чего-то, а чего — они сами не знают. Цели-то они придумывают, которые нужно достигать, а ни одна не достижима. Все равно есть у смертного какое-то ожидание чего-то другого. Это мы, типа, возвратились к твоим переживаниям о твоих душевных метаниях, которые не у тебя одного».

Они помолчали. Петров хотел возразить, что, вот, спортсмены ставят себе задачу на мировой рекорд и достигают его, и даже открыл рот, чтобы высказать это, но понял, что Игорь все равно выкрутится. Скажет, что спортсмен достигает не только рекорда, скажет, что у спортсмена существуют какие-то задачи помимо рекорда — не расшатать здоровье, чтобы в семье было все в порядке, чтобы рекорд долго никто не побивал, а с этим-то и начинаются проблемы, которых не избежать. Все стремятся к некоему идеалу жизни, который пытаются достигнуть через определенные маяки, при том что жизнь бушует вокруг этих маяков, совершенно непредсказуемая и неостановимая.

«А каково мне? — внезапно спросил Игорь. — Ты даже счастья моего не можешь представить, когда я узнал, что человек, которого я люблю, спасен. И ребенок мой спасен. Причем если бы ты его специально спасал, ничего бы не вышло так, как нужно. А тут совершенно случайная своевременная рука небольшого человека, уже заболевшего ОРВИ и температурящего, но еще не замечающего этого. Она бы обязательно или во время родов умерла, или еще что-нибудь произошло. Аборт бы, например, сделала. А так она теперь пусть и довольно далеко, но по крайней мере жива.

И сын мой жив. И у тебя теперь все нормально, хотя ты и дуешься. И будет нормально до самой твоей смерти. Спасибо, короче. Не отмахивайся от меня, Иван-царевич, я тебе еще пригожусь».

Петров решил ничего не отвечать, поскольку понял, что Игорь уже успел нажраться, как тогда, в доме Виктора Михайловича.

«Ладно, пойду я, а то потеряют, — крякнул Игорь, вылезая, — еще увидимся».

Глядя в его удаляющуюся фигуру, двигавшуюся так, будто не было никакого разговора, будто Игорь просто прошел мимо машины, совершенно чужой, Петров вдруг что-то вспомнил из той пьяной ночи, это воспоминание было вызвано именно тем, что Петров сидел в снегу, а Игорь так же удалялся, как незнакомый, было еще что-то связанное со словом «смертные», которое Игорь произнес в машине, была какая-то болтовня тем вечером, как-то зацепленная с этим словом, воспоминание было таким быстрым и неявным, что Петрову показалось, будто в его голову вставили, а потом вытащили слайд. Петров поморщился, пробуя вспомнить, что там было возле катафалка, когда он сидел пьяный в сугробе, а Игорь удалялся, хватаясь рукой за забор. Воспоминание ускользнуло, потому что по радио запела «АББА», саму группу он не любил, а любил песню про Новый год, причем не столько песню, сколько видеоклип по этой песне, где было предновогоднее запустение, раннее утро, валявшееся на полу конфетти, окно во всю стену и стоявшая возле окна женщина — это прямо брало Петрова за живое.

После «АББЫ» простуженно запел Стинг, причем за эту песню Петров таил на Стинга обиду. Это была «Fields of Gold», но когда Петров впервые услышал ее по радио, то принял слово «gold» за «cold». Петров не очень хорошо знал английский, точнее, знал он английский очень плохо, собственно, этих знаний ему только и хватило, чтобы перепутать поля золота с полями холода, но сама песня была настолько просторной и холодной, что Петров, купив диск с песнями Стинга, просто не поверил своим глазам, потому что, слыша эту песню, он прямо-таки видел перед глазами поля, каких никогда не было на Урале — чтобы до самого горизонта ни холмика, ни деревца (кроме одного, кривого, стоявшего в его воображении где-то в левой части внутреннего зрения), — была только высокая сухая трава, покрытая инеем. Когда песня проигрывалась, голова Петрова просто отказывалась принимать, что Петров ошибся.

Финальные аккорды песни прервали рекламой, потом пошла в эфире всякая веселая музыкальная шушера, прерванная на середине грустными стонами Даррена Хейза, а на песне «Дискотеки Авария» «Новогодняя» позвонил сын. Петров вырубил радио, выкарабкался из автомобиля и двинул обратно в театр, на ходу проверяя, не забыл ли чего (больше всего он опасался выронить сапог).

Сын стоял в своем костюме прямо в тамбуре театра и принимал восхищение своим костюмом, игнорируя советы проходивших взрослых идти в тепло, а то заболеет. Петров, плохо помнивший ночь позапозавчерашнюю, но хорошо помнивший вчерашнюю ночь, отчаянным коротким воплем загнал Петрова-младшего обратно в театр. Прежде чем начать обуваться, сын отдал Петрову оторванный пластиковый глаз ежа, не потерявший своей хитринки даже отдельно от головы. «Ну прекрасно», — сказал Петров, имея в виду, что ничего хорошего нет и ломать маску не стоило. «Можно приклеить», — сказал в ответ сын уверенным голосом, потому что правда можно было приклеить глаз без проблем, дел на пять минут, если не меньше; главное было, что сын глаз не потерял, а сберег в кулаке, вот это вот Петров услышал в его коротком ответе.

Рядом с ними крутилась женщина с совсем маленьким ребенком, девочкой лет, может, четырех, уже одетой в зимнее, и сама женщина была в пальто. Петров не часто видел классного руководителя Петрова-младшего, да еще и в неформальной обстановке, поэтому не сразу узнал ее. Она будто ждала этого узнавания, потому что, как только Петров поздоровался, она тоже поздоровалась, почему-то с неким кокетством улыбаясь, словно не была педагогом, а была обычной женщиной. Петров всего пару раз был на родительских собраниях — один раз, когда сына принимали в школу, а второй раз, когда потерялся мальчик из параллели. Оба раза учительница была строга и не походила не то что на женщину, а даже на человека не походила — в школе в ней было что-то стандартное, как если бы учителей печатали на заводах и в контейнерах отправляли по школам. «Вы извините, я вас не сразу узнал», — признался Петров. «Ну так вы у нас не частый гость», — сказала учительница, и улыбаясь, и при этом мягко упрекая, будто если бы Петров все время околачивался возле школы и в школе и сидел бы на каждом уроке — это было бы гораздо лучше. Женщина была примерно того же возраста, что и Петров, но, поскольку управлялась с толпой детей, таких как Петров-младший, казалась Петрову старше и солиднее, чем он сам. Она намекала, что не против, чтобы Петров подвез их до дому, потому что на троллейбусе было ехать не очень удобно. Вообще, это, конечно, была никакая не просьба, а требование в мягкой форме, неизвестно, что ждало бы сына, если бы Петров отказался, голову бы сыну учительница, конечно, не оторвала, но отношение к нему слегка бы испортилось. В руках ее был полиэтиленовый пакет, видимо, со сменной одеждой и сменной обувью, и два конфетных подарка: один — дочери, а второй — Петрова-младшего, она удерживала этот подарок, как заложника.

Всё бы ничего, но Петров уже проголодался, он полагал, что сможет перекусить парой конфет, пока они едут до дома, потравить сына тем, что берет самую вкусную, хотя там была бы какая-нибудь карамель, а когда классный руководитель была в машине, делать это было Петрову не очень удобно. Да вообще невозможно было это делать.

Учитель добавляла ада тем, что принялась в машине демонстративно повторять с дочерью урок английского, ненавязчиво показывая, что ее дочь гораздо развитее его туповатого сына-троечника. Если бы дочь учительницы и правда начала шпарить на английском, Петров был бы приятно удивлен, а не разочарован, но они повторяли счет до десяти. Девочка путалась в цифрах, учительница подсказывала ей каждый первый звук в следующем числе, а девочка, ощущая уже некую угрозу в сладковатом голосе матери, отвечала старательно и даже вроде бы с удовольствием, но, кажется, в словах, которые она выучила, не было для нее никакого смысла, потому что она переставила местами «five» и «four», она, кажется, и по-русски-то еще не научилась считать до десяти, и мать это почему-то злило. На семерке случилось и вовсе что-то невообразимое, учительница протянула свое подсказывающее: «Се-е-е-е-е…», а девочка вместо «seven» сказала «Семён» и засмеялась вместе с Петровым и Петровым-младшим. Учительница покраснела от стыда и злости, но как-то уняла свой гнев и стала хвалить Петрова за маску и костюм, который они сварганили для сына. «А у вас что было?» — спросил Петров. «Да обычная собачка из магазина», — ответила учительница и потащила из полиэтиленового пакета плюшевую маску с ушами, чтобы Петров мог догадаться, что из себя представлял костюм, по одному лишь верху этого костюма. Петров представил, потому что видел похожие костюмы в магазине: «Там еще жилетка и штаны рыжие». «Да, да, — сказала учительница, — собака от лисы совсем не отличается, если без головы. Там медведь и волк еще были, с коричневой или серой жилеткой и с коричневыми или серыми штанами. Но девочку в костюм медведя или волка наряжать как-то странно». «А почему не в фею какую-нибудь или снежинку?» — спросил Петров. «Да там такие феи были и снежинки, что мы только померили и как-то отказалась от этой мысли, какие-то фривольные костюмы остались, совершенно прозрачные, с тем же успехом можно было ее в нижнем белье на праздник привести», — ответила учительница. «А зайцев не было?» — снова спросил Петров. «Я сама все детство в костюме зайца проходила, в одном и том же практически. У меня на зайцев аллергия, можно сказать. На этот хвостик на шортах, на эти уши на проволочках. У меня такая заячья шапка была, уже желтая от стирок многочисленных. Это ужасно было, — сказала учительница. — А костюм снежинки — чистая профанация. Просто белое платье. Это просто за гранью, просто белое платье надеть и говорить, что это костюм, ну смешно же просто. Зря вы внутри не были. Там одних человеков-пауков было штук пятнадцать, причем все разных размеров. Их можно было по росту строить. Из них можно было целый отдельный хоровод составить. И кстати, со времен тех елок, в наше время, когда мы детьми были, — ничего не изменилось как будто. Те же конкурсы, так же Дед Мороз бегает по кругу и пытается всех заморозить».

Петров повез всех через улицу 8 Марта, надеясь, что там будет посвободнее. Там и правда было посвободнее, но все равно стоять на светофорах приходилось. Все замолкли и угомонились, собираясь с мыслями.

Первой с мыслями собралась учительница, у нее, видимо, был какой-то внутренний сборник готовых разговоров с родителями учеников. Она стала тосковать по былым временам, когда дети хотели стать космонавтами и летчиками, а не бизнесменами и содержанками. Таких разговоров Петров наслушался и от тещи, и от отца с матерью. Учительница стала возмущаться, вернувшись к обилию людей-пауков на елке, она сказала, что хороших новых детских книг не выходит, что дети читают разве что «Гарри Поттера», и хорошо, если читают его, а не детские детективы и ужастики, и хорошо, если хотя бы читают даже эту ерунду, а то на уме у большинства только игрушки и телефоны.

Петров стал заступаться за «Гарри Поттера» и заметил, что хорошей детской литературы навалом осталось с советских времен. Учительница сказала, что половина советской детской литературы непонятна современным детям из-за того, что в книгах, оставшихся со времен пионерии и комсомола, полно пионеров и комсомольцев. А некоторые современные авторы так и остались душой бывшими комсомольцами и пионерами и даже тащат в детские произведения юмор, который нынешним детям просто не может быть понятен. «Вот взять же тех же комсомольцев, про которых ваш сын читал, — сказала учительница. — Это вот вам смешно, мне смешно, ну, старшее поколение может над этим посмеяться, но никак не ребенок». Петров похолодел и спросил: «Это где это он такое читал?» «Вот видите, — порадовалась учительница неосведомленности Петрова, счастливая тем, что знает Петрова-младшего лучше, чем его родители. — Это он на часе внеклассного чтения рассказал про эту книгу. Я так поняла, что космомольцы — это такой волшебный народ, который как бы стремится осваивать космос на словах, но понимает, что освоение космоса невозможно, и поэтому зависает у себя на планете и предпочитает современные удобства непонятным рискам в межзвездном пространстве. Я сначала решила, что ваш сын ничего не читал, а просто придумал, но, когда услышала это слово, поняла, что нет, такое ребенок выдумать не мог». Сын сидел пунцовый от стыда и с опаской поглядывал на Петрова, который коротко попепелил его взглядом. Сын вместо того, чтобы прочитать книгу, пересказал на уроке комикс Петрова.

«Ладно игры, в них все может происходить, понятно, дети сходят с ума от всей этой кровищи, но понятно, когда это в компьютерной стрелялке происходит. А вы знаете, что ваш сын вообще читает? Это ужас ведь какой-то, — продолжила учительница. — Вы, видимо, услышите про какую-нибудь книгу в рекламе и не глядя покупаете ее. А сначала нужно самому прочитать, вы же все-таки знаете своего ребенка, знаете, как на него это может подействовать. Это же ужас, что творится в книге, мальчик почти гибнет в автокатастрофе и при этом спасает пришельцев. Вы понимаете, что ребенку в голову может прийти, что он захочет с крыши сигануть, решив, что его пришельцы также могут спасти и отправить на приключения. Это кошмарная книга. Я ее в магазине поискала, чтобы посмотреть, хорошо там все заканчивается или нет, но не нашла, где вы эту дрянь купили?»

Петров посмотрел на сына, который стал еще пунцовее. «Да не помню уже, на рынке где-то купили», — сказал Петров.

«Вот именно, что на рынке, — поучительно заявила она. — Одни на рынке игрушку ребенку покупают забавную, которая после того, как в нее батарейки вставили, начала блатные песни петь, вроде "Владимирского централа", вы вот книжку купили, где без членовредительства не обходится; вы представляете, какие дети вырастут с такими книжками и такими игрушками?»

«Ну не знаю, — пожал плечами Петров. — Нас вон тоже по книжкам учили, где юных партизан пытали фашисты, что-то ни у кого крыша не съехала. В книжках вон юные партизаны поезда под откос пускали, что-то никто из нашего класса поезд под откос не пустил».

Петров так подчеркнуто сказал про свой класс, потому что парень из школы, где учился Петров, подался, когда вырос, на строительство исламского государства в Чечню и успел взорвать несколько фугасов, прежде чем его самого пришили где-то в горном лесочке. Так что доля справедливости в словах учительницы, как бы ни хотел Петров, все же была.

«У нас такое на улицах не творилось, — сказала учительница. — Не было к чему руку приложить в желании спустить поезд под откос, все поезда были свои, врагов не было, кроме немцев, с которыми война была, вот в эту войну и играли, а сейчас столько примеров враждебности, почти каждая цель для враждебности может на улицах найтись, есть к чему враждебность применить. Дети чуть ли ни с первого класса стрелки друг другу забивают. Это нормально?» Петрову пришлось согласиться, что это ненормально, тогда учительница снова схватилась за медвежью услугу, которую оказывает в воспитании массовая культура, и бодро прошлась по кинематографу и музыке, размазывая их по стенке своим строгим педагогическим взглядом. «Вы видели мультфильм “Южный Парк”? А “Симпсоны”? Там же сексом занимаются прямо в мультфильме. А это днем показывают. Чему-нибудь хорошему это может научить?» Петров пытался освежить в памяти эпизоды «Симпсонов», где прямо в кадре занимались сексом, но такого он что-то не запомнил.

Когда они прибыли на место и учительница открыла дверь, Петрову показалось, что некое давление воздуха, нагнетавшееся учительницей, со свистом вышло наружу, Петрову сразу стало легче, он даже смог улыбнуться учительнице, даже притвориться, что поездка произвела на него приятное впечатление.

Петров-младший помалкивал всю дорогу до дома, пока они петляли дворами на четырех колесах, мягко поскальзываясь в снежной колее. Понятно, что он чувствовал какую-то свою вину за то, что выдал комикс за книгу, и опасался, что по приезде Петров и Петрова посадят его за нормальные книги, а этого ему совсем не хотелось: свои каникулы он представлял как-то иначе, как-то без книг, а только с телевизором и друзьями. Петров хотел сказать ему, что заступится, если мать будет на него давить, но хотел хоть немного отомстить сыну за его болтливость и только спросил, не заругала ли его учительница за то, что он ходит в театр на больничном. «Да в школе карантин объявили на следующий день», — буркнул Петров-младший, недовольный не столько вопросом отца, сколько своим невезением. Петров искренне рассмеялся над глупой грустью сына. «А друг твой не заболел?» — поинтересовался Петров. Сын грустно покачал головой. «Его теперь мама не пустит к нам, она забоится, что он грипп подхватит. Она у него настоящий цербер», — сказал сын, так неожиданно употребив слово из мифологии, что Петров даже чуть не затормозил, будто этот самый Цербер вырос на дороге прямо перед ними.

Снова в голову словно вставили слайд, Петров вспомнил, что сидел в сугробе, опершись спиной на забор, что прямо перед ним стоял Игорь, а возле правой ноги Игоря сидела собака, причем фонари светили так, что у собачьей тени было три головы. «Да ну нахрен», — сказал Петров, стряхивая с себя этот морок. Скорее всего, он вспомнил не ту ночь, а какой-то сон, просто очень реальный. И не было никакого слова «смертный» в словах Игоря тем вечером. Тогда, возле забора, Игорь сказал: «Да вставай ты уже, заебанец ты грешный, замерзнешь», но Петров отказывался почему-то подниматься, Игорь пошел за подмогой, а Петров глядел ему вслед в то время, как собака куда-то пропала.

«Что нахрен?» — спросил сын, он знал, что это не совсем матерное слово, поэтому рискнул употребить его в своем вопросе. «Советы твоей училки, и то, что мать друга к тебе не пускает, и твой длинный язык», — ответил Петров все еще рассеянно. Память пыталась зацепиться за что-то еще в этой картинке с сугробом, но все ускользала в какую-то небывальщину, в какую-то полную дичь, где Игорь говорил водителю катафалка, что нет никакого покойника у него в гробу, где Цербер приводил душу умершего к телу, где тело оживало и уходило домой, а Петров, не в силах унять карусель от выпитого им спиртного, сидел в снегу и вместо того, чтобы удивляться, пытался унять тошноту, хотя, возможно, это была тошнота чистого ужаса.

Если бы радио было включено в тот момент в машине Петрова, он бы мог услышать от ведущих чудесную историю о том, как накануне Нового года у скорбящих родственников сначала пропало тело покойного, а потом сам покойный вернулся домой в добром здравии. Дали прослушать интервью с водителем катафалка, ставшим свидетелем этого приятного события, и милиционерами, которые приняли сначала всё за шутку, а потом помогли доставить ожившего усопшего прямо к нему домой, потому что садиться обратно в машину с гробом он никак не желал.

ГЛАВА 9
Снегурочка

Марина вообще-то училась на третьем курсе иняза и никогда не думала, что ей придется побывать Снегурочкой, просто вышло так, что зимнюю сессию ей удалось сдать практически всю «автоматом», она собиралась даже поехать домой, в Невьянск, где жили мать и младший брат, но в нее как клещ вцепился студент театрального, предлагая поработать на елках, потому что прошлая претендентка на роль Снегурочки заболела, а с остальными кандидатками в Снегурочки студент отчасти переругался, а отчасти их переманили другие компании.

Марина не верила в свой актерский талант, она считала, что студент (которого звали Саша) просто клеится к ней таким бесхитростным способом, пытаясь завязать знакомство покрепче, связав это знакомство еще, помимо знания имен друг друга, финансовыми узами. Марина подозревала, что и Снегурочка никакая не заболела, потому что даже болезнь не может помешать студенту заработать. Марина решила, что Саша просто выдумал эту внезапную болезнь и отказы Снегурочек, чтобы попытаться сойтись с ней поближе. Марине казалось, что ничего из этого не получится: и Снегурочка из нее совершенно не выйдет, и Саша ей не очень нравился, хотя поначалу показался веселым, добрым, остроумным молодым человеком. У них было уже несколько свиданий, ничего такого, кроме розы, которую Марина вынуждена была таскать в руках, кроме прогулок по вечерним улицам, во время которых Марина тосковала по общажному туалету, потому что ходили они долго, на улице было холодно, а сказать прямо о том, куда ей нужно, она не решалась, чтобы не испортить в глазах Саши свой светлый образ. Марина уже проклинала тот день, когда пошла на день рождения к подруге, которая жила в Свердловске, — и подруга-то была так себе, скорее знакомая, Марине просто надоело сидеть или в аудитории, или в общежитии, захотелось какого-то веселья — и вот она его получила.

Родители подруги оставили молодежи квартиру «на погулять», а сами куда-то ушли. Помимо знакомых с факультета у подруги этой были еще бывшие одноклассники и одноклассницы, с которыми та поддерживала отношения, потому что была вообще компанейская девушка и активистка, в отличие от Марины-спортсменки (Марина вообще считала, что попала на иняз только благодаря тому, что хорошо бегала на лыжах, собиралась идти в учителя физкультуры, но внезапно вот подала документы и поступила, вызвав стоны и плач матери, которая утверждала, что Марина просто не хочет помогать семье, а желает удачно выскочить замуж и бросить и ее, и брата на произвол судьбы). Из-за того, что Марина бегала и каталась на лыжах, что она вроде как старается поддержать честь института и все такое, парни вроде бы уважали ее, но, кажется, считали не очень умной. Парни вообще не очень любили спортсменок и спортсменов, некоторые из которых и правда были ни в зуб ногой, но как-то их все время продвигали, как защитников института от враждебных сил других институтов посредством физической силы и выносливости. Был на факультете студент-штангист, действительно тупой как пробка, и пловец, чья тупость была непередаваема. Если штангист хотя бы как-то старался, что-то учил, а потом сдавал, потея сильнее, наверно, чем на соревнованиях и тренировках, то пловец был божественно идиотичен, Марина подозревала, что на занятия его одевает его мама, потому что пловец не умел ничего, кроме плаванья, удивительно было, как он вообще догадывается плыть до другого бортика, — он опаздывал или вовсе не посещал занятия, потому что порой не помнил аудиторию и не мог разобраться в расписании. Пловец писал с чудовищными ошибками, которые не допустил бы, наверно, даже третьеклассник, в его глазах была беспомощная и при этом всепоглощающая пустота, вроде пустоты океана. Пловец был КМС, но это был, похоже, максимум того, чего он мог достичь на спортивном поприще, — но и с ним, и с Мариной, и со штангистом возились так, будто они были уже олимпийские чемпионы. Марина не любила такого отношения к себе, эти завышенные ожидания ее пугали, она уже заранее знала, что не оправдает их, хотя и занимала порой вторые и третьи места на студенческих соревнованиях и была разрядницей. Почему-то отношение к разрядникам по шахматам и шашкам у студентов было другим, нежели к обычным спортсменам, шахматы были почти у всех, шахматисты и шашисты в любое время дня и ночи могли положить на лопатки любого желающего посостязаться с ними — и это умение вызывало в людях мистическое уважение, почти как к жрецам. Руководствуясь этим восторгом, она даже встречалась на первом курсе с таким вот шахматистом с философского факультета, причем он оказался довольно скучным пареньком откуда-то из деревни и заявил, что никакой магии шахмат нет, просто кому-то повезло с мозгом, способным запомнить тысячи вариантов дебюта и последствия их розыгрыша, а кому-то повезло с родителями, и этого везунчика не распределят после института в какую-нибудь дыру, где шахматы и преимущества диалектического материализма перед остальными философскими системами можно будет обсуждать только с медведями и работниками геологоразведки.

Мать Марины решила почему-то, что раз дочь поступила на иняз, то теперь дочери открыта дорога в большой мир, в некий мир чистых дипломатов и аккуратных переводчиков, что родственников дочь обязательно забудет и раз в десять лет будет приезжать в родной городок, оглядывая все брезгливым взглядом. А сама Марина не понимала, что она будет делать со своим английским и немецким языками у себя в Невьянске, куда ее, скорее всего, и засунут после учебы, чтобы она учила местных детишек. Всё бы ничего, но только детей Марина не любила, она слишком хорошо помнила, что творилось на уроках английского, когда она сама была школьницей. Дети просто не понимали, зачем им нужен английский язык. Немецкий еще туда-сюда, был нужен при турпоездках в Восточную Германию, а где мог применить свои знания школьник, изучавший английский язык, было непонятно. Это была чистая абстракция, вроде высшей математики, все эти исключения, все эти времена, все эти определенные и неопределенные артикли оставались словами на русском языке, ничем не подкрепленными с того берега. Английский, как и математика, нужен был разве что для того, чтобы не упасть в грязь лицом перед своим будущим ребенком, делающим домашнюю работу. Всё.

Но это свои, факультетские, относились к Марине несколько свысока, зная примерно, что после института она пойдет, скорее всего, в школу, и хорошо, если в свою, невьянскую, а ведь Марину могли и правда распределить в какую-нибудь деревеньку, где туалет на улице, где нужно держать корову и кур, чтобы жить более-менее нормально. Саму Марину эта перспектива не ужасала, она примерно так и жила до института в деревянном домике на окраине своего городка, она поэтому и не понимала, ради чего так напрягает силы, когда могла бы заниматься физкультурой, учиться на физрука, а потом спокойно поехать в какую-нибудь деревню, тренировать местных юных лыжников. Так вот, это свои, факультетские, относились к Марине свысока, а приглашенные на день рождения бывшие одноклассники именинницы и ее друзья и подруги по двору ничего о Марине не знали, по всей трехкомнатной квартире стоял один пласт табачного дыма на высоте человеческого роста, похожий на пласт утреннего летнего тумана, расползающегося под солнечными лучами. В гостиной старательно пел голосом Джо Дассена пластиночный проигрыватель и качались парочки девушек с завивкой и юношей с усами и бакенбардами. Юноши были в цветных синтетических рубахах. Эта синтетика казалась Марине чудовищной, она както сразу впитывала человеческий пот, и юноши, не успев даже толком надеть такую рубашку, не успев даже толком походить в ней, начинали попахивать или чем-то кислым, или просто принимались вонять по́том, как трактористы; чтобы отбить этот запах, все пользовались одеколонами, причем так усиленно, что непонятно было, как молодые люди решаются закуривать и ходить возле открытого огня, рискуя сдетонировать в окружающих их парах спирта.

На кухне тоже покачивались и как бы толкались люди, это тоже походило на танец, но без музыки — на кухне, стоя, и сидя, и опираясь на выступы кухонного гарнитура, пили портвейн и, настежь открыв окно, курили папиросы, причем курили все — и юноши, и девушки. (Марина тоже покуривала иногда, хотя и была спортсменкой; сначала она опасалась за свою спортивную карьеру, но ей показали чемпиона по спортивному ориентированию, который ел как слон, дымил как паровоз и бегал при этом как лошадь.) Марина тихонько уволокла стакан с портвейном и стала искать, где бы ей притулиться до конца вечера. В комнате именинницы откровенно обжимались две парочки, и сидеть и смотреть Марине на это было как-то не резон, она заглянула в спальню родителей и обнаружила там гитариста с профессорской бородкой, сидевшего прямо на кровати, в то время как остальные гости задумчиво стояли вдоль стеночки, будто были нечистой силой, а гитарист был Хомой и начертил вокруг себя круг мелом. На гитаристе был туристический свитер с высоким воротником, и пел он что-то про горы и лавины и костерок, всячески прикидываясь рубахой-парнем. Это и был Саша — студент театрального училища. В среде будущих инженеров, учителей и представителей других понятных профессий Саша выглядел загадочным творческим человеком из совершенно другой какой-то вселенной, это сначала и привлекло Марину, правда, интерес этот пропал в Марине тем же вечером, когда Саша стал сыпать шутками, над которыми смеялся только он сам, стал ожидаемо говорить про Станиславского и тяжелую работу актера, сравнимую только с шахтерским трудом или даже с трудом золотоискателя, стал показывать различных животных, пел туристические песни, словом, пытался стать центром внимания, в то время как сама Марина предпочитала людей центробежных и сама была человеком центробежным. Интерес пропал, а Саша остался, и как от него отвязаться, Марина не знала, он воспылал к ней чувством совершеннейшего девственника, Марина подозревала даже, что в штанах у него ничего нет, как у пупса.

Его даже вроде бы отвели в сторону и рассказали про Марину, что Марина — партия не ахти какая, что туповата, что почти из деревни, но от этого он благородно возгорелся еще сильнее, хотя, возможно, это опять была всего лишь актерская игра в благородного юношу, снова попытка завладеть вниманием зрителя.

Это вот стремление всегда быть на виду угнетало Марину. Во время прогулок он читал Евтушенко и Вознесенского, Асадова и Ахмадулину, так что на них все оглядывались и одобрительно улыбались. Он был яркий, но как пластмасса, которая тогда была очень модной и была везде (из нее даже мебель делали), в нем не было ничего своего. Он уже строил планы на будущее и при этом не решался к Марине не то что как-то поприставать, а даже поцеловать Марину он боялся. Она порой вызывающе замирала при расставании на крыльце общаги или где-нибудь под фонарем в одном из закоулков города, но действие это порождало не поцелуй, а только неловкое молчание в очередном Сашином монологе. При этом он познакомил Марину со своими родителями, встреча прошла в почти полном молчании, родители вызнали, что Марина из глубинки, и почему-то решили, что она лимитчица, хотя Марина нисколько бы не пожалела, если бы весь Свердловск провалился в тартарары, чтобы у Свердловской области не было бы никакого центра, а только маленькие деревеньки. Она так хотела домой, что готова была на всё, чтобы отвязаться уже от этого института и этих сокурсников, она планировала, если что, перевестись как-нибудь в Нижний Тагил, где у нее жил дядя, и все в Тагиле казалось как-то проще, нужен был только какой-нибудь повод, такой, чтобы мать уже не думала отправлять ее по стезе английского языка, но Марина не знала, какой это должен был быть повод.

Она еще как-то пыталась вырулить создавшееся положение в сторону провинции, она осторожно спрашивала Сашу, не хочет ли он отправиться с ней в Невьянск по окончании театрального училища, он смог бы вести там театральный кружок, но у Саши были какие-то свои планы насчет будущей их семейной жизни. «У тебя, что ли, жить? — прямо поинтересовалась Марина. — Так меня твоя мать живьем съест. Это если ты к нам поедешь, тебя будут обхаживать, как падишаха, потому что ты и актер, и не пьешь, и не куришь». «Ты просто не знаешь мою маму, — возразил Саша, — это прекрасный, добрейшей души человек. Вы обязательно подружитесь». Марина очень сильно сомневалась на этот счет. Мать Саши была копией Марининой мамы, то есть тоже считала, что Марина ничего не понимает в жизни и что она лучше знает, как надо, но если собственной матери это еще было как-то простительно, то терпеть это отношение от людей совершенно чужих Марина не собиралась. Она хотела создать семью с нуля, чтобы никто не советовал ей, что делать с мужем, как пеленать ребенка, чем его кормить, как его воспитывать, ради этого она готова была на что угодно, даже вовсе пропасть из вида родственников и друзей, только слать иногда деньги матери, чтобы совсем уже не замучила совесть. Марина не представляла, как это можно сделать в СССР, где найти такого жениха, чтобы он был и молод, и чтобы у него была квартира или хотя бы комната в общежитии, и родственники его были как можно дальше, и ее родственники были где-нибудь на отшибе, чтобы знать о них — и не более того. Она любила только младшего брата, но он в ее воображении как-то не отдалялся никуда, когда она в своих фантазиях сбегала в соседнюю республику, все равно как-то знал о ней и жил рядом, буквально в соседнем городе.

Из-за того, что мать работала уборщицей при ЖКХ и горсовете, младший брат не смог доучиться до десятого класса и пошел в ПТУ. «Нету у меня денег, чтобы вас обоих в институты послать», — сказала мать категорически. Мать у Марины вообще была удивительной женщиной, перед соседями она выставила себя буквально жертвой того, что Марина пошла в вуз, расписывала, как недоедает, как впахивает на двух работах, чтобы у Марины что-то было вдали от семьи, а в это время Марина жила, в общем-то, на одну стипендию, и только недавно на нее свалились эти вот деньги за роль Снегурочки, а еще она репетировала по английскому языку местного школьника — ровесника ее брата.

Репетиции выросли для Марины словно из-под земли, и сколько она ни допытывалась у Игоря (так звали школьника), кто вообще дал ему телефонный номер общежития, кто подсказал искать именно Марину, — тот молчал как партизан и только улыбался своей замечательной ехидной улыбкой, которая ему почему-то шла. Если бы не эти репетиции, Марина так бы и питалась одними макаронами с растительным маслом или хлебом с чаем, а тут она могла позволить себе немного колбасы и могла даже отсылать по нескольку рублей домой.

Раз в неделю, где-то с октября, Марина ездила на окраину города, на конечную остановку трамвая, где в одной из квартир страшного, черного от времени двухэтажного дома жил Игорь. Марине казалось, что Игорь живет один, потому что никогда не заставала родителей, чтобы похвалить их сына за усидчивость и старание. Она бы, кстати, не удивилась, если бы узнала, что Игорь правда живет один — был он какой-то весь самодостаточный, будто никто ему особо и не был нужен, чтобы существовать в маленькой светлой комнатке, пахшей клейстером, с квадратным окошком, открывающимся на тоскливое поле, полное покосившихся камней. Марине казалось, что Игорь вовсе не живет здесь — не толкается на общей кухне, не спит на раздвижном диванчике, таком старом, что сдвинуть его обратно было уже невозможно, — а существует в этой комнатке, как в декорациях фильма, потому что комнатка и казалась старательной декорацией какого-то телеспектакля: когда они занимались, Марине чудилось, что четвертая стена с проемом двери исчезает, она видела их как бы со стороны зрительного зала или экрана телевизора (дома, кстати, у Марины телевизора не было — не на что было его купить, было только радио, в то время как появлялись уже телевизоры цветные, но о них шла дурная слава как об очень частой причине пожаров). У Игоря тоже не было телевизора, только радио, по этому радио играла почему-то только тихая, печальная музыка, не перемежавшаяся ни новостями с полей и коровников, ни радиопостановками классиков литературы.

Даже свое обучение английскому языку Игорь будто изображал, играл, что не знает английского, потому что когда слушал объяснения Марины, то как-то странно улыбался, будто сдерживал смех.

Сначала Марина вообще не поверила, что Игорю семнадцать лет, он выглядел очень взрослым, почти как мужчина, у него и бритая щетина была. Игорь объяснил эту щетину наследственностью и тем, что у него темные волосы. Марину как бы удовлетворило это объяснение, потому что у штангиста тоже была довольно взрослая морда, штангист говорил, что бреется с пятнадцати лет, иначе бы оброс бородой, как басмач, кроме того, если бы не это объяснение, не эта вера в объяснение, то Марине трудно было бы объяснить самой себе, что она делает раз в неделю с незнакомым мужчиной, который выдает себя за мальчика, зачем она к нему катается. Однажды вечером, когда Игорь сидел и его лицо освещено было только настольной лампой, Марина настолько убедилась в своих опасениях, настолько серьезным и взрослым лицом сорокалетнего мужчины было лицо Игоря, что она с трудом сразу же не вышла из комнаты, чтобы потом не возвращаться.

Только допущением в том, что Игорь вовсе не был школьником, что это мог оказаться взрослый мужчина, играющий в какие-то свои игрушки, и объясняла для себя Марина то, что переспала с Игорем, — не могла же она, в самом деле, завалить в постель школьника, не совсем же она была сумасшедшая, чтобы спать с ровесником своего брата. (Так она думала, выискивая себе оправдание в их стремительном шатании дивана с оглядкой на дверь и ситцевые занавесочки окна.) Причем они оба, похоже, чувствовали себя виноватыми в содеянном, и теперь уже и Марина втянулась в своеобразные игрища Игоря, изображавшего жизнь в деревянном домике, где соседи громко топали по коридору, где слышно было, как шумит на кухне вода и гремит посуда; только если Игорь изображал, что живет в доме, то Марина изображала, что ничего не было, что она как была репетитором, так им и осталась.

Она не спрашивала, кем хочет стать Игорь, для чего ему нужен английский, она хотела бы такого мужа, как Игорь, если бы он действительно был постарше, но портить ему такому жизнь браком с ней она не хотела. Если Сашу она воспринимала, несмотря на все его заскоки, хотя бы каким-то женихом, то мысль, что Игорь может познакомиться с ее матерью, была для нее ужасна.

Между тем повод для брака нарисовывался очевидный. У Марины пропали месячные. Она почему-то встретила этот факт с облегчением, она не любила возиться со всеми этими заскорузлыми тряпками и ватой в трусах, она решила, что может наконец пожить спокойно, будто это не беременность, а просто вот такой подарок к Новому году от матери-природы. Марина не любила детей и собиралась со спокойной душой делать аборт, никого не ставя в известность об этом, хотя, скорее всего, весть из больницы все равно каким-нибудь образом долетит до института, может, ее даже пожурят, может, однокурсницы будут считать этакой шлюхой, которая спит с кем попало, проведут собрание, на котором, не говоря имен, будут увещевать девушек и юношей вести себя осторожнее, не поддаваться соблазнам большого города. Под это дело был у нее даже некий смутный план возвращения домой в виде блудной дочери. Непременно будет скандал, непременно мать будет вызнавать, кто отец, чтобы испортить жизнь этому кобелю, будет семейный совет из различных родственников, охочих до подробностей за неимением других развлечений, двоюродная сестра матери будет ставить в пример свою дочку, завязавшую с алкоголем и ставшую поварихой, — «и ничего, всяк сверчок знай свой шесток, нечего в интеллигенцию подаваться, только и научат там, как нос от родных воротить». Только чтобы посмотреть на этот спектакль, Марина готова была еще раз переспать с Игорем, если бы беременность оказалась ложной. (Да и не только поэтому, Марина на каждом свидании с Сашей мысленно раздевала его догола, но даже в воображении он казался жалок, даже теплые зимние штаны не могли скрыть кривизну Сашиных ног, Марина представляла, как смотрятся его кривые ножки в темных сатиновых трусах до колена, — и ей становилось дурно, вот штангист был ничего себе.)

Чем был хорош Саша, так это друзьями. Когда Марина стала кататься на репетиции в клуб, где должны были проходить елки, она почувствовала себя другим человеком, ей стало жалко, что она не крутится в компании этих людей постоянно. Ее роль заключалась в том только, чтобы выйти и сказать пару фраз, раззадорить детей на то, чтобы они стали просить елочку зажечься, но Марина все равно приходила на репетиции спектакля и каждый раз смотрела его целиком, причем с каждым разом он нравился ей все больше и больше. Она хотела даже, чтобы не было никаких костюмов, в которые должны были нарядиться актеры, чтобы детям показали не сам спектакль, а его репетицию, потому что процесс репетиции был гораздо занимательнее самой новогодней пьески. Прекрасна была условность, в которую актеры должны были вживаться. Исполнитель роли снеговика — Гера, а вернее, Герман (как Титов) — все не мог дождаться своего костюма, избушку Бабы-Яги не рисковали втаскивать на сцену, где, кроме новогоднего спектакля, репетировали еще несколько коллективов, поэтому Гера говорил: «Я такой вот вроде снеговик, здесь вроде будет стоять избушка, потом пенек, вот тут лес». Это было почему-то очень смешно, Марина не сдерживала смеха, и актеры, слыша этот смех, входили в раж, пытаясь тащить на себя единственного пока зрителя. Марину сводили в холодное огромное помещение, где хранились запасы декораций, и показали избушку и пенек, валяющиеся среди канделябров, фанерного макета Кремля, портрета Ленина в три человеческих роста, нечеловеческих размеров октябрятской звездочки и массы другого хлама, который был хламом, пока не нужен был в спектакле. Выходя из помещения с декорациями, Марина споткнулась о фанерный костер.

Саша не был главным в этой компании новогодних персонажей, главной была пионер-хулиган Лида, она этот спектакль и режиссировала, но Саша был все-таки не последним человеком в этом клубе, потому что именно его родство с директором клуба позволило им играть эти елки. Именно на репетициях Марина поняла, что Саша пускай и неказист, но актер что надо. В костюме Деда Мороза он просто преображался, Марина просто не могла поверить, что Дед Мороз и Саша — это один и тот же человек. В костюме Деда Мороза Саша становился именно солидным пожилым человеком, даже голос его менялся до неузнаваемости — откуда только брались эти низкие нотки в этом курином горлышке, было непостижимо. Марина даже заробела, когда увидела это преображение впервые. Марина жалела, что нет у нее актерского таланта, ей хотелось именно к этим людям, немного сумасшедшим, совершенно каким-то безобидно эгоистичным и себялюбивым, чтобы всегда быть с ними, а не только на время этой случайной шабашки.

Во время первого выхода к елке Марину колотило сильнее, чем на вступительных экзаменах, ей казалось, что она настолько неправдоподобная Снегурочка, что дети сразу разоблачат ее и начнут звать Снегурочку настоящую, но, когда первая елка кончилась, актеры стали обнимать ее и радоваться, что с ними она, стали говорить, что не ожидали, что у нее получится. Может, они просто играли эту радость, но даже от этой наигранной радости Марине было хорошо, как от настоящей.

В декабре была масса событий, причем они совершенно потом перемешались в ее памяти. Марина успела закрыть сессию, отказаться от участия в очередных соревнованиях по причине болезни, пообещала справку местным спортивным функционерам, но каждый раз говорила, что забыла сходить к врачу, за этот отказ кататься на лыжах и за желание заработать на елках ее пропесочили на комсомольском собрании, показав Марине опять же своеобразную репетицию того, что будет происходить с ней дома, когда она вернется, пропали месячные — и это было неплохо, но зато появились приступы внезапной тошноты — и это было не очень хорошо, трудно было объяснять соседке по комнате ее частые побеги в туалет (соседка вроде бы что-то заподозрила, но пока молчала со своими подозрениями или была просто еще наивна, потому что была заучкой). Марине нравилось это стояние, как бы завязка очередного этапа ее жизни, похожее на стояние над пропастью, пока остальные уговаривают ее не сигать со скалы, объясняют, что жизнь не так уж плоха.

Второе утро ее спектаклей приходилось на воскресенье и началось одновременно с приступа тошноты и number one, так что Марина не знала даже, что выбрать. Затем она долго стояла в общажном душе — единственном месте в Свердловске, где ей нравилось по-настоящему, поскольку дома такого не было, была баня — или городская или своя, которую нужно было нагревать, протапливать, мыться, пытаясь не задеть стену (баня топилась по-черному). В душе она сравнивала себя с другими студентками и нравилась сама себе: просто некоторые девушки были волосаты буквально как парни, другие — наоборот, были какие-то недоразвитые, недокормленные, какие-то несчастные в своей скупой наготе.

Завтракать Марина не стала, чтобы ее не вывернуло где-нибудь по дороге до клуба, который находился, правда, всего в двух остановках, но мало ли, если припрет в троллейбусе — приятного мало. При этом есть ей хотелось ужас как, ее утешало только то, что Саша, скорее всего, будет раздавать конфеты из своего мешка Деда Мороза — если мысль о макаронах со сливочным маслом вызывала этим утром в Марине отвращение, то мысль о конфетах, особенно шоколадных, была очень заманчива.

Саша, кстати, оказался Дедом Морозом со стажем — он играл его, еще не будучи студентом, когда тетя припахала его вместо другого, штатного Деда Мороза, ушедшего в запой. Саша говорил, что в роли Деда Мороза на самом-то деле нет ничего сложного, главное, говорить с детьми таким голосом, будто собираешься их сожрать, и быть поосторожнее с посохом в толпе детей, иначе можно разбить кому-нибудь нос или выбить зуб.

Чтобы перебить голод, Марина покурила по пути до клуба, а потом еще на крыльце служебного входа, пока она дымила, успели подойти Снеговик и Лида и присоединились к ней. Когда Марина стала крутиться с актерами, курить ей стало гораздо проще, потому что студентки ее факультета считали почему-то курение прерогативой мужчин и, видя курящую девушку, не забывали вставить фразу о том, что целовать курильщицу — все равно что целовать пепельницу. (Имелась в виду пепельница на лестничной площадке — пустая банка масляной краски, ставшая пепельницей, наверно, еще со времен постройки общежития, как не раньше.) Актеры стали невежливо обсуждать дела, касавшиеся только их самих, чьи-то курсы, курсы какого-то преподавателя, выгодно отличавшиеся от курсов другого, убедительность и неубедительность актеров в последнем спектакле, на который ходили вместе, а Марина не ходила. Лида после того, как закончит училище, собиралась поставить «Чайку» совсем не так, как ее представляли до этого, у нее был сумасшедший план с каким-то тюлем, подвешенным в темноте и подсвеченным огоньками. Лида сокрушалась, что не может сыграть всё сама, одна, так бы получился по-настоящему фантастический спектакль, потому что она знает, как надо. Снеговик если и обижался на эти слова, то не подавал виду. В ответ он говорил, что никто не даст ей сразу ставить то, что она хочет, скорее всего, придется ставить каких-нибудь «Сталеваров», а Лида соглашалась с ним, но утверждала, что ставить «Сталеваров» — это конец. «Прикинь, “Лолиту” поставить, с какой-нибудь пятиклассницей в главной роли, — сказала Лида, — и объяснить пионерке, что она играет». Гера, давясь смехом, все же с опаской начал показывать на Марину глазами. Здесь Марина спокойно могла выдохнуть дым в лицо Гере и сказать, что она читала «Лолиту» на английском, но ей больше понравился «Дар» и «Защита Лужина», написанные на русском, однако она сдержалась. По институту вообще ходила куча всякого самиздата, все, шушукаясь, передавали его друг другу под большим секретом, причем литература эта не становилась лучше от того, что была запретна, у Марины сложилось впечатление, что, не будь это запрещено, это вообще никого бы не заинтересовало, из всех фамилий запрещенных авторов Марине особенно запомнились только вот Набоков, который был очень изобретателен в своем письме, и Довлатов, чьи книжки ей нравились безоговорочно, за Довлатова Марине было даже обидно, непонятно, кого он мог так обидеть своим письмом, чтобы попасть под запрет.

Незаметно появился Саша, вот буквально на секунду Марина задумалась о чем-то неопределенном, заложившим вату в ее слух, так что разговор Геры и Лиды отступил на задний план, за шорох некоего мысленного тихого снегопада в ее голове, а Саша уже стоял рядом и тоже курил, радостно чему-то улыбаясь. «Еще час на всё про всё, а детей уже полон клуб», — сказал он.

Они зашли внутрь, затем по сумрачному лестничному пролету взошли на второй этаж и полезли в гримерку, причем у Саши была своя гримерка: тетя сделала его материально ответственным за мешок с конфетами, тот, что был при нем во время представления, Саше приходилось беречь этот мешок от других артистов, а особенно от танцевального коллектива, изображавшего метель, точнее снежинок (пять штук) — эти пять девочек лет десяти ели сладости как не в себя, из той же компании была юная актриса, игравшая отличницу, противостоящую снеговику, Бабе-Яге и двоечнику — эта девочка тоже ела конфеты со страшной силой, отъедаясь будто на несколько лет вперед. Звери и Баба-Яга, к счастью, были взрослые, конфеты им были нужны, только чтобы закусить портвешок после представления.

Пионерка была единственным персонажем, которому не нужно было переодеваться перед представлением, — она просто приходила в гримерку, снимала пальто и оп — была уже в школьной форме, тихо сидела в углу, теребя края белого передника и поправляя банты на голове. Марине были слегка непонятны эти костюмы пионерки и хулигана (хулиган тоже был в школьной форме), непонятно, какого лешего дети делают в зимнем лесу в школьной форме. Когда Марина озвучила эту мысль, Медведь сказал ей, что она бы еще удивилась тому, что дети со зверями разговаривают. Вообще, девочка скучала в компании взрослых, а к снежинкам ее не отпускали, потому что боялись, что она куда-нибудь затеряется без присмотра. Девочка оживлялась только ближе ко времени, когда на лицо ей должны были наносить грим, точнее, сначала вазелин, а потом грим, чтобы грим потом можно было легко стереть ваткой, девочка с удовольствием смотрела, как преображается ее лицо, хотя наносили ей только нездоровый румянец на щеки и слегка подкрашивали губы (этим занималась Лида и дымила «Примой» в уголке рта, хотели делегировать эту обязанность еще и Марине, но она категорически не любила детей, даже прикасаться к ним ей было противно, дрожь отвращения пробегала где-то внутри нее, когда дети брали ее за руки во время хоровода).

Табачный дым в гримерке стоял столбом, девочку не зря гримировали румянами, потому что, скорее всего, она выходила бы тогда на сцену с лицом зеленоватого цвета. Поэтому наряд Снегурочки был закрыт в шкафу на первом этаже: звери, пионерка, хулиган, Баба-Яга, снеговик если и шарахались по сцене, воняя табачным дымом, юным зрителям это было незаметно, а вот Снегурочке и Деду Морозу выходить к детям с таким запахом было не очень удобно, вернее, даже Деду Морозу еще это было бы как-то простительно, а вот Снегурочке — не совсем. В этой же комнатке, где был запрятан наряд Снегурочки, стоял еще телефон, и Марину слегка глодало желание позвонить в Невьянск, только было неудобно пользоваться межгородом за чужой счет, кроме того, дома у Марины телефона не было, был он только в тех местах, где мама мыла полы, и Марине было неизвестно, позовут маму к телефону или нет и вообще будет ли она там в выходные. Этот звонок нужен был ей скорее для успокоения совести, ей самой нужно было знать, что она звонила близким накануне Нового года, а дозвонилась или нет — дело десятое.

Марина постучалась в гримерку к Саше, надеясь, что он откажет ей в этом звонке, но он только выпучил глаза и стал убеждать, что, конечно, надо позвонить маме, как без этого, а со своей теткой он как-нибудь потом разберется.

Марина походила по клубу, потому что у нее еще была масса времени до выхода — пока все соберутся, пока отыграют спектакль, Марина ушла подальше от шума фойе (этого шума хватало, чтобы достигнуть второго этажа), постояла на площадке этажа четвертого, прогулялась по четвертому этажу и вышла во что-то вроде холла, там было большое окно во всю стену, пыльные пальмы чередовались с красными креслами. Непонятно, для кого был этот холл, отделанный гранитом, — вокруг были только двери с фамилиями и инициалами на табличках, висело за одной из пальм расписание различных секций, откуда Марина узнала, что в клубе есть даже кружок авиамоделирования под руководством Мешкова А.Д. и кружок туризма с двумя руководителями — мужчиной и женщиной.

До того как Марина стала бегать на лыжах, а это получилось у нее не сразу — в начальной школе она не вылезала из троек по физкультуре, а лыжи были ее отдельной мукой, — она ходила на кружок макраме и кружок рисования; если с рисованием было все понятно, бессмысленно и просто: тащи на занятие сухие краски, не желающие растворяться кисточкой, карандаши, ломающиеся в самый неподходящий момент, и рисуй, что тебе дали срисовать, веточку ли с дерева, восковое яблоко, восковую грушу, — то макраме оказалось забавным занятием; за короткое время как бы озаренная плетением Марина переплела дома все, до чего дотягивались руки: цветочные горшки, подушки, сплела несколько ковриков из цветных тряпочек, похожую на паутину скатерть на журнальный столик, начала уже выплетать некую цветочную композицию и внезапно охладела и к плетению, и к рисованию, стала просто шататься по улицам с подружками или сидеть дома за книгами. Что до помощи матери с младшим братом или на ее работе — это было само собой. Марина просто не поняла, что это был за внезапный приступ созидания в ее детстве и почему ее от этого приступа внезапно отпустило, и мать потом долго ругалась за то, что она бросила плетение и рисование («вся в папашу своего»). Будто какая-то сила просто взяла и отменила все ее увлечения, пустила их по другому руслу, будто у силы этой было некое предчувствие Марининого будущего.

Взять того же младшего брата, он научился читать сам, в пять лет, и если сначала мать всюду хвасталась сыном, как смышленой немецкой овчаркой, выполняющей все команды, то когда брат стал старше, она уже говорила с раздражением: «Всё книжечки свои читаешь». В увлечении брата чтением, бессмысленным и всеядным, действительно было что-то нездоровое, Марину это чтение тоже раздражало, оно превращало брата в одного из местных чудаков, пытающихся казаться умнее, чем они есть на самом деле. Ничто не могло спасти брата от Невьянска и массы других городов и поселков. Куда бы брат ни подался, он все равно оставался бы чудаком с массой бессмысленных знаний в голове. Иногда она с ужасом ловила себя на мысли, что лучше бы брат умер еще дошкольником, только-только научившимся читать, потому что дальше дошкольного возраста его любовь к чтению только отпугивала или, что еще хуже, забавила людей — и одноклассников, и учителей. В местах, где даже учитель литературы должен был рубить дрова и посылать подальше местных работяг, чтение было не нужным навыком, а обузой.

С четвертого этажа Марина снова спустилась в гримерку, взяла ключ от комнаты с телефоном из кармана своего пальто (на ключе висела бумажная бирка с номером кабинета), спустилась еще раз, отворила кабинет, причем звуки движения ключа в замке отчетливо разносило по пустынному коридору, и звуки эти смешивались с гомоном из фойе.

Она села на скрипучий стульчик, подвинула к себе телефон и долго сидела, не решаясь повертеть диск и заказать междугородний разговор. Что могла сказать мать? Мать всегда жаловалась. Всегда мать была бедная и несчастная, все ее обижали — и Марина, родственники и начальство, как бы ни было плохо Марине, матери всегда было гораздо хуже. Марина однажды попала в больницу с аппендицитом, классе в пятом, мать навестила ее только затем, чтобы пожаловаться, что на нее накричали на работе за то, что она появилась слегка подвыпивши, а она устает, имеет право расслабиться, она и в больницу пришла слегка навеселе, дала Марине яблоко, выговорилась, даже не спросив, как Марина себя чувствует, и свинтила.

Успокоив себя мыслью, что матери, скорее всего, нет в горсовете, Марина набрала номер оператора — женщины с таким торопливым и раздраженным голосом, будто работала она, сидя на шиле. Вообще, это было странно: и врачи, и продавцы, и операторы телефонных станций, и уборщицы — все были всегда раздражены, и всегда Марине казалось, что у них есть некое дело, от которого Марина их отрывает, будто в подсобке у них стояло фортепьяно, и им нужно дописывать сонату, и это их основная обязанность, а работа в магазине или на телефоне — очень замороченное профкомовское поручение от союза композиторов. Оператор сказала ждать звонка, и Марина стала ждать, глядя в окно, где видно было только поле, обнесенное деревянным забором, составленным как бы из букв «Н», плотно прижатых друг к другу, из снега торчали огрызки прошлогодней травы, и было видно, что их кренит сплошным ветром.

Мать оказалась в горсовете, в горсовете вообще оказалось множество народу в воскресенье, потому что там тоже готовили какую-то свою елку, поэтому матери предложили выйти в это воскресенье, а потом добрать выходной каким-нибудь другим днем. Мать сразу же стала страдать по этому поводу, принялась говорить, что никакого выходного ей не дадут, скажут, что это была ее общественная обязанность — убрать за всеми, когда закончатся приготовления к елке, а потом еще нужно будет убирать, когда елка закончится. «Они ведь хлопушек натащили и серпантина, — жаловалась мать, — это потом надо будет выметать просто ведрами отовсюду, и ведь зима — откуда столько грязи натаскивают, непонятно». «Ну так копоть всякая оседает на снегу, а потом затаскивается», — сказала Марина. Пока Марины не было дома, мать успела сойтись с каким-то мужиком, Марина бы внутренне возмутилась этому, но она и сама, пока была далеко от Невьянска, успела сойтись с мужиком (если Сашу можно было так назвать), да еще и не с одним (если мужиком считать Игоря), поэтому раздражение по поводу очередного собутыльника матери было не таким сильным, ей грустно только было за брата, живущего в этом кромешном дыму ежедневных материнских попоек.

Марина спросила, как там брат, и мать тут же стала жаловаться на брата, что он грубит и ей, и ее мужчине, что, когда у нее разболелась голова и она попросила брата сходить за анальгином, он зачем-то накупил аспирина на шесть рублей, она не понимала, кто выдал подростку такую гору лекарств, должны же были как-то проконтролировать, мало ли, вдруг подросток хочет отравиться или еще что-нибудь, кроме того, шесть рублей — это огромные деньги, на них можно было что-нибудь полезное купить. Пока мать жаловалась, кто-то зашел в кабинет и встал у Марины за спиной, Марина решила, что это Саша проверяет, не слишком ли много времени она занимает телефон. Марина решила не оборачиваться — если нужно будет, Саша и так даст знать, что она увлеклась, и начнет вздыхать, как в те моменты, когда она предлагала переехать в Невьянск и жить там.

«Да? — рассмеялась Марина, пытаясь перевести глупый поступок брата в шутку. — Вот прямо на шесть рублей и накупил? Зато на всю жизнь теперь хватит».

Мать заголосила, что, конечно, хватит, потому что ей самой уже недолго осталось с такими детьми, стала плакаться, что не вынесет этого, что скорее бы уже брата призвали в армию, потому что он стал очень часто огрызаться и слишком много ест, а кроме того, собрался в институт после армии, что хочет быть физиком или математиком, а в школе и по физике, и по математике у него были тройки, да и в училище тоже. «Толку-то, что он читает? Никакого толку нет, одной только какой-то ерундой голова забита. Инженером хочет быть, а какой из него инженер?» Марине стало приятно слушать эти материнские стоны, приятно было осознавать, что брат не дает матери спокойно спиваться, а устраивает этакий аттракцион взросления. «Ничего, я вам тоже скоро устрою встряску», —

злорадно подумала Марина, но на словах стала успокаивать мать, говорить, что он, может, не на инженера пойдет, а займется литературой, через это найдет девушку, каких на филфаке просто море. «Да это разве нормальная работа для мужика?» — стала возмущаться мать. У матери странные были представления о мужской работе — мужчины должны были водить трактора, бить по железу молотом, таскать тяжести или быть начальниками, орущими на подчиненных, а вот если мужчина копался в бумажках, то это было для нее странно, таких мужчин она считала инвалидами, потому что только инвалидностью могла она себе объяснить это нежелание кататься на тракторе, бить по железу и орать, мужчина, как себе представляла мать, должен был приходить с работы в грязи с головы до ног, иначе это была не работа, а пустое, бесполезное времяпровождение.

Мать принялась жаловаться на соседей, которые назаводили собак, в то время как и людям жрать нечего (лучше бы ребенка из детского дома взяли), что собаки мешают спать, а ей рано на работу, и ее мужчине тоже рано на работу, и сыну рано на учебу, а собаки лают и за стеной, и за забором. Мужчина у матери оказался семейным, и мать обижалась на его жену, которая ходила жаловаться и на мать, и на своего мужа куда только можно, и поносила мать среди соседей, и несколько раз приходила уже скандалить к ним домой, так что мужчина этот однажды не выдержал и выгнал жену из дома тумаками. «Он вообще суровый, у-у-ух», — этим уханьем мать показала свой первобытный восторг перед мужчиной. В этом и была проблема и матери, и Марины — им нужен был кто-то брутальный, другое дело, что кто-то брутальный — семьянин так себе, но это было что-то биологическое, некий посыл из тех времен, когда нужно было без раздумий бить дубиной. Из продолжавшихся жалоб Марина узнала, что новый мужик пытался подзатыльником поучить брата не грубить, за что сразу же заработал от брата бутылкой промеж глаз и обещание, что при следующей попытке помахать руками дома его будут ждать несколько ПТУшников. Мужик поскандалил, заявляя, дескать, что ему сделают несколько сопляков, но поунял свою прыть.

После семейных неурядиц мать снова ударилась в жалобы на начальство, как ей говорят, что она плохо моет, как грозят уволить, хотя как они уволят мать-одиночку, как не устают напоминать, что нужно следить не только за порядком вокруг, но еще и за своим внешним видом (а как тут уследишь, доченька, когда столько работы?).

Тут в вытье матери вмешалась телефонистка и спросила, будут ли они продлевать разговор. Марина сказала, что разговор продлевать не нужно, что ей хватило, в принципе, этого разговора.

Она устало положила трубку, которая, она только сейчас заметила, пахла чьим-то чужим дыханием, дыханием множества клубных работников, сопевших в эту трубку, ей стало противно, что она касалась этой трубки лицом и рукой. Облегчения от того, что разговор закончен, хватило Марине, чтобы тут же забыть об этом и с удовольствием потянуться. Когда она потягивалась, стул от ее движений захрустел, будто она была тяжелее — весила килограммов на пятьдесят больше. Марина подумала, что Саша должен как-то пошутить по этому поводу, мысль ее, как и она сама, потянулась совершенно в разные стороны, она подумала, как будет отвечать на шутку Саши, и подумала еще, что правда скоро станет гораздо массивнее. С полуулыбкой поворачиваясь к двери, она готовилась поблагодарить Сашу за разрешение позвонить, но первое, что увидела, — это суровые глаза маленького мальчика, смотревшие на нее с упреком.

Мальчик так был похож на Игоря своим серьезным видом, всей своей мрачностью, даже прическа была у него такая же, как у Игоря — подобие короткой челки, зачесанной влево, и подбородок выдавался чуть вперед, так что Марина решила, что это мать Игоря, материализовавшись наконец, пришла разбираться с Мариной под руку с другим своим сыном. Марина вскочила и от неожиданности, что это не Саша, и от того, что, кажется, назревал скандал. Удивляло только то, что женщина была немногим старше Марины и быть матерью Игоря просто не могла, если не допускать только, что родила его лет в десять. Это была, в принципе, миленькая, полноватая женщина в голубоватом платье с блестками и меховой шапке (гардеробу меховые шапки не доверяли) и с кошелечком в руке, свободной от сына. В принципе, это могла быть старшая сестра Игоря, приволокшаяся сказать, чтобы Марина от Игоря отстала, потому что он слишком юн еще, чтобы становиться женихом такой кобыле, как студентка из Невьянска.

Марина заметила, что в комнате почему-то пахнет духами и винегретом, причем если запах винегрета был Марине приятен, то от духов на Марину накатили внезапный жар и тошнота.

Мальчика нарядили в костюм хоккеиста, на нем была такая же красная кофта с белой полосой вдоль подола, только шлема нигде не было видно, Марина решила, что со шлемом где-нибудь в коридоре ошивается отец ребенка, чуждый, как многие мужчины, всяким женским разбирательствам. Ребенок был в костюме, и тем было удивительнее для Марины, что женщина начала с вопроса как раз про костюмы, а не про Игоря. Марина растерялась и решила, что у женщины есть еще один ребенок, которому костюма не досталось, но с облегчением поняла, что про Игоря вообще речи не зайдет, что сходство Игоря и мальчика — случайно, и все равно напор женщины, требовавшей костюмов, поставил Марину в тупик, она беспомощно блеяла под этим напором, не особо слыша, как женщина ей грубит. С трудом Марине удалось выпроводить вредную тетку и ее чадо вон, женщина вывела ребенка и демонстративно хлопнула дверью.

«Вот дура», — подумала Марина одновременно и про себя, и про женщину.

Она посидела, приходя в себя после этого небольшого скандала, поглазела по сторонам, на окружавшие ее со всех сторон шкафы с бумажными папками, перебралась на подоконник и посидела там, надеясь, что Саша придет навестить ее перед представлением, чтобы можно было рассказать, какие вредные иногда бывают посетители клуба, он, может быть, стравил бы ей несколько баек из своей жизни Деда Мороза. Сашу она так и не дождалась, потому что он, по его словам, «вживался в роль», а на самом деле неизвестно, что он там делал у себя в гримерке.

Марина поднялась на второй этаж, чтобы стрельнуть у Лиды папиросу, но ни Лиды, ни Геры, ни пионерки — никого не было в комнатке с зеркалами и лампочками, лежал только полупустой портсигар кого-то из парней. Марина взяла оттуда папиросу, спички, вышла без пальто на пустое крыльцо служебного входа и, борясь с приступами тошноты от воспоминаний о духах вредной женщины, выкурила эту папиросу, а потом долго стояла, заранее переваривая приключения, что предстояли ей после новогодних праздников. На крыльце она стояла так долго, что перестала чувствовать пальцы на руках и ногах, пока на крыльце этом ее не отыскал Саша. «Вот ты где, давай быстрее, спектакль кончился, сейчас наша часть», — сказал он.

Вероятность того, что мальчика вредной женщины поставят в хороводе рядом с ней, была крайне мала, но девочки в белых платьях будто специально протолкали этого мальчика к ней. Слева за нее держался заяц неопределенного пола, его ладонь была прохладна, когда же мальчик вредной женщины взял ее за руку, Марина едва не вскрикнула от жара, который исходил от его руки, на мгновение ей показалось, что вместо руки ребенка ей подсунули рукоятку горячей сковороды. Она с облегчением отпустила руку этого мальчика, когда все спели новогоднюю песню и обошли несколько раз вокруг елки, а мальчик всю дорогу смотрел на нее внимательными глазами, будто проверяя, больно ей от его жара или нет. Еще его рука казалась липкой.

После представления Марина первым делом побежала в туалет, и ее долго тошнило, она стала смывать липкость детской руки со своей ладони. «Аборт, — думала она. — Нахер все это, только аборт». Ей казалось, что от ее руки все еще пахнет этим ребенком, но чем сильнее она отмывала руку, тем сильнее становился этот невыносимо тоскливый детский запах.

Литературно-художественное издание

Сальников Алексей Борисович

ПЕТРОВЫ В ГРИППЕ И ВОКРУГ НЕГО

Роман

Содержит нецензурную брань

Главный редактор *Елена Шубина*
Ведущий редактор *Анна Колесникова*
Младший редактор *Вероника Дмитриева*
Корректоры *Надежда Власенко, Светлана Войнова*
Компьютерная верстка *Елены Илюшиной*

Подписано в печать 24.01.2020. Формат 84х108 1/32.
Печать офсетная. Усл. печ. л. 21,84.
Доп. тираж 7000 экз. Заказ 951.

Общероссийский классификатор продукции
ОК-034-2014 (КПЕС 2008); 58.11.1 — книги, брошюры печатные

Произведено в Российской Федерации. Изготовлено в 2020 г.

Изготовитель: ООО «Издательство АСТ»
129085, Российская Федерация, г. Москва,
Звёздный бульвар, дом 21, строение 1, комната 705, пом. I, 7 этаж.
Наш электронный адрес: **www.ast.ru**

«Баспа Аста» деген ООО
129085, Мәскеу қ., Звёздный бульвары, 21-үй, 1-құрылыс, 705-бөлме, I жай, 7-қабат.
Біздің электрондық мекенжайымыз: www.ast.ru

Интернет-магазин: www.book24.kz
Интернет-дүкен: www.book24.kz
Импортёр в Республику Казахстан ТОО «РДЦ-Алматы».
Қазақстан Республикасындағы импорттаушы «РДЦ-Алматы» ЖШС.
Дистрибьютор и представитель по приему претензий на продукцию, в Республике Казахстан:
ТОО «РДЦ-Алматы»
Қазақстан Республикасында дистрибьютор
және өнім бойынша арыз-талаптарды қабылдаушының
өкілі «РДЦ-Алматы» ЖШС, Алматы қ., Домбровский көш., 3«а», литер Б, офис 1.
Тел.: 8(727) 2 51 59 89,90,91,92
Факс: 8 (727) 251 58 12, вн. 107; E-mail: RDC-Almaty@eksmo.kz
Өнімнің жарамдылық мерзімі шектелмеген.

Өндірген мемлекет: Ресей
Сертификация қарастырылмаған

Отпечатано с готовых файлов заказчика
в АО «Первая Образцовая типография»,
филиал «УЛЬЯНОВСКИЙ ДОМ ПЕЧАТИ»
432980, Россия, г. Ульяновск, ул. Гончарова, 14

Алексей Сальников
ОПОСРЕДОВАННО

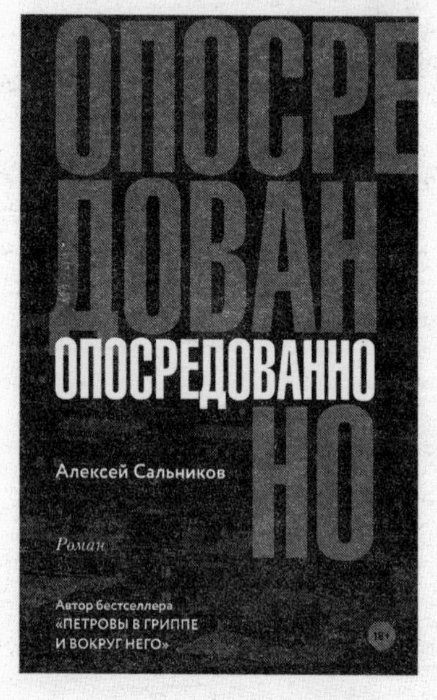

Алексей Сальников — поэт, прозаик, автор романов «Петровы в гриппе и вокруг него» и «Отдел», а также трех поэтических сборников. Лауреат премии «Национальный бестселлер», финалист премий «Большая книга» и «НОС».

В новом романе «Опосредованно» представлена альтернативная реальность, где стихи — это не просто текст, а настоящий наркотик.

Девушка Лена сочиняет свое первое стихотворение в семнадцать лет, чтобы получить одобрение старшего брата лучшей подруги. А потом не может бросить. Стишки становятся для нее и горем, и утешением, и способом заработать, и колдовством, и частью быта — ближе родных и друзей. Они не уходят, их не выкинешь, от них не отвяжешься, наверно потому, что кровь не водица, но все же отчасти — чернила.